SYNPUNKTER PÅ STRINDBERG

EN ALDUSBOK

A 103

Synpunkter på Strindberg

Redigerad av

GUNNAR BRANDELL

BOKFÖRLAGET ALDUS / BONNIERS

STOCKHOLM

Omslag av Vidar Forsberg

—

I Aldusböckerna 1964

Meijels Bokindustri, Halmstad 1964

INNEHÅLL

INLEDNING

På följande sidor möter läsaren ett urval Strindbergskritik och Strindbergsforskning från femtio år. Den första uppsatsen, Nathan Söderbloms, skrevs 1912 vid Strindbergs bortgång, och de senaste bidragen trycktes 1962. Under denna tid har Strindbergslitteraturen strömmat rikligt, och vad som här bjuds är bara ett litet urval med tonvikt på den inhemska produktionen.

I den första avdelningen framträder tre olika helhetsbilder av Strindberg, som människa och författare, med åtföljande värderingar. Avsikten är att de skall tjäna som en påminnelse om att Strindberg inte heller efter sin död har blivit en kanoniserad gestalt. Han står alltjämt i tvedräktens tecken. Somliga har accepterat honom helt, andra har förkastat honom helt, andra slutligen har ställt sig kritiska till människan Strindberg och i gengäld hyllat diktaren.

Mot denna bakgrund möter i urvalets andra avsnitt, det mest omfångsrika, en rad prov på den svenska forskningens sätt att nalkas Strindberg. Urvalet kan bara glimtvis spegla Strindbergsstudiets resultat och utveckling. Många tungt vägande insatser, däribland en så grundläggande prestation som Erik Hedéns Strindbergsbiografi från 1926, har av olika anledningar inte kunnat komma med. Vad som bjuds är en provkarta på Strindbergsstudier, valda så att de illustrerar olika grepp och samtidigt berör så många av Strindbergs centrala verk som möjligt.

I det tredje och sista avsnittet slutligen meddelas två prov på den internationella Strindbergsforskning, som för ögonblicket förefaller ännu mer livaktig än den inhemska. Metoder och synsätt skiljer sig i mycket från vad vi är vana vid, men det har förefallit mig lämpligt med en erinran om att Strindbergsforskningen och Strindbergstolkningen nu lika litet som under de gångna femtio åren är någon enbart lokal angelägenhet.

Gunnar Brandell

NATHAN SÖDERBLOM

Skuld och försoning

Man har icke alltid sett, att Strindberg saknar dekadenta drag. Hälsa och sjukdom är icke dekadenta, icke ens dårhuset behöver vara det. Snarare då kulten av normalmänniskan. Harm, självpina och bitterhet,

> ånger, blod och tårar,
> allt vad hjärtat sårar —

är ej dekadenta. Icke heller blicken för det sällsamma och gåtfulla i vår tillvaro.

Men när det som evigt pinar och när det som evigt fröjdar människohjärtat utbytes mot konstgjord livsstegring och sökt retelse, då luktar det dävet ur böcker och spalter och människor. Strindberg reagerade starkt mot tocket liksom mot all onatur. När han såg eller trodde sig se dekadenssymptom, var hans reaktion så våldsam, så brutal, att publiken allt efter sin smak skandalöst njöt eller förfärades. Strindberg är motsatsen till en dekadent även i religionen.

Visserligen har Strindberg rotat i besynnerligheter och burit till torgs en ömsom fantastisk, ömsom krasst naiv religiös eller kvasi-religiös metafysik. Det ockulta hade sin lockelse. Sammanträffanden och tilldragelser tyddes, även utom hans kvalfullaste tid, med vidskeplig fruktan och med en bisarr, stundom vild och säkert för honom själv ännu mer än för föremålen plågsam misstänksamhet. Men detta är ej dekadens, utan sammanhänger med hjärtats känslighet och med sinnets ursprunglighet.

Ej få av religionens stormän visar — eller döljer — en undervåning, där obarmhärtig självrannsakans bödlar och deisidaimonias, den vidskepliga rädslans, skräckgestalter knappt kan skiljas från varandra. Särskilt gäller detta sådana själar, som i religionens värld bott inom den kristna problemställningen: skuld och nåd. Ty kristendom är förtröstan i kamp mot misströstan, mot "förtvivlan och andra svåra synder och laster". I var känslig och uppluckrad själ lurar självfrätande misstro och missmod.

Vidare bör märkas, att primitiviteten gärna går upp i dagen hos människor med stark ursprunglighet. Med urnaturens skaparkraft följer lätt något av det föreställningssätt, vari primitiv magi och religion bottnar. Det kan yttra sig i ett älskvärt besjälande av allt, såsom när H. C. Andersen fick stumt stoff att tala eller när Strindberg behandlade pennorna på sitt skrivbord såsom individer och levande väsen. Det kan också yttra sig i känslan av att omgivas av "makterna". Det är den primitives värld. Men skillnaden blir stor, om man vet sig själv vara "maktbegåvad" och "kunnande" och behandlar makterna såsom medicinman och magiker, eller om man tillhör de många ängsligt omvärvda och ständigt hotade. Två av de starkaste snillena i samtida svensk konst och litteratur, Anders Zorn och August Strindberg, illustrerar ypperligt denna åtskillnad. Strindberg led under makterna. En gång hade de fått överhand. Alltjämt hotade den primitiva trollskräcken att grumla urskillningen. Han såg och visste, hur det var. Men töcken steg upp ur djupet. Makterna drev sitt spel — osynliga väsen eller illvilliga mänskliga trollkarlar och trollkonor. Strindberg värjde sig och vann seger över denna hemska här. Hans egentliga vapen var gudsförtröstan.

Kapitlet om Strindberg och makterna skall ej här skrivas om igen. Jag ville endast visa, att för honom gällde det rama allvaret. Sådant känna icke dekadenter.

Strindberg har aldrig såsom de finare eller de bohemiska dekadenterna använt religionen som en gammalny tjusning. Religionen var för honom icke en retelse för känslan. Förunderligt, hur föga han sysslat med det estetiska i religionen. Han sökte icke stämning eller rökelse. Han föll ej trött i en ljuvlig hugnads famn. Utan Strindberg brottades med de enkla, svåra verkligheterna. Problemställningen var för honom skuld och försoning. Han sökte själens nödtorft, inga utsökta rätter. Hans religiösa åstundan inriktades icke på vad som är vackert, utan på vad som frälsar.

Hemmet, där han utandades sin sista suck, var nog icke det

torftigaste han hade bebott. Den lilla trerumslägenheten med sin kärva, prydliga, rörande enkelhet kännetecknar honom. Ett palats och lena kläder kan passa för en subtil mystiker sådan som Maeterlinck. Snusk och huller om buller för en rusets och ruelsens Verlaine. Här bodde en evighetsvandrare med en orolig, vakande håg och med så litet bagage som möjligt på färden. Här bodde en litteraturens furste. Men vad han begärde, var icke lyx och njutning, utan hem och verkstad för en arbetare, som ej vill tyngas av världens omsorg under vistelsen på detta "dåliga ställe". Så kallade han stundom vår dunkla ort.

På nattduksbordet ligger böckerna orörda, kvällarnas själaspis — vederkvickelse efter den trägna arbetsdagen. Utom en liten läkarbok på övre hyllan och på den nedre ett par småskrifter: Nyckel till almanackan 1842 och 1900, tillhör samtliga böckerna religionen. Inte får man sluta för mycket av vad som hopat sig på ett nattduksbord. Men något betyder det — och mer än vanligt i fråga om en så meningsfull människa med ett så ytterst noga ordnat och sobert liv. Närmast tillhands i övre hyllan ligger Magnus Fredrik Roos, Huslig andaktsbok (Lund 1847), sålunda en av lutherska kyrkans klassiska uppbyggelseböcker, länge och vida spridd och nyttjad (i vårt land), ännu älskad av gammaldags fromma och av en och annan yngre, som igen upptäckt den. Strindbergs exemplar är flitigt läst och nött. Där finns gott om understrykningar. Blad är vikta för kärnställen. Ett par betraktelser utmärkes mer än andra. Särskilt morgonbetraktelsen på 22 februari över Johannesordet: "Om vårt hjärta fördömer oss, så är Gud större än vårt hjärta och vet allting." Därför lästes detta bibelspråk vid jordfästningen. På övre hyllan finns ytterligare Gamla psalmboken med hörn för psalmerna 70 och 243 samt med bladet vikt för "Bön om en salig ändalykt" (12) och botpsalmen 102 i Psaltaren; en gammal bibelupplaga i två delar tryckt 1782 med åtskilliga hörnmärken i Gamla testamentet; E. Nyström, Biblisk ordbok; samt en hebreisk bibel, där predikarens ord om ålderdomen och döden hör till de märkta ställena. På nedre hyllan finnas ett Vetus med interlinear latinsk översättning, två grekiska nya testamenten, en bibel med Vetus och Novum på grundspråken i ett band, en hebreisk Genesis med latinsk översättning, två exemplar av gamla psalmboken, brödraförsamlingens

Dagens lösen, del 3 av Swedenborgs Apocalypsis revelata, det är Den uppenbarade uppenbarelseboken, och A. Strohs levnadsteckning över Swedenborg; en liten vackert inbunden Paroissien romain, tryckt i Limoges; Emerson i ett tyskt billighetshäfte: Aus Welt und Einsamkeit, en gammal italiensk redogörelse för judarnas riter (Venedig 1678) med stycket om paradiset förstreckat; Strindbergs Religiös renässans (där jag krediteras med ett återvändande, fastän jag icke varit borta); Höga Visan översatt och förklarad av Granlund, samt ett par småskrifter om Frälsningsarméns lärosatser och organisation.

Ett dokument med särskild helgd är det exemplar av svenska psalmboken, en mycket enkel och vanlig upplaga, som Strindberg på senare tid tydligen flitigt använt, och ur vilken en av hans allra närmaste, stadsnotarien Nils Andersson från Lund, fick föreläsa för honom på dödsbädden. Då framgick, hur förtrogen Strindberg var med sina älsklingspsalmer. Detta dokument — en vanlig liten psalmbok, streckad, vikt och nött bliven under Strindbergs händer, befinner sig nu i de värdigastes förvar. En vecka före döden lät Strindberg psalmen 471 sig föreläsas. Verserna 5 och 6 accentuerade han med upprepade bekräftelser. ”Sedan kommer annat”, tillade han om psalmens slutverser. Med grundlig vikning, med understrykningar och dessutom även med ett alldeles särskilt blyertstecken vid sidan var, jämte Magnus Gabriel de la Gardies psalm (471), en annan utmärkt såsom ingen tredje, nämligen Wallins 476. Nils Andersson, som under Strindbergs sista sjukdom fick läsa högt för honom ur bibel och psalmbok, är övertygad om, att de av Strindberg tydligen avsatts för hans jordfästning. Utom psalmer och psalmverser är vissa texter och syndabekännelsen förvikna.

Vad visar nattduksbordet? ”Töcknigt religionsgrubbel?” From stämning för ro skull i kvällsskymningen?

Underliga spekulationer sysselsatte Strindbergs allfrestande håg inom många områden, särskilt inom religionen. Strindberg är icke den ende svenske konstnär, som på senare tid i Swedenborg igenkänt en lärare och ledare. Symbolismen hos Swedenborg hör till det, som tilltalade honom. Det lockade honom att finna den förborgade meningen. Men drivkraften var ej nyfikenhet. Det är lätt att se, hur de stundom äventyrliga spekulationerna hos

Strindberg sammanknöt sig med de fruktansvärda mänskliga problem, som kvalde och sysselsatte honom. Han drevs ej blott av tankens håg, utan av livets tvång. Och han drevs vart? Icke till oändlighetsfromhet eller livskult, utan till det sedligt betonade dilemmat: skuld och försoning i hela dess brutala allvar. Under trycket av slik tyngd har Strindberg stundom varit nära att glida över i ett slags dyster botbelåtenhet eller i en se-genom-fingrarna-tröst, men icke hamnat i någondera. Hans religiösa problemställning är den centralt kristna.

Sammanhanget med primitivitetens rädsla är uppenbart. Skuldkänslan gör en öm punkt. Kulturmänniskans pansar är där borta. Då har den primitiva skräcken en plats, där stinget känns. Intet ger åt den lurande oron för makterna en udd och farlighet såsom känslan av skuld, liksom omvänt ångesten uppfinner, i nödfall uppdiktar nya anledningar till skuld. Detta fenomen förvånade Luthers biktfader i Erfurt, innan det skandaliserade Strindbergs läsare. Här uppstår ett trassligt fördömelsens ivartannat, som kan varaktigt redas ut endast genom den förödmjukande och radikala akt, som består i att erkänna och mottaga misskund. Varje äkta religiositet betyder att överväldigas. Det kan ske av Guds oändlighet. Hos Strindberg, liksom i den evangeliska kristendomen, skedde det först och sist av Guds krav och Guds nåd.

Bland andra visdomsord läste jag i någon nekrolog, att slik sammanställning av brott och straff i tillvaron lär vara utmärkande för nordbor. Slutsatsen drogs icke om den särskilda rashygien, som erfordras för att rationellt få bort detta vårt lyte. Eljes kunde vederbörande rådfråga det s. k. människosläktet i både norr och söder, nota bene när det hunnit över naivitetens stadium in i det personliga, kritiska sanningskravet. Strindberg kan i det vi här tala om ställas i rad med andra författare, som icke alla är nordbor. Paulus och Augustinus, Luther och Pascal, Bunyan och John Henry Newman, Kierkegaard och Dostojevskij hör till dem, för vilka livet vänt sig kring spörsmålet om skuld och nåd. Vill man avskaffa spörsmålet genom att proklamera oansvarigheten såsom ett vetenskapens rön? Det stackars människohjärtat vill, fastän det kostar straff och möda, ändå icke mista sin värdighet. Och ville det sälja den för en grynvälling, så — funnes den ändå kvar. Eppur si muove. Det är icke sagt, att slika grävare i sig själva, som jag har nämnt, alltid tycker om varandra. ”Sucka kan jag göra själv.” De blir ingalunda de mest sympatiska naturerna. Åtskilliga av dem ägde och äger mot tröstlöst grävande och frätande i det inre en hjälp och en motvikt i tvingande yttre kallelsesysslor, som andra, bland dem Strindberg, saknade. Han var skildrare. Däri ligger för en sådan natur något av martyrskap. Ganska dyrt stod honom de konstnärliga skildringar av skulden, boten, förlåtelsen, som uppnår, kanske övergår, allt vad dikten däri äger. Jag vet inga dramer, där samvetslivet och det kristliga mänskliga mer fasaväckande och mer överjordiskt hult kommer till uttryck. Brottets lockelse och skuldens helvete kan Strindberg utan att flytta en stol göra lika ohyggligt verkliga, som de är i det våldsamma, för teatertekniken så tacksamma skådespelet Macbeth. Och hur kan han ej i en glimt låta ana, att ”wo Vergebung der Sünden ist, da ist auch Leben und Seligheit”. Strindberg far icke bort efter någon överspänning eller konstighet, utan det vanligaste blir en uppenbarelse.

Var denna dryftning av människans problem i dess egendomligt kristna aspekt endast en episod eller tilläventyrs en förmörkad senare hälft i Strindbergs liv? Hur någon läsare av Strindberg kan mena, att Gud och religion någonsin för honom varit tomma ord, är mig, såsom ovan utförts, ofattligt. Säg, att han stundom förnekat dem, att han bekämpat dithörande föreställningar, sedvänjor och ideal — men nog har religionen, så vitt jag kan finna, i stort sett alltid sysselsatt honom. Skall man tala om en episod, så är det riktigare att — beklagande eller gillande — tala om förnekelsen såsom episoder i hans liv. Det gjorde han själv. En tid tydde hans alstring på, att han var en på de flestas lycka troende, idealistisk materialist. Det är väl den tiden han hänsyftar på, när han säger att han varit ateist, tillhörande det skrå, som sedan av honom fick så fula namn. Dogmatism låg icke för Strindbergs lynne. Förnekelsens dogmatism var oförenlig med de andliga kravens rastlöshet och styrka hos honom.

Nästa lika oförklarligt som försöken att bagatellisera religionens roll i Strindbergs liv till en tillfällig omtöckning, är det, om än vissa uttryck hos Strindberg själv skulle kunna förleda den med hans skrifter obekante till en så oriktig slutsats, att låta de religiösa problemen och gudstron begynna med Infernotiden och att ställa den unge (tilläventyrs riktige) Strindberg mot den, som man menar, andligt nedbrutne, som slog sig på mystik och grubbel — och kristendom. Utom det att Infernotiden och åren därefter frambragt det väldigaste i Strindbergs produktion, ej försvagning, talar hans tidigare skrifter ett ovedersägligt språk. Eller är t. ex. Sömngångarnätterna understuckna? Det blir, såsom ovan visats, en våldsam kritik, som skall ur den förinferniske Strindbergs alstring avlägsna religionen och den våldsamma revolten mot ateismens trosläror.

Otvivelaktigt sammanhänger religionens plats i Strindbergs liv med mycket, som stör och förstör människans lycka, och som man därför av ren välmening vill avlägsna i sällskap med det sökta botemedlet, religionen. Strindberg fann, att det vill annat till än förnekelse för att få bukt med ondskans makter. Flyr de för Ordet, så är det icke för det ord, som låtsar eller proklamerar deras obefintlighet. Men hur man än värdesätter Strindbergs egna uttalanden, gör man sig skyldig till en osann förenkling, vare sig man i honom hälsar en i kyrkans hamn omsider inlupen fribrytare eller man i hans fromhet ser något främmande, utifrån kommet och avskiljbart. Respekten för människan och för hans livsverk kräver ett slikt erkännande.

Förringas det kristnas makt i denna själ, har man även skadat det som för honom själv var kärnan i den varma, och vad mer är, verksamma medkänslan med dem, som har det smått och tungt. Det lär finnas få mer upplyftande och rena skådespel än Strindberg inför sista tidens hyllning. Den uppriktigt ödmjuka värdigheten tävlar med den godhet, som tyst och omsorgsfullt skänkte bort gåvan. Jag behöver och vill ej ställa andra namn bredvid, för att framhäva skönheten i den bilden. Men lätt glöms, att en sådan själens styrka och oskrytsamhet, ovärldslighet icke kommer av sig själv, allraminst hos en natur, samtidigt vulkanisk och självbeskådande, sådan som Strindbergs. Om hans egen förklaring, ifall hans läppar ännu kunde avge den, lär väl ingen kunna tveka. Den skulle lyda: lidandet och kristendomen.

Mer än en gång kallar sig Strindberg i sina skrifter en botgörare. Allt klarare och vissare fattade han sin väg som en svår och gåtfull, men nödvändig och ovanifrån ålagd mission. Härmed sammanhänger den patetiska betoningen i hans polemik. Träffsäker instinkt kunde leda honom rätt. Men han kunde även se vilse och bli grymt eller löjligt orättvis. Även i förra fallet, då han verkligen sett något, tedde sig hans anfall överdrivet och orimligt. Ty personerna blev för honom till typer. Dimensionerna växte. Föremålen nekade att känna igen sig. Kände de igen sig, så fann de sig hemskt förstorade och förvridna.

Kapitlet om Strindberg som sanningsvittne är oskrivet ännu. Den naiva godtyckligheten tar det som passar. När Sven Hedin eller den avgångna regeringen får sig skäppan full, jublar de ena. När Ellen Key eller "äfflingarne" än grundligare hudstryks, jublar de andra. Jag kan icke följa med på någondera hållet. Men jag förstår, att saken för Strindbergs vidkommande ej kan avfärdas som en oresonlig nyck. Här skulle endast anmärkas, att det starka patos, som låg i Strindbergs attacker, får sin förklaring i det religiösa tvång, i det föga angenäma men oundkomliga tvång, han kände över sig att tala och handla.

Medvetandet att utföra en mission gjorde dock icke Strindberg högmodig. Han kände sig helt enkelt som en av de många kristna människorna, vilka funnit och finner sanningen och livskraften i att tro på Gud.

När det efter en svensk auktors död nu hette i världen: "samtidens störste författare gick hädan", ville denne man jordfästas så som varje medborgare i detta rike. En, som kände honom djupt, förklarar det ur Strindbergs rättfärdighetskrav. I döden skall det vara lika, helst även förut. Säkerligen låg också i hans efter noggrant betänkande minst ett år före döden nedskrivna önskan känslan för, hur mycket mer bibelorden säger än några andra ord. Han var genomträngd av dödens majestät och evighetens ansvar. Hur det än kan låta ibland i de "blå böckerna", fanns i Strindbergs religion fruktan och bävan. Han gav åt sig själv ingen särställning utan litade på Guds barmhärtighet.[1]

[1] Vid hans bår lästes Lasse Lucidors vers:

> Döden gör mig intet häpen,
> ändock han är faselig.
> Ty han är av Christo dräpen
> och kan intet skada mig.

Summa. En stor skribent avlider 1912. I att komma åt och uttrycka det evärdligt mänskliga tillhör han första rangen i litteraturen — med förlov, det prutas icke — trots allt försmädligt och onödigt slarv och trots alla pennförlöpningar i hans prydligt präntade och pyntade manuskript. Denne man livnärde sin ande med det var man bäst behöver och dog som en kristen, icke omvänd under galgen, utan beprövad under sällsynt svårt förvecklad inre strid. Han ville över sitt stoft endast höra ritualet. Ty inför Gud är ingen mannamån.

Jag håller med Strindberg i att talet om avkristning ofta är fåvitskt.

Om Strindbergs ställning till kyrkan vågar jag ej ännu yttra mig förr än i breven ett rikare material föreligger, hur nära till hands det än ligger att förmoda, att han alltjämt känt sig främmande, kanske avog mot kyrkan som institution. I ett så rikt och känsligt strängaspel som hans ljuder visserligen många toner. Även ekon från gudstjänstens och kristna sedvänjors minnen, stämning, andakt. Alltifrån Röda rummet finns sådana ställen jämte intryck av annan, rentav motsatt art. Vad som drog Strindberg till kristendomen, var i varje fall intet av det som, fastän värdefullt, skönt och under givna förhållanden omistligt, dock icke direkt utgör det enda nödvändiga. Vad som drog honom till kristendomen var själanöden, världsgåtan, frälsningen. Med desto större rätt räknar jag honom till den allmänneliga kyrkan.

För religionen betyder Titanic och Strindberg — titanen — mer än år av kult och predikningar. Nödgas åldras, nödgas dö — kunna åldras, kunna dö.

—

Domen fruktar jag väl stort,
efter jag har illa gjort.
Men den trösten jag ej glömmer,
att min broder, Jesus, dömer.

Denna vers befanns höra till de förvikta i Strindbergs psalmbok. En vän, psalmkännare och psalmist, påpekade för mig versen i denna dess ursprungliga lydelse. Redan i Svedbergs psalmbok av 1695 blev slutet pietistiskt försvagat och kvarstår så i Wallins av 1819.

»Domen fruktar jag *ej* stort,
fast jag hafver illa gjort.
Ty den trösten» etc.

VICTOR SVANBERG

Strindbergskulten

Strindberg personifierar allt det i svenskens lynne, som är barbari.

Vi arbetar så gott vi kan på att göra Strindberg till en ingrediens i svensk bildning. Utan tvivel är han värd att kännas, men ej att drivas kult med. Att lära folk dyrka honom är inte att bilda utan att brutalisera.

Vi stoltserar med Strindberg inför världen, presenterar honom som kvintessensen av svensk kultur. Ett bättre sätt att affischera svensk okultur kan knappast tänkas.

En brokig skara av oliktänkande förenas i kulten av Strindberg. I de samlade skrifternas femtiofem volymer och i de knappast färre stadierna av hans kameleontlika utveckling kan var och en finna något att beundra.

Äldst på platsen är radikalerna. För dem blev han tabu med Röda rummet, Nya riket och Utopier, och hans mångdubbla avfall åt höger från och med Giftas till och med Blå böckerna förlåtes honom för det lilla demokratiska återfallet i Tal till svenska nationen.

Inferno och Till Damaskus tillförsäkrar honom alla frommas kärlek, fördubblad enligt bibelordet om änglarnas stora glädje över den där sig omvänder och bättrar. Jag minns från min barndom en gammal ortodox präst tala med rörelse om denne Saulus som blivit en Paulus.

Patriotisk uppbyggelse finner vår farbror i Gustav Vasa, liksom vår farfar fann dylik i Engelbrekt och hans dalkarlar. Emedan Strindbergs dalkarl, som i slutapoteosen skakar kunganäven, är halvfull och oborstad, kan den patriotiske åskådaren av dramat gå hem i den lugna förvissningen, att hans fosterländskhet bygger på sund och frigjord realism.

Men Strindbergs församling har plats för enklare folk också i sina kyrkbänkar.

Där kan en ungkarl stiga in och vederkvicka sig vid Giftas utan att behöva dölja lektyren. Den är inte pornografi. Den är prima litteratur.

Nyförlovade kan suga på Svanevit utan att skämmas för sin sak. För inte kan en Strindberg skriva pjoller, inte.

Var liten toffelhjälte kan se sig upplyft till tragisk och fasaväckande storhet i Fadren. Tänk att våga kasta lampan efter ragatan!

Ett nöjsamt kapitel är kvinnornas Strindbergsdyrkan, börjande med blommor under Giftasprocessen. Då kanske förklaringen var kvinnligt deltagande för den det är synd om. Nu spelar väl in önskan att göra som andra — beundra vad män beundrar. En annan ganska enkel förklaring till kvinnors applåder åt Fröken Julie och Dödsdansen finge man, om man accepterade åsikten, att varje kvinna njuter av att få stryk och ovett — en sats som dock jag för min del tror är sann bara i fråga om en utdöende kvinnotyp. Jag vågar en tredje, litet mer komplicerad förklaring. När kvinnorna applåderar de strindbergska äktenskapsgrälen, triumferar de över denne så kallade titans livslånga, förtvivlade och ständigt lika vanmäktiga försök att göra upp räkningen med det svaga könet. Ty man får söka länge efter bättre bevis på kvinnans herravälde över mannen än det strindbergska kvinnohatet.

Så har vi dårarna, de äkta och de simulerade. De har Strindberg att tacka för en god del av sin nutida nobilisering med ty åtföljande fri- och rättigheter. För en dåre är i våra dagar allting tillåtet. Man kan få vara hur infam som helst och ändå bara väcka förståelse, om man kallar sin infami ”Die Beichte eines Toren”.

Men även ganska normala och modesta personer kan hämta tröst och förhärdelse hos Strindberg. Det må vara nog med ett exempel. Ett mänskligt, på sätt och vis ett fint drag är att pinas, när man måste ta mot hjälp. Det är stolt och ädelt att inte vilja veta någon göra uppoffringar för oss. Strindberg lockar den finkänslige gäldenären med ett botemedel, som är mindre fint. Han och hans diktgestalter är virtuoser i konsten att bortresonera tacksamhetsskuld. Metoden är enkel: man söker dolda egoistiska motiv hos hjälparen, och den är osviklig, när det som för Strindberg är ett axiom, att grov egoism är enda drivkraften för människans handlingar. Fördenskull kunde den som handlade vänskapligt mot Strindberg vara säker på att bli betraktad och behandlad som hans fiende. Liksom kärlek i hans ordbok var synonym till hat, så var vänskap liktydig med bedrägeri. Och liksom hans äktenskapshelveten förlett mången beskedlig Medelsvensson och Medelsvenssonska att spela sataniska mot varandra, så har hans förgiftade vänskapspsykologi förvrängt inte så få väntjänster till vampyrpsykoser. ”När jag klädde av dig, dog du”, var Strindbergs gravtal över Geijerstam. Det är en vildes triumf. Klär man av sina vänner med flintkniv, måste nakenheten bli dödande, men det bevisar ej den knivskurnes skuld. Vidrigare än den knivskurne blir knivskäraren, hur många svarta fanor han än svänger med.

För att fortsätta bildspråket: därför att människokroppen gömmer oaptitliga inälvor är inte en naken kropp ful. Utan bilder uttryckt: därför att vänskap alltid rymmer en portion egoism, kan den vara vacker ändå och värd tacksamhet, värd förtroende.

Alla svagheter i människonaturen finns att lära hos Strindberg, blott inte den respekt för mänsklig svaghet, som kallas humanitet.

Här invänder någon: ”Min herre, ni är moralist! Låt vara, att Strindbergs tankar är föga genomtänkta och hans handlingar föga tilltalande, och att samma lyten låder vid människorna i hans diktvärld. Men begär inte för mycket av en diktare! En diktare kan vara stor trots, ja, på grund av intellektuella och moraliska brister. Är inte Strindbergs konst så levande just tack vare inkonsekvenserna, är inte hans kraft imponerande just tack vare brutaliteten?”

Så talar den allra modernaste Strindbergsdyrkaren.

Jag svarar: ”Min herre, ni är estet. Ni är förälskad i det fulas raffinemang. Gå till Baudelaire, men låt Strindberg vara! Låt oss till ett annat tillfälle spara den svåra frågan, om dumhet och simpelhet verkligen kan vara vackra, och om dikt kan njutas utan hänsyn till ämnet och idéerna! Hos Strindberg kan man i varje fall inte göra en sådan boskillnad. Ty om något är visst, så är det att Strindberg inte ville vara estet. Han ville vara sanningssägare, och det är som sådan han skall bedömas."

Medan Strindberg levde var han föremål för många anfall. De var nästan alla anfall från höger. Mitt anfall mot det nutiden beundrar hos Strindberg är ett anfall från vänster. De äldre anfallen riktade sig mot hans radikalism. Vad jag saknar hos honom är verklig, fullgången radikalism.

Det bästa hos honom är i mina ögon hans samhällssatir och hans psykologi under 80-talet. Men även i denna tids verk finns svagheter, som han dels delar med sina samtida, naturalisterna, dels äger i högre grad än de, emedan hans naturalism var ytlig och tillfällig.

Naturalismens insats var ett vägröjningsarbete, som ingen modern människan kan önska ogjort. Men lika lite kan den, som vill vidare, stanna, där de stannade. Vad de lärt oss och vi inte får glömma är att människan är en naturvarelse och att kulturen är maktlös, om den försöker lägga band på naturen. Därmed utdöms det mesta av traditionell kultur.

Men naturen kan förädlas och måste förädlas. Det är vårt värv: att förbereda en kultur som inte gör våld på naturen utan i stället utvecklar naturen. För en sådan ny kultur hade naturalisterna föga sinne och Strindberg knappast något alls.

Liksom sina franska föregångare gav han en personlig tolkning av de naturalistiska idéerna, och hans tolkning tog mer än deras fasta på det utvecklingsfientliga i teorin.

Temat, att människan först och sist är ett djur, kan utläggas på många olika sätt.

Zolas hjältar och hjältinnor har fått i arv sin skapares egen robusta livsaptit. Maupassants personer är erotomaner som han själv. Den yttring av primitivt driftliv, som Strindberg tog till specialitet, var hatet. Därmed är sagt, varför hans naturalistiska sanningssägande var — inte blott ensidigt och frätande — det är varje ny förkunnelse — utan helt igenom skevt och helt igenom negativt.

När hans naturalistiska meningsfränder framhävde och godtog självhävdelsen, raserade de gamla — kristna — värden, men de satte nya i de gamlas ställe. Zola och Maupassant, Jacobsen och

Björnson blottade många grova och frånstötande primitiva livsyttringar, men livet självt är dock hos dem något positivt. Könsdriften, gommens retelser, ögats fröjd åt färg och form, lusten att äga, begäret att härska är kanske inte de högsta livsvärdena, men de är primära livsvärden och de är betingelser för all sund kultur.

Den självhävdelse, man kallar hat, är däremot obotligt brutal och hopplöst negativ. Det strindbergska hatet är inte härlett, har ingen orsak, tar ej skäl, det är ett ursprungligt, outrotligt, oresonligt behov att skada i brist på annan möjlighet för individen att göra sig gällande. Kärlek kan föda hat, men hos Strindberg är härledningen den motsatta. När han analyserar kärlekens väsen, finner han hat på botten. Mankön och kvinnkön ter sig för honom som två fientliga raser, två kämpande arter.

Själv inbillade han sig, att detta var en tillämpning av evolutions- och selektionsteorien. Detta är ingenting annat än nonsens. Struggle-for-life-principen i darwinismen innebär som bekant att individer av en art har att kämpa om födan och att därunder ett urval av de anpassningsdugligaste kan ske i riktning mot en ny art, the survival of the fittest. Med detta miljöurval sätts könsurvalet i samband endast i så måtto, att honan — vid parningslekar och så vidare — föredrar den starkaste hanen. Men därifrån går ingen väg till Strindbergs rabiata idé, att själva samlivet mellan de parade djuren — eller människorna — i sig självt skulle vara en strid. Darwinismen är till sitt väsen optimistisk, livsbejakande. Levertin talar i dess anda, när han protesterar mot Strindberg med orden: kvinnohat är hata sitt och alltings liv.

Denna vantolkning av ett naturalismens grundelement är ej enastående hos Strindberg utan typisk. I själva verket kom naturalismen förhållandevis sent inom hans synkrets och påverkade honom aldrig djupt. När den blivit omodern ute i Europa, lade han av den som en kvinna lägger av en omodern dräkt, skrudade sig i profetkostym à la Peladan. Vad han verkligen tillägnade sig av naturalistik livssyn, var blott vad som passade till hans personlighet, och vid dess daning hade helt andra krafter drivit sitt spel.

Att historiskt förklara fenomenet Strindberg är inte görligt på några sidor och är ej mitt syfte på dessa sidor. Mitt syfte här är att värdesätta hans aktuella betydelse. Men att i största korthet konstatera de viktigaste intryck som bestämt hans utveckling, är oundgängligt för att kunna förstå hans inflytandes vidd och inse dess begränsning. Låt mig förutskicka slutsatsen: Strindbergskulten är en reaktionär företeelse, en hämsko på nutida kulturarbete.

En religiös erfarenhet har varit en av Strindbergs starkaste barndoms- och ungdomsupplevelser: läseriet. Läsarandan gick aldrig ur honom. Vilka läror han än bekände, bekände han dem alltid med fanatism. Hur ofta han bytte tro, var hans tro alltid kolartro. Sina motståndare, vare sig de var kristna eller ateister, bemötte han med det slags nitälskan, som reser kättarbål, om man så hava kan; det var andras förtjänst, att han aldrig så hava kunde. Att en oliktänkande kan vara både klok och hederlig, föll honom aldrig in. Han såg i varje fiende en dåre och en skurk. Ridderlighet var ett okänt bud på hans lagtavla. Han gick genom livet med den egenrättfärdighet, den självgodhet, som är läsartypens kännetecken.

I sitt förakt för människorna omkring sig och för människosläktet i gemen var Strindberg arvtagare till kristna asketer av Tertullianus' typ. Han är lika misantropisk i Röda rummet, I havsbandet och Svarta fanor. Blott för helt kort tid sopade vindar ute från Europa bort livsfientligheten; under det rousseauanska skedet i mitten av 80-talet vågade han tro på naturens godhet och skrev sina sundaste verk, Utopier och första delen av Giftas. Men i längden verkade naturalismen i motsatt riktning. Strindberg hämtade nya argument åt sin nihilism ur den, och den lämnade kvar en bottensats av cynism, när den blåste bort ur hans medvetande och han blev troende och bigott på nytt. Hans livsåskådning efter Infernokrisen är en vidunderlig hybrid av kvasivetenskaplig och halvkristen inhumanitet. Läs Blå boken!

Helkristen kan han ej kallas. I kristendomen finns, hur världsfrånvänd den än är, ett drag av generositet, nämligen i Nya testamentets förlåtelselära. Strindberg var färgblind för dess mjuka charm. Hans ålderdoms Gud blev den Jehovah, som hemsöker fädernas missgärningar på barnen. När denne monomane kvinnohatare lyckades få en mening i äktenskapet — se Advent — var det den, att äkta makar var satta att plåga varandra för varandras synder.

Skall man, som en del tyskar gjort, hylla Strindberg som religiös nyskapare, bör han hedras som instiftare av ett nytt sakrament, hatets sakrament. Men något nytt, något framsteg, kan jag ej upptäcka i hans fromhet, utan idel atavismer. Rätteligen bör man gå ännu längre tillbaka i religionernas historia än till judarna för att finna ekvivalenten till hans sinnelag. Vad är sista hälften av hans livsverk annat än ett enda stort människooffer med kadaver dinglande i tempellunden?

Nu sägs visserligen, att om Strindberg slaktat andra, så har han först och sist skurit upp sig själv.

Det är en dålig ursäkt, tycker jag. Ingen kan förnekas rätten att plåga sig själv efter behag, även ta livet av sig. Men det skapar ingen rätt att hudflänga och hjärtskära andra.

Dessutom måste ifrågasättas, om Strindberg verkligen korsfäst sig själv med sann ödmjukhet. Vid närmare eftersyn visar sig hans bikt alltid vara advokatyr till att övertyga om hans oförskyllda lidanden. Han räknar pro et contra baklänges och stannar först när han finner ett plus till sin favör. Om inte förr finner han det i sin barndom, i de stunder då han smög omkring ”mörkrädd, strykrädd, rädd för att göra alla till olags”.

Jämte läsarnas Gud har ett borgarhems husfader varit den stora och obotligt skadliga upplevelsen under Strindbergs barndom.

Ur sociologisk synpunkt sett är det strindbergska temperamentet en produkt av borgerlig instängdhet och småaktighet.

Patriarkatet, denna uråldriga institution, har kanske aldrig varit så olidlig som i sitt sista stadium, den borgerliga familjen. — En romersk pater familias härskade över en månghövdad skara: hustru, barn, sonhustrur, slavar samt då och då klienter. Hans makt var fruktansvärd, men tyranniet mildrades av maktområdets vidd. — En aristokratisk husfader på ett 1600-talsgods rörde sig också i stora förhållanden, som fördelade trycket. Hans hustru var medregent i det rika hushållet och var hel vikarie, när han var vid hovet eller i fält. Hans barnflock, gärna dussinet fullt, var inom sig en hel liten republik mitt i monarkien.

— Men en köpman i en hyresvåning i 1800-talets Stockholm hade bara ett litet fåtal att befalla, få tjänare, frigjorda från husagan, och en icke obegränsad barnskara, som bannor och aga koncentrerades på. Hans frånvaro från hemmet var inga uppfriskande resor utan den dagliga lunken till kontoret, varifrån hemfördes mycken förargelse att urladda i familjens sköte. Från kontor och kassabok förde han också med sig vanan att pedantiskt räkna debet och kredit i små summor.

Typen har fortlevat in i vårt sekel. En var av oss äldre har sett den på närmare eller fjärmare håll. Regimen skulle kunna döpas till *spårvagnstioöringsredovisningstvång.*

Läggs så därtill, att en köpman i den fria konkurrensens tidevarv — till skillnad från äldre tiders jordagodspatriark — hade lätt att råka på obestånd och att konkurs betydde ännu snålare spårvagnspengar, så har man miljön färdig åt hjälten i Tjänstekvinnans son.

Slavmärket från denna miljö blev inbränt eftertryckligt, och det trängde djupare än han själv någonsin anade.

Man kunde väntat, att den som lidit så grymt av familjetyranniet och revolterat så häftigt mot det, skulle ha varit mogen för en ny tingens ordning i sitt eget hemliv. Men ingalunda! Snarare kan man säga, att han tog skadan igen. Det gick som det ofta går, att när den förtryckte blir fri, blir han själv förtryckare. Strindberg som äkta man blev själv en gammaldags hustyrann. Det är tragikomiskt att se, hur omständigheter, som var ämnade till betingelser för ett modernt samliv, manade fram de allra primitivaste instinkter.

Den dramatiske författaren gifter sig med en kvinna, intresserad av hans konstnärskap och med lust att bli konstnär själv, skådespelerska. Men han begär av henne matlagning, strumpstoppning och allsköns tillsyn, han inser inte att vad han begär av sin hustru är än värre själslig tortyr än den hans mor tjänstekvinnan fick tåla. Hans skrivbord står inte på kontoret som faderns utan mitt i hemmet och gör det ännu trängre. Han är bohem men har en pedants krav på sin omgivning. Han är slösaktig men fordrar hushållsaktighet, är slarvig men vill ha ordning omkring sig. Han är ett det känsligaste nervknippe, men tål inte nerver hos andra.

Än värre, för sitt kalls skull kuskar han kring Europa med hustru och barn. Hemmet blir ännu trängre: ett hotellrum. Hustrun inte bara stängs från sitt konstnärskall, hon hindras att vara det han vill ha henne till, husmor — hon reduceras till hans rumsuppasserska. Och söker hon döda *hans* skrivbordstimmar, *sin* sysslolöshet med förströelse, blir han svartsjuk som en orientalisk haremsherre, svartsjuk på hotellens manliga gäster, svartsjuk också på de kvinnliga.

När jag skisserat hans eget livs tragikomedi sådan den tecknas i hans och hans dotters bekännelser, har jag också skisserat det väsentliga i hans väsentliga livsskildring, hans otaliga analyser av kärlek och äktenskap. De är inte, som allmänt påstås, allmänmänskliga. De återger känslor från en övergångsperiod, då mannen trodde sig behandla kvinnan som jämlike men fordrade av henne slaveri. Även i andra livsförhållanden är Strindberg ett offer för slitningen mellan gammalt och nytt. Han har krävt plats för personligheten och slagit omkull auktoriteter. Men han respekterade ingen annan personlighet än sin egen. Han blev sin egen auktoritet; han har en tid varit mångas.

Låt oss göra klart vad han var: en mellantidsvarelse med gammaldags hårda nävar och modernt svaga nerver. En sjukling att tycka synd om. En period att övervinna.

TORSTEN EKLUND

Strindberg och diktarkallet

I Strindbergs ungdomsutveckling är hans förhållande till diktarkallet det ur psykologisk synpunkt mest komplicerade problemet. Omöjligt kan man undgå att fråga sig hur det kom sig att en av världslitteraturens mest produktiva och impulsivt skapande författare först så sent kom till insikt om sin begåvning. Och varför skulle han sedan diktarhågen vaknat envist framhärda i att betrakta, eller rättare sagt teoretiskt förkunna, diktandet som en mindervärdig sysselsättning, och varför skulle han in i det sista söka göra sig gällande på helt andra områden för vilka han dock föga lämpade sig?

Som bekant var det först i sitt tjugoförsta år som Strindberg fick sin "lidnerska knäpp". Enligt självbiografien skulle han tidigare ha gjort upprepade försök att skriva vers men alltid grundligt misslyckats. Överhuvud är det förbluffande att hans konstnärliga intressen och talanger så föga framträdde i barndomen. Den smak för skönlitteratur som delvis vaknade under gymnasiståren tycks inte ha varit vidare exklusiv; hans älsklingsförfattare var, berättar han, Eugène Sue och Emilie Flygare-Carlén. Poesi föraktade och hatade han. Under sin gymnasisttid i Stockholms Lyceum var han icke medlem i den litterära skolföreningen men väl i den naturvetenskapliga. För teater och musik visade han föga intresse. Systrarna omtalar att musiken flitigt odlades i föräldrahemmet och att de flesta av syskonen trakterade ett eller annat instrument, men "några utpräglade musikanlag hos bror August kunde ej skönjas vid denna tidpunkt utan han fick räknas till åhörarna" (Strindbergs systrar berätta). I en intervju med en av bröderna heter det: "Att August en gång skulle bli ett av den svenska litteraturens stora namn, tänkte aldrig brodern Olof eller någon annan av de anhöriga, förrän han var vuxen" (Nya Dagligt Allehanda 19/6 1933). Brodern Axel framhåller i ett uttalande att August icke "visade ringaste spår till konstnärliga intressen på den tiden. Vi andra musicerade gärna, men han deltog aldrig däri, kanske mycket därför att han inte hade tid. Han hade sina skolstudier. Själv ritade jag litet, men han hade inte heller intresse härför. Först långt senare började han måla och intressera sig för Beethoven. — — — Märkligt nog kan jag inte erinra mig att han som pojke ens var intresserad för teatern, vilket jag däremot var" (DN 30/9 1924).

De äldsta kända "vittra" alstren av Strindbergs hand — närmast några brev från början av 1860-talet då han var ungefär 12 år gammal — bär också syn för sägen. De vittnar förvisso icke om någon litterär talang utan liksom de ungefär samtidiga porträtten av honom visar de oss bilden av en blid och beskedlig, på intet sätt ovanlig pojke, utan några påfallande intressen. De är för övrigt icke bättre utan snarare sämre skrivna än några bevarade brev av bröderna Axel och Oscar i motsvarande ålder. Delvis kanske förklaringen ligger däri att Augusts ifrågavarande brev är riktade just till brodern Oscar som för tillfället vistades i Paris. Även som brevskrivare var denne favoriten med vilken ingen annan i familjen förmådde mäta sig — i Tjänstekvinnans son heter det: "Då och då kommo brev från bror i Paris. De lästes högt och med stor andakt. De lästes för släktingar och bekanta, och det var familjens trumf".

Att skolgossen Strindberg inte röjde någon begåvning, allra minst åt det litterära hållet, har eftertryckligt framhållits av hans klasskamrat i Stockholms Lyceum Gustaf Eisen, som berättar följande: "Något 'ljus' var han på långt när ej, och han, som senare under sitt författarskap skrev en sådan härlig svenska, kunde under skolåren inte ens klara en vanlig kria. Oftast måste jag hjälpa honom därmed för att förskona honom från de Bohmanska bockarna. Sista året vid Lyceum fingo vi i uppdrag att översätta Schillers 'Wallensteins Lager' till svensk vers. August Strömbäck, August Strindberg och jag — som på den tiden gingo under namnet 'Augustarna' — satte i gång med arbetet. Strömbäck och jag gjorde översättningen. Strindberg däremot klarade den icke. Han hade på den tiden ingen aning om versdiktning" (Svea 7/8 1935). Även sedan han framträtt som dramatiker tvivlade man i hans närmaste omgivning länge på att det skulle bli något märkvärdigt av honom. En journalist som intervjuat några av de forna Runa-medlemmarna återger följande yttrande: ”Stormaren anades kanske av ett och annat drag, men vi drömde aldrig om honom som någon nedrivare eller nydanare. — — — Vi skämde inte bort honom med någon beundran, vi tyckte, att han var en intressant personlighet med stora gåvor, men någon lejonklo märkte vi inte. — — — Det var versens tid och den som inte skrev lätt och flytande poesi frånräknades vanligen den litterärt lovande framtiden. Strindbergs vers var knagglig och ehuru hans intressen pekade bestämt åt estetiken, misstrodde vi honom ändå en smula” (Aftonbladet 11/1 1912).

Såtillvida inriktades han dock tidigt åt det håll man kunnat vänta som han röjde ett relativt intresse för intellektuella sysselsättningar. Även om hans skolbetyg var klena och han gick om ett par klasser, var han den ende bland bröderna som kunde och som läshuvudet i familjen. Man hade en viss respekt och även fick fullfölja sina studier fram till studentexamen, medan de övriga snart nog gick in i praktiska yrken. Han betraktades också fruktan för hans skarpa intellekt även om man ställde sig undrande över de uttryck detta tog sig och även om man icke trodde på hans begåvning i allmänhet. ”Men vi anade aldrig att han var ett geni”, yttrar brodern Axel i den nyss citerade intervjun. ”Gud ska veta att vi förstodo att han hade ett genomträngande förstånd, men fingo aldrig klart för oss hans kallelse.”

I självbiografien antyds hur den lärda banan kom att bli Strindbergs, delvis falska, ledlinje. ”Han var icke något ljus i skolan, men icke någon odåga. Som han endast på grund av sina tidiga kunskaper genom dispens fått inträde i läroverket, emedan han icke uppnått erforderlig ålder, var han alltid yngst. — — — Fadren tycktes ha märkt hans läslusta och syntes vilja lägga på honom till student. Han hörde hans läxor, ty han hade fått elementarbildning. Men en gång då åttaåringen kom in med en latinsk explikation och bad om hjälp, måste fadren erkänna att han icke kunde latin. Barnet kände övertaget, och osannolikt är ej att fadren även kände det. Den äldre brodren, som börjat i Klara skola samtidigt med Johan, blev hastigt tagen därifrån, emedan Johan en dag blivit monitör för den äldre, som stående fick höras sin läxa av den yngre. — — — Modren var stolt av sonens lärdom och skröt därmed för sina väninnor". En viss roll spelade också en detalj i hans utseende. Johan hade nämligen "en sjukligt hög och framstående panna, vilket ofta var föremål för samtal och av släktingar gav anledning till öknamnet 'professorn' ".

"Man skröt med honom och hans lärdom", heter det i Tjänstekvinnans son. Hur denna av omgivningen stimulerade lärda ambition hos Strindberg kom att ingå som ett led i hans personlighetssträvan, i hans kompensationsförsök framgår med all önskvärd tydlighet av självbiografien. "Alltid hade han hört att kunskaper voro det högsta, att det var ett kapital, som aldrig kunde förloras, och att man med dem skulle stå sig, huru djupt man än sjönk på samhällsskalan. Att ta reda på allt, veta allt, vara hos honom en mani". När han kände sig underlägsen de övriga syskonen därför att de alla spelade ett eller annat instrument skaffade han sig "i ersättning" kunskap i musikhistorna "så att han var över dem i kunskap om musiklitteraturen". I Stockholms Lyceum där de flesta av kamraterna stod över honom i socialt och ekonomiskt avseende men därför framkallade hans äregiriga drömmar "att komma i nivå med dem på andra vägar", hade han vid ett tillfälle anmodats av en adlig kamrat om hjälp med en läxa: "Han hade därmed upptäckt att det fanns något som kunde sätta honom i jämnbredd med de högsta i samhället, och vilket han kunde förskaffa sig: det var kunskaper".

Just därför att Strindberg ensam i syskonkretsen besatt eller ansågs besitta studiebegåvning och intellektuell kapacitet, medan de andra utom sin praktiska verksamhet ägnade sig åt konstnärliga fritidshobbies, tillägnade sig Strindberg en relativ felvärdering av sig själv som han sedan aldrig kunde frigöra sig ifrån. Han kom att överbetona och överskatta den rent teoretiska förmågan hos sig själv. Han utvecklade vetenskapliga aspirationer som han sedan aldrig förmådde släppa, han skulle alltid betrakta sig som minst lika stor vetenskapsman som diktare. De nederlag han faktiskt led både i skolan, vid akademien och senare kunde icke övertyga honom om hans felorientering utan blev tvärtom en sporre till fortsatt verksamhet i samma riktning och en anledning till förhävelse över vad han ansåg vara skolmässig och akademisk ortodoxi och magistervetenskap. Även sedan han slagit igenom som diktare fortsatte han med iver sitt kulturhistoriska skriftställeri tills motgången med Svenska folket för en tid stäckte hans ambition. Men han vände tillbaka till vetenskapen, då han några år senare kastade fram sina planer på ett sociologiskt jätteverk över Europas bönder och då han i slutet av 80-talet inbillade sig vara psykologisk och etnografisk forskare framför allt. Sin kulmen nådde hans lärda raseri omkring 1890 och under den följande perioden. Det var vid denna tid han tillkännagav sin avsikt att "övergå till det lärda ståndet och lämna belles-lettres åt ungdomen och damerna", såsom det heter i ett brev till Heidenstam i oktober 1889. Vetenskapliga uppgifter hägrade då för honom på alla håll och kanter. Till en orientalistkongress 1889 i Stockholm inlämnade han sålunda en avhandling om en gammal tatarisk krönika, han författade en historik över relationerna mellan Frankrike och Sverige, skrev en uppsats om spanskportugisiska minnen i svenska historien, utgav Bland franska bönder. Genom pressen lät han utsprida att han ämnade avlägga doktorsgraden vid något tyskt universitet, och aspirerande på någon befattning inom den lärda världen lät han 1889 trycka en förteckning över sina vetenskapliga meriter. Främst lockade honom givetvis naturvetenskapen, hans gamla kärlek, och pojkårens äregirighet att göra revolutionerande upptäckter inom kemien slog ut i full låga. I slutet av sitt liv dök han upp som språkforskare, och när han under sin sista stora pressfejd omkring 1910 sökte rehabilitera sitt som han ansåg skamfilade rykte, gällde det inte bara hans ställning som diktare utan även som forskare.

Mycket belysande för Strindbergs osäkerhet på sig själv, hans beroende av andras värderingar är det sätt varpå han bedömer sitt diktarkall, grubblar och tvivlar över diktens värde och sin egen kallelse. En viktig roll spelade härvid barndomsintrycken, den situation som mötte honom i föräldrahemmet. Fadern var köpman och hade den praktiska, ekonomiska inställning till livet som var utmärkande för den tidens småborgare. Alla hans bröder ägnade sig åt praktiska yrken: en blev tjänsteman i försäkringsbranschen, en annan övertog faderns speditionsfirma, den tredje ägnade sig åt lantbruk och trädgårdsskötsel.

Strindberg kom att inta en ömtålig undantagsställning som han hade svårt att bemästra. I självbiografien berättar han att han pinades av att befinna sig i en osjälvständig och ofri ställning, medan alla bröderna, även den yngre, redan var ute i livet och det praktiska arbetet: ”De förtjänade åtminstone sitt bröd och sluppo vara hemma. De hade sin ställning klar, men hans var oklar. — — — Han var led på alltsammans, lärde ingenting och ville ut i livet att arbeta och föda sig själv”. Jag har redan framhållit att särskilt den andre brodern i ordningen, den som övertog faderns affär, kom att te sig för Strindberg inte bara som en fruktad och delvis antipatisk konkurrent om föräldrarnas och omgivningens ynnest utan också som en beundrad person vars egenskaper han själv önskat äga.

En realistisk tendens, ett starkt begär efter konkret yttre verklighet kom på detta sätt genom miljöpåverkan och kompensationssträvan att ingå i hans antitetiska personlighet och att göra sig gällande i hans hela livsföring, i hans värdering av livet och människorna. Givetvis är det denna realism, denna verklighetsaptit, som skänkt rikedom och mångsidighet åt hans diktning, hindrat honom att försjunka i abstrakta drömmar och spekulationer. Men den har å andra sidan bidragit att uppamma osäkerhet, vacklan och ambivalens i hans inställning. Han frågade sig gärna särskilt i ungdomen om han inte tagit miste i valet av sysselsättning när han ägnade sig åt diktning, om han icke var underlägsen dem som i likhet med bröderna valt praktiska yrken. I en av sina första mer betydande tidningsartiklar, ”Perspektiver” i Stockholms Aftonpost 1872, anställer han en pessimistisk jämförelse mellan sin egen lott, den intellektuella arbetarens, och kroppsarbetarens. Där vänder han sig emot dem som ser ner på det praktiska och ekonomiska förvärvsarbetet. Från denna tidningsartikel går det en rak linje över hans 70-tals-journalistik, präglad av en genomgående utilistisk tendens, fram till hans rousseauanska åskådning i början av 1880-talet då han vänder sig mot intellektualismen, överskattningen av teoretiskt och andligt arbete, och prisar de produktiva arbetena, främst jordbruket. I hans novellsamling Från Fjärdingen och Svartbäcken vimlar det av misslyckade akademiker och skalder, som tagit fel på sin kallelse när de valde den lärda eller vittra banan, och som antingen fullständigt går under eller också så småningom återförs till sin rätta plats, blir brädgårdsinspektörer, tulltjänstemän o. dyl. Ungefär samtidigt yttrar Strindberg i ett brev den 31 oktober 1875 om hjälten i sitt stora ungdomsdrama att ”M. Olof är en tok som skulle skickats på ett handelsinstitut”. Strindbergs inställning är dock hela tiden ambivalent; han har trots allt en viss hemlig inre sympati och medkänsla med dessa diktande och vetenskapande idealister, på samma gång som han hånar och begabbar dem.

Den anonymitet varmed Strindberg omgav sin tidigare diktning är också värd att noteras. Alla hans ungdomsarbeten i bokform trycktes under pseudonym; versupplagan av Mäster Olof 1878 var det första där han framträdde med utsatt namn. I det längsta hade han sökt hålla sitt författarskap hemligt även för sina närmaste; kusinen Occa var den ende som han till en början invigde i och anförtrodde sina diktarplaner.

När Strindberg vårterminen 1870 återvände till Uppsala för att i hemlighet ägna sig åt sitt författarskap, styrktes han till en början i sin tro på diktens värde och på sin egen kallelse genom samvaron med de estetiserande kamraterna i Runaförbundet. I det versifierade inträdestal, som han höll i förbundet och som delvis återges i Tjänstekvinnans son, söker han hävda sig gentemot de utilistiska synpunkter och intressen som han associerade med föräldrahemmet och dess umgängeskretsar. Han talar om ”dagens usla krämarsjälar”, om ”tidens lumpna ävlan” och ”den pesten, som dödar sångens ungdomsvarma släkt” — den verklika adressen för dessa klagomål kommer med en tydligt självbiografisk innebörd samtidigt fram i I Rom, där hjälten väljer sitt konstnärskall i strid med faderns vilja.

Men innerst inne kände sig dock Strindberg ej alldeles solidarisk och samstämd med sin Uppsalamiljö. I självbiografien heter det om Runabröderna: ”De voro förträffliga ynglingar, idealistiskt anlagda man kallade, med vackra uppsåt och svärmande för okända, dunkla ideal. De hade icke ännu varit i beröring med livets vedermödor, hade alla förmögna föräldrar, inga bekymmer och kände icke ett grand om kampen för brödet. — — — Nu blev det ett poetiskt lättingsliv med extrasammankomster varenda kväll på krogar och hemma på kamrarne. — — — Stundom vaknade hans underklass-samvete, och han frågade sig, vad han hade bland de rika ynglingarna att göra".

Både av de samtidiga breven och av självbiografien framgår det att Strindbergs samvetsförebråelser delvis framkallats av de förpliktelser han kände gentemot föräldrahemmet; "fadren hade tagit löfte att han ej skulle skriva, förrän han avlagt examen, och det var ett svek att åtnjuta hans underhåll och ej uppfylla villkoren". Ännu mer påtagligt blir sammanhanget när Strindberg skildrar hur han julen 1870 infann sig som den förlorade sonen i föräldrahemmet; dit förlade han sedan sina studier under den följande vårterminen. "Här såg han nu stilla, tåliga människor, som kommo och gingo, arbetade och sovo på bestämda tider, alldeles på samma sätt som förr, utan att oroas av drömmar eller äregiriga planer. — — — Alla arbetade, utom han. När han nu jämförde sitt utsvävande, regellösa liv, utan ro, utan frid, ansåg han dem lyckligare och bättre. — — — Han uppsökte nu gamla bekantskaper bland köpmän, kontorister, sjökaptener, och fann dem alla så nya och uppfriskande. De förde in hans tankar i verkligheten igen, och han kände åter marken under fötterna. Och därmed började ett förakt för falsk idealitet att växa hos honom, på samma gång han insåg det ovärdiga i studentens förakt för filistern. För fadren biktade han nu, enkelt och öppet, dock utan ruelse, sitt usla liv i Uppsala".

Visserligen fanns det, såsom redan framhållits, konstnärliga intressen i det Strindbergska föräldrahemmet, men dessa intressen ansåg man i överensstämmelse med den härskande småborgerliga uppfattningen endast ha sitt berättigande såsom en fritidssysselsättning, en förströelse vid sidan av ett "produktivt" yrke. Det var denna värdering som Strindberg hade fått i blodet och bar med sig som en oundviklig suggestion från sin ursprungsmiljö. "Han var uppfödd vid strängt arbete och plikter. Nu levde han gott, bekymmerslöst, och njöt egentligen. Läsningen var en njutning, författeriet, med all dess smärta, var en oerhörd njutning, kamratlivet var idel fest och lustbarhet. Hans underklassmedvetande vaknade och sade honom, att det icke var rätt att njuta, när andra arbetade". Det var också denna värdering som kom honom att anamma allehanda asketiska och pietistiska synpunkter på sin diktning.

Man skulle kunna påstå att ett av de mest påträngande problem som upptog Strindberg under en stor del av hans liv var att freda sitt samvete för att han ägnade sig åt diktning, att döva den mindervärdesförnimmelse som han en gång förknippat med sin ställning som författare gentemot de yrken fadern och bröderna representerade. Under sina olika skeden före Infernokrisen vägrade han envist att godtaga dikten som en honom fullt värdig sysselsättning. Ständigt skapade han sig en eller annan fiktion med vilken han sökte bevisa för sig själv och andra att han var något mer och högre än diktare. Med Kierkegaard betraktade han en tid "det estetiska" som en flykt undan plikten och allvaret, som en omoralisk, syndig njutningstillvaro. I självbiografien berättar Strindberg hur han i Uppsala efter sin författardebut kände hur hånet följde honom därför att han var "en man, som tänkte bli skald, det värsta man kunde misstänkas för". Denna värdering kommer fram i ett replikskifte i Den fredlöse: "*Thorfinn:* Är du man du, Orm? — *Orm:* Jag blev bara skald! — *Thorfinn:* Därför blev du aldrig något heller!" De mest olika resonemang och tankesystem använde han sig av för att bestraffa sig själv och uttrycka sina tvivel. I Mäster Olof blir vederdöparen Gert och "bildstormarna" språkrör för hans egen konstfientliga åskådning. I Röda rummet får Olle Montanus företräda samma åskådning och hänvisar dels till den Kant-Schillerska definitionen av konsten som en lek, dels till Platon som fördrev konstnären såsom en onyttig varelse ur sin idealstat och stämplade konsten såsom en tom skenvärld, en avspegling i andra hand av de rena idéerna. Tidigt hade Strindberg anknutit till Brandes' paroll om problemdebatten och från denna utgångspunkt fördömt konsten för konstens egen skull, den diktning som inte gjorde sig till ett direkt verktyg för reformer och sociala idéer. I början av 80-talet förhärligade Strindberg journalisten, som gör omedelbara inlägg i dagsfrågorna, den direkte samhällsagitatorn på diktarens bekostnad. Han anammade även Rousseaus synpunkt att konsten egentligen fördärvar sederna och depraverar mänskligheten. Utgående från Aristoteles definition av konsten såsom en naturefterhärmning kallade han flerstädes denna tid konstverken för onödiga dubbletter av verkligheten, mindervärdiga natursurrogat. Vid mitten av 1880-talet använde Strindberg naturalismens teori om mänskliga dokument såsom ett angreppsmedel mot romanen och skönlitteraturen, ”konstruktionslitteraturen”; kravet på sanning och verklighetstrohet kan enligt hans dåvarande mening aldrig nås i den fingerade, på inbillning byggda romanen, därför kommer självbiografien att bli framtidens litteratur.

Längst gick Strindberg i sitt förakt för skönlitteraturen under sin extremt naturalistiska period omkring 1890. Den åskådning som han då frenetiskt förkunnade, som tidigast skymtar i Tjänstekvinnans son men drivs till sin spets i romanen I havsbandet, har till stor del just uppgiften att demonstrera skönlitteraturens underordnade betydelse, ja skadlighet. Fantasien och känslan stämplas som djuret hos människan; den poetiska driften är en kvarleva från primitiva stadiet, bidrar att förfalska verkligheten och hindra en nykter rationell insikt i tillvarons väsen. Den vetenskapliga förmågan, intellektet, logiken står högst av människans förmögenheter, skall ersätta diktarens drömmar och fantasier. Vid denna tid ansåg Strindberg sig själv vara tänkare i främsta rummet och förkunnade sin avsikt att lämna skönlitteraturen. Om han förut främst ville se sig hyllad och erkänd som socialreformator, älskade han vid denna tid att framställa sig som filosof och vetenskapsman och han skyllde på vidriga yttre omständigheter och ekonomiska villkor att han icke fått systematiskt ”utbilda sig till tänkare”, att han icke blivit den forskare som han egentligen vore ämnad till.

Under perioden efter Inferno lyckades Strindberg för första gången på allvar att tillägna sig en positiv uppskattning av dikten och konsten. Lika envist som han tidigare bestritt diktens värde och nödvändighet, lika energiskt bemödade han sig nu om motsatsen och det skedde på bekostnad av ”verkligheten” som han nu systematiskt nedvärderade och ville underordna dikten. Han sökte bevisa för sig själv att livet dock innerst inne ej är annat än dikt och dröm, att det inte finns någon real yttervärld, att allt är fantasier, syner och inbillningar. På detta sätt undergick även diktningen i egentlig mening en värdestegring och vann berättigande. ”Hela livet är ju ändå bara en dikt, och det är mycket roligare att sväva över sumpen än att sticka ner fötterna för att känna efter fast mark, där ingen finns” (Fagervik och Skamsund).

Strindberg sökte i slutet av sitt liv glömma att han en gång hyst en helt annan uppfattning om diktens värde än den han nu tillägnat sig. Han fördömde alla utilistiska synpunkter på konsten, ansåg dem otillbörliga, snäva och kortsynta. ”Och skaldens fantasier, som inskränkta själar förakta så, äro verkligheter” I en tidningsartikel som skrev 1912, Minnen från Danmark, berättar han om sitt förhållande till Georg Brandes och påstår sig aldrig ha kunnat komma denne riktigt nära, ”ty det fanns ett hemligt program, problemdebatten, poesien som tjänare, icke som herre, Pegasus im Joche, m. m., vilket emellanåt steg upp som en mur emellan oss. Jag var nämligen en ohjälplig romantiker; även där jag behandlade sociala problem (Svenska öden), måste jag sätta i scen, måla fonder, av sköna landskap, vacker arkitektur, och införa vad vi kallade stämning”. Här har ju Strindberg uppenbarligen alldeles vänt upp och ned på det verkliga förhållandet. Det var han själv som upprepade gånger beklagat att Brandes vore en ”estetiker”, dyrkade det sköna och icke följde problemdebattens program, medan Brandes å sin sida hävdat att Strindberg var och borde vara diktare, icke borde försumma det konstnärliga för idéerna och diskussionen. Det var också Strindberg själv som ondgjort sig över att publiken och kritiken endast fäste sig vid den konstnärliga formen, icke innehållet i hans Svenska öden, där han behandlat samhällsfrågor ”men naturligtvis utan åsyftad verkan. Man tog de granna papperna, men fluggiftet tog man ej. Det blev poesi”.

I det längsta hade Strindberg vägrat att följa de förmaningar och råd som från alla håll riktats till honom att icke försumma sin egentliga uppgift såsom diktare för chimäriska syften på andra områden. Men å andra sidan var det framför allt i teorien som han vände sig mot diktningen och konsten. Hade han i praktiken strängt följt sitt program skulle den svenska litteraturen varit åtskilligt fattigare. Lyckligtvis var han aldrig konsekvent. Han inbillade sig att han strikt följde sin teori så långt omständigheterna medgav. När han författade mästerverk som Hemsöborna och Skärkarlsliv — och han njöt under författandet och var säkerligen innerst inne tämligen stolt över dem — då ursäktade han sig med att det var ”förläggarlitteratur” som han skrivit mot sin vilja för att han nästa gång skulle ha råd att följa sitt huvud och sin teori. I företalet till Fröken Julie uttalade han sitt förakt för teatern men samtidigt skapade han en rad av världsdramatikens största mästerverk. Genom denna motsägelse tillfredsställde han olika tendenser och drifter hos sig själv, höjde sin självkänsla genom att låtsas stå över den publik som applåderade hans diktning. Till slut bör det också betonas att hans felvärdering av sin egen kallelse och de därav följande eskapaderna och snedsprången in på andra områden än diktens icke var helt förgäves eller onyttiga ens ur hans diktnings synpunkt, utan befruktade hans fantasi och stimulerade hans aktivitet, tillförde hans skönlitterära alstring nytt stoff och nya perspektiv.

Att Strindberg hade så svårt att godta dikten som sitt främsta eller enda livskall sammanhängde emellertid också med andra omständigheter.

Såsom förut framhållits kan man hos honom iaktta en aldrig vilande strävan att övervinna den vekhet och försagdhet som han ursprungligen led av och som var ett uttryck för hans osäkerhets- och mindervärdeskänslor. Framför allt var det i och genom sitt författarskap som han sökte vinna denna kompensation. Liksom för de flesta diktare blev honom konsten en revansch och en ersättning för det som han i livet icke kunde uppnå. Men han förmådde aldrig riktigt frigöra sig från medvetandet att dikten var ett sådant surrogat.

Strindberg förblev alltid blyg och skygg i sitt sätt att uppträda utanför kretsen av de allra närmaste och ett fåtal bekanta. Han lärde sig aldrig hålla tal, och i större sällskap satt han vanligen tyst. Han hade svårt att muntligt framlägga och formulera sina åsikter. Nathan Hellberg, studiekamrat i Uppsala och sedan kollega i pressen med Strindberg, intygar sålunda: ”I vårt ’studentlag’ diskuterades ivrigt politiska, litterära och — ej minst — erotiska ämnen. Ett lugnt meningsutbyte låg dock just icke för den unge studenten Strindberg, vars inlägg mestadels bestodo i drastiska repliker och bisarra infall” (Skånska Dagbladet 18/5 1912). Inte ens i Röda rums-kretsen förmådde Strindberg riktigt slå sig lös, att döma av vad Per Ekström senare berättat: ”Strindberg satt i regel tyst och sluten. Han resonerade nog ibland, men han lyssnade gärna” (Alfred B. Nilsson, Människor som jag mött).

Men lika reserverad som människan Strindberg kunde vara, lika bröstgänges gick diktaren Strindberg till väga. Författarskapet, det skrivna ordet, blev för honom den viktigaste förmedlaren till andra av hans tankar och känslor, blev ett nödvändigt uttrycksmedel därför att han i sitt personliga umgänge inte kände sig frimodig och frigjord nog. Först när han satte sig vid skrivbordet övervann han de hämningar, den räddhåga och osäkerhet som annars gärna plågade honom och som han i den direkta samvaron ofta sökte bemantla genom en avmätt konventionell högtidlighet eller tillbakadragenhet. Hur mycket han än i teorien angrep kvinnan och fördömde det krypande galanteriet, uppträdde han i regel i damsällskap med gammaldags artighet och sirlighet. Fysiskt räddhågad, rentav feg, var han däremot moraliskt oförskräckt som få. I sitt författarskap tog han sällan någon hänsyn till egna risker, där var han icke tafatt och försagd.

Den motsättning som kom att råda mellan Strindbergs enskilda och offentliga uppträdande tedde sig för många av hans samtida som något oförklarligt och orimligt. De som ursprungligen lärt känna honom som privatmänniska, särskilt i tidigare år, upphörde aldrig att förvånas över den aggresivitet, den frihet från hämningar och hänsyn han lade i dagen när han fick pennan i hand. Skol- och Uppsala-kamraten Axel Jäderin summerar sina intryck av den unge Strindberg sålunda: ”Men han var alls icke den hårde, som man trott. Tvärtom. En blid hygglig ung man. Jag har sällan sett någon, som haft så snälla ögon ibland som August Strindberg” (Aftonbladet 11/1 1912). Betecknande är vad Snoilsky skriver i ett brev till Gustaf Retzius den 16 december 1884 om Strindberg: ”Jag har hört flera säga, att den obehagliga känsla som vissa bland hans skrifter framkalla, alldeles icke lär uppstå vid beröring med mannen, som skall kunna visa sig älskvärd och vek. Han är förvisso en psykologisk gåta”. På ett markant sätt illustreras detta Snoilskys yttrande av vad Hélene Welinder berättat om sin samvaro med Strindberg i Schweiz 1884; innan hon sammanträffat med honom visste hon ej annat om honom än att han var författare till en rad obehagliga böcker: ”Utsikten att sammanträffa med August Strindberg gladde mig icke alls. Man får ej glömma, att han den tiden för alla ’hyggliga människor’ endast framstod som den hänsynslöse bråkmakaren, den pietetslöse helgerånaren — — — Därför var det en högst obehaglig bild jag i mitt inre tecknat av diktaren Strindberg: fräck, cynisk, rå." Men hur häpen blev icke fru Welinder när hon stod öga mot öga med diktaren: "I stället för den oblyga, hänsynslösa människa jag tänkt mig stod en man framför mig, vars hela yttre och uppträdande präglades av finhet och försynthet." (Ord och bild 1912.)

Ännu från ett så sent datum som 1893, från en av hans minst "sympatiska" perioder, föreligger ett intressant vittnesbörd om det intryck som han privatim förmedlade; det är professorskan Marie Weyr — äldre syster till Strindbergs andra hustru — som berättar i ett brev: "Strindberg är i grund och botten en förnäm natur, god ända till svaghet. Vad hans hjärta säger är guld, men genom sorgliga erfarenheter har han lärt sig att följa sitt huvud, och det leder honom vilse och är fullt av fixa idéer. — — — han kan allt som han griper sig an med, vore i stånd att skapa ett paradis på en öde ö, men gå under mitt i kulturen av tafatthet, människoskygghet, rädsla för hån, överhuvudtaget blyghet. — — — Rodnar som en ung flicka, något som händer ganska ofta — — — Kan, när han inbillar sig någonting, vara fruktansvärt grov mot män, aldrig mot en kvinna, som han inte ens vågar säga emot".

En i detta sammanhang belysande episod berättas i en artikel i Uppsalatidningen Fyris den 25 juli 1883. Det heter där: "Nu går den väldige stridskämpen, författaren till 'Det nya riket', där ute (på Kymmendö) i all frid och enkelhet. Man lär ej på hans utseende alls kunna känna igen den hänsynslöse partichefen och eldige skalden. Hans väsen är tyst och stilla, hela sättet präglas av en nästan mild humanitet. En av våra förnämsta skådespelare berättade en gång för mig ett drag, som i det avseendet är karakteristiskt. Denne hade, på den tid, som Strindberg anonymt var teaterrecensent i Dagens Nyheter, varit utsatt för den nybörjande författarens ytterst skarpa kritiker. Så var han en dag bortbjuden på middag och fick veta, att den väldige kritikern var en bland gästerna. Han var ännu icke kommen, men han väntades. Skådespelaren beredde sig att slå ett slag för hus och hem. Han genomgick i minnet kritikerns orättvisa utfall: nu skulle han få ge skäl för påståendena! — Men, tänk er hans förvåning, då i stället för den väntade, högljudde, barske kritikasten, en ung, blek, ljuslagd man, som bockade sig förläget och såg fasligt beskedlig ut, presenterades såsom 'herr Strindberg'. 'Så mycket bättre, den krossa vi!' — tänkte säkert vår artist. Det dröjde heller ej länge förr än samtalet var i gång, och den sårade artisten kom fram med sin anhållan om skäl för klandret. Men då gjorde herr Strindberg en förlägen bugning och bad, att man för all del icke skulle tala om det där obetydliga tidningsropet. I det stora hela var han ännu inte långt kommen i sceniskt konstförstånd, och hans ord voro ej mycket att fästa sig vid. Artisten var avväpnad, och han slutade sitt referat av historien med: 'Det är en älskvärd karl, och ingen kan tro, att det är han, som såsom skribent är en sådan rabulist'."

Strindberg hörde till de "sanningsvittnen" som, för att använda hans egna ord i en 1877 nedskriven karakteristik av Ibsen, "aldrig *uttalat* sina sanningar, dem handen skrivit ned". I ett brev till makarna Wrangel 25 juni 1875 kallar han sig själv "en dövstum, ty tala kan jag ej och skriva får jag icke, jag ställer mig ibland mitt i rummet och känner mig som i en cell, jag ville då skrika så att väggar och tak skilde sig åt". En annan gång, den 9 oktober 1875, klagar han över att han icke i privatlivet och det direkta umgänget förmår visa eller ge uttryck åt de känslor och tankar han innerst inne hyser: "Är det icke förfärligt detta att vara dömd till evig tystnad — då just i ögonblicket då hjärtat står i brand! Nåväl det är därför jag skriver — diktar".

I självbiografien gör Strindberg en i detta avseende intressant anmärkning. Han omnämner att han i sin barndom och ungdom led av afasi; själv sätter han denna i samband med en skada som han ådragit sig i pannan, men det tycks snarast röra sig om rent nervösa talhämningar. Särskilt plågades han av sitt lyte vid muntliga förhör i skolan och vid universitetet. "I tentamen anfölls han vanligen av afasi. Han satt svarslös, men han visste mer än som frågades, och så kom trotset och självplågeriet, missmodet och begäret att kasta yxan i sjön." På denna afasi skyller Strindberg sin oövervinneliga svårighet att hålla tal och tala främmande språk. Han tror sig också kunna iaktta en reaktionsbildning i överkompensationens tecken hos sig själv; han framhåller sålunda att denna afasi "följde honom långt fram i livet, tills reaktionen kom i form av pratsjuka, oförmåga att hålla mun, drift att tala ut allt vad tanken producerade".

Såsom det senaste citatet visar hade Strindberg åtminstone till en del genomskådat den psykologiska process som var verksam hos honom själv. Han hade insett att det existerade ett visst samband mellan hans ursprungliga nödtvungna förtegenhet och hans drift att dikta, att ge sina känslor uttryck i skrift. I ett brev den 25 juni 1875, där han vill lära ut till Siri von Essen författandets konst, anger han som en viktig förutsättning att man iakttar tystnad kring det man har på hjärtat och vill ge i sin dikt; man måste dölja sina känslor och spara dem för papperet: "Skriv allt vad ni icke säger då ni sitter över Er stickstrumpa, säg allt vad ni skulle vilja säga då ni är uppretad men måste tiga och är färdig att explodera, skriv skriv allt vad Er man anförtror Er och ingen annan i livet, hemligheten är ändå bevarad, se där det stora! — — — ni skall kunna tåla oförrätter, ty ni har alltid den tanken i bakhåll: sanningen skall ändå komma i dagen! Hela konsten består i att uppfinna de ogenomträngliga maskerna och — att tiga. Tystnaden är helig. Det man en gång berättat innan det varit på papperet är förlorat".

I Ensam framhåller Strindberg eftertryckligt att fantasilivet höll honom skadeslös för den samvaro med andra som han tvingats avstå ifrån: "Mina egna tankar förnimmas som talade ord: jag tycker mig stå i telepatisk rapport med alla frånvarande vänner, fränder och fiender; jag håller långa ordnade samtal med dem, eller tar om gamla resonemang hållna i sällskap, på kaféer; jag bekämpar deras meningar, försvarar min ståndpunkt, är mera vältalig än inför åhörare. Jag finner livet rikare och lättare på detta sätt; det skrubbar mindre, sliter mindre, och förbittrar icke. Ibland utvidgas detta tillstånd så att jag inträder i meningsstrid med hela nationen; jag känner hur man läser min sista bok som ännu ligger i manuskript; jag hör hur man diskuterar mig nära och fjärran — — — Alltid erfar jag det som strid, angrepp, fientligt".

På samma sätt som Strindbergs begär att "tala ut" är en reaktionsbildning mot hans tunghäfta och talskräck, så står hans andliga exhibitionsdrift, hans litterära öppenhet i en sällsam kontrast till hans kroppsliga pryderi och blyghet i barndomen. Enligt

Tjänstekvinnans son var Johan "naturen blyg. Han ville icke visa sig avklädd och vid badningar tog han gärna på simbyxor" (I, s. 173). Detaljen berörs även i Till Damaskus (s. 302) och bekräftas genom ett uttalande av Strindbergs äldste bror Axel: "Han var ytterligt blyg. Och i alla avseenden. Jag har just tänkt på det när man nu framställt honom i bild naken. Han var t. o. m. så blyg för oss bröder att när han ömsade underkläder gick han in i en garderob" (D N 30/3 1924). Som författare skydde däremot Strindberg aldrig att ömsa kläder i andras närvaro. Det finns knappast någon diktare som i sina skrifter klätt av sig naken såsom han, även om han enligt egen bekännelse i början av sin verksamhet plågades av skamkänsla över att han exponerade sig inför allmänheten.

I självbiografien berättar Strindberg om sina reaktioner då han första gången såg en av sina pjäser spelas — det var då I Rom uppfördes på Dramatiska teatern i september 1870. Han blygdes över sig själv så att han icke förmådde stanna till föreställningens slut utan irrade omkring nere vid Norrström och ville dränka sig. "Att vräka opp sig på det sättet! Det var som om han visat sin blygd, och skam var den starkaste känsla han erfor." Och när han läste tidningskritiken kände han sig "avklädd, genomskådad".

Den skamkänsla som han här biktar skulle han i fortsättningen framgångsrikt övervinna. En av hans främsta drivkrafter skulle bli att "blotta sig", "avslöja" sina känslor och tankar, även de mest intima och privata. Enligt hans tidigt förvärvade åsikt var diktningens uppgift att ge bikt, bekännelse, ju hänsynslösare dess bättre. Redan 1876 var han betänkt och gjorde upp planer att litterärt behandla sitt förhållande till Siri von Essen och Carl Gustaf Wrangel både i dramatisk och episk form, varvid de autentiska breven skulle utnyttjas och direkt citeras. I en tidningsartikel samma år hävdar han att en författare måste ha "mod att ge av sitt eget blod, ge en bit ur sitt eget inre liv — — — Det är en hemsk uppgift att lägga sitt hjärta på en *montre,* det är en offring av grymmaste slag att vara författare — men det är så!"

Strindbergs bristande förmåga av personlig kontakt med andra, hans rädsla för det direkta och muntliga framträdandet tog sig uttryck i hans oerhört flitiga brevskrivning. Påfallande är att han använde det skrivna meddelandet även när vederbörande fanns att tillgå på närmaste håll. Fanny Falkner berättar t. ex. att han på små lappar brukade korrespondera med henne och hennes familj som ändock bodde i samma hus. En av orsakerna härtill var väl den att han förblev mera ostörd men i många fall var tillkännagivandena av sådan art att han helt enkelt inte vågade framföra dem muntligt och direkt.

När Strindberg blev upprörd, råkade i affekt, var han oförmögen att i samtal yppa vad han hade på hjärtat och grep då till pennan. Till Rudolf Wall skriver han 1875: ”Som jag fortfarande icke kan tala sammanhängande så mycket som står på det här papperet har jag tagit mig friheten att skriva”. Hans syssla som redaktör av Svensk försäkringstidning 1873 slutade med en häftig konflikt mellan honom och hans uppdragsgivare direktör Otto Samson; då denne vid ett personligt sammanträffande framfört sitt missnöje med tidningens skötsel, hade Strindberg tydligen stått svarslös men hemkommen skrev han ett brev, som i hänsynslöshet icke lämnar något övrigt att önska och som börjar: ”Då jag i går hade mitt sammanträffande med Eder var jag i följd av min sjukdom och Edert oförsynta bemötande urståndsatt att både reda den sak som var å bane som ock uttala ett ord till mitt personliga försvar — i dag skall jag göra det”.

Särskilt ödesdigert blev att Strindberg tog tryckpressen till hjälp för att ventilera sina tankar och känslor även i sådana ämnen som gemenligen avhandlas man och man emellan. På ett kuriöst sätt försvarade och förklarade han sitt handlingssätt därvidlag, när han i Götiska rummen skriver: ”Blygsamheten förbjuder oss att tala om det, därför är det gott att det skrivs; det tryckta ordet är tyst och sårar ingen”. Lamm har fäst uppmärksamheten på ett annat likartat uttalande i Blå boken, där Strindberg beklagar sig över att han såsom författare tvingats bryta fridlysningen kring privata hemligheter, men att han därvid ”naivt nog lita på deras heder, som hava det egendomliga uppdraget att låta trycka sina tillfälliga meningar om en bok. Om de ha svikit förtroendet, så är felet ej mitt. Jag anförtrodde det åt det tysta tryckta ordet på det vita papperet. Det var ett konfidentiellt meddelande; och den som förrådde det var en förädare.

Våra böcker äro gjorda att läsas tyst, att viskas i örat, men tidningen den talar alltid högt, den skriker ut hemligheterna, och därför har den skulden". Denna passus visar, tillägger Lamm, "hur lätt och självklart det föll sig för Strindberg att låta allt, som han tänkte och kände, i lindrigt omsmält form gå vidare till tryckpressen. Vanan hade till sist fullkomligt avtrubbat hans känsla för det tryckta ordets offentlighet".

Uppfattningen av sitt författarskap som en hemlig privat uppgörelse, vilken blivit offentlig enbart på grund av recensenternas sensationslystna och illojala kommentarer, hade Strindberg mycket tidigt tillägnat sig. Redan under 1880-talet anklagade han pressen därför att den avslöjat de realistiska författarnas tillvägagångssätt med användande av levande modell, vilket annars aldrig skulle ha blivit uppenbart för den stora allmänheten. I Pehr Staaffs skrift Det nya riket och dess författare (1882), som uppenbarligen inspirerats, man frestas säga delvis skrivits, av Strindberg, beskylles vissa tidningsskrivare för att ha begagnat sig av publikens nyfikenhet och "gjort indiskretionen till en inbringande födkrok. Om en populär författare utgiver ett arbete, där han, kanhända någon gång alltför troget, målat efter modell, så finner man beklagligen endast alltför ofta dessa herrar likt schakaler följa lejonets spår för att livnära sig av de dräpta offren. Detta sker därigenom att de helt lugnt och med den mest säkra hållning i östan och västan, i söder och norr tuta ut kommentarier, förklaringar och personalnotiser om det föreliggande arbetet — — — För de obehag som genom dylikt förfaringssätt från den periodiska pressens sida kunna uppstå, borde väl egentligen icke *författare* med fog kunna göras ansvariga".

Säkerligen kunde många av konflikterna och misshälligheterna i Strindbergs liv ha undvikits om han haft kurage och öppenhet nog att göra upp sina mellanhavanden med vederbörande på tu man hand. Alla de överord som i en het stundens stämning kan falla under ett privatgräl men som sedan reduceras till sina rätta mått och kanske lika fort glöms, dem fäste han på papperet och de fick därigenom en helt annan bestående verkan. Inte minst kände han sig själv förpliktad att tro på och stå för vad som i diktandets ögonblick undfallit honom, hur oresonligt och överdrivet det än vid nykter eftertanke kunde te sig. Som det nu var anade inte ens hans närmaste — man frestas tillägga: inte ens han själv alltid — vad som verkligen rörde sig inom honom, förrän det redan kommit på pränt. Med ett egendomligt utslag av ånger och hänsynsfullhet brukade också Strindberg varna sina hustrur för att läsa vissa av hans skrifter. Härtill kom att han ofta i det längsta sköt på och sparade sina uppgörelser. Strindberg kan inte reservationslöst betecknas såsom en impulsiv och omedelbar natur vilken ögonblickligen gav utlopp åt sina känslor. Inte sällan kunde han gå och bära på en inbillad eller verklig förolämpning, hålla den relativt dold tills den efter hand ätit sig fast i hans sinne, förstorats och förvridits och slutligen avreagerades genom ett fruktansvärt utbrott. Avrättningen av Geijerstam i Svarta fanor hade lång förhistoria, som går tillbaka till mitten av 1880-talet då denne och andra medlemmar av det Unga Sverige i vissa avseenden tagit avstånd från Strindberg, vilken dessutom i dem fruktade konkurrenter och medtävlare. Först 1910 exploderade på allvar offentligt den ingrodda misstämning som Strindberg känt över Heidenstams och Levertins brytning med naturalismen, det s. k. Pepita-attentatet, vilket han ansåg riktat mot sig själv och ansåg ha skadat hans ställning på samma sätt som Geijerstams och Unga Sveriges förräderi fem år tidigare. Långt innan anklagelserna mot den första hustrun uttalades i En dåres försvarstal hade han formulerat dem i det tysta och försiktigt snuddat vid dem i sin diktning alltifrån Röda rummet.

Men även om Strindbergs stämningar ofta haft en lång inkubationstid, hindrar detta icke att hans tolkningar och förklaringar till stor del var en produkt av hans känsla och fantasi i själva författandets ögonblick. Han eldade upp sig vid skrivbordet och gav inbillningen fria tyglar. Det är betecknande att han ofta erkände sig icke på förhand veta hur ett påbörjat diktverk skulle sluta. Innan han skrev Giftas hade han här och var vidrört kvinnofrågan men hans åsikter var icke helt stadgade. Så satte han sig 1884 ner för att göra ett överslag av sina erfarenheter och experimentera fram vad han egentligen ansåg eller borde anse om kvinnan och äktenskapet. När han hunnit till förordet som skrevs sist, hade hans åsikter blivit mer chargerade än när han började. Enligt självbiografien kom resultatet överraskande för honom själv; han hade gått till verket i tron att han själv var en anhängare av kvinnans frigörelse, men när han slutat upptäckte han att han icke var det, att hans erfarenheter gick i annan riktning. Åtskillig överdrift ligger det väl i detta men också någon sanning. Strindberg använde sitt författarskap för att, som han trodde, göra undersökningar av de verkliga förhållandena. I inledningen till En dåres försvarstal säger han att hans liv vid hustruns sida ter sig som en hoptrasslad garnhärva, där han varken vet ut eller in, men ”vad som är nödvändigt för mig, är att noga veta hur det hänger ihop. Och för den skull vill jag göra en djup, varsam och vetenskaplig undersökning över mitt liv”. När han slutat analysen har han upptäckt och övertygat sig själv om att han var fastkedjad vid en megära, som är alkoholist, pervers, brottslig, vill inspärra honom på hospital. Först nu har han riktigt insett hur olycklig han måste vara och känna sig. På detta sätt grep han ofta till pennan inte därför att han visste utan därför att han ville skaffa besked i ett dunkelt spörsmål. Han skrev för att han ville vinna en klarhet som han förut icke ägde.

Någon ”varsam” undersökning var det förvisso icke som Strindberg utförde när han vid skrivbordet skulle skaffa ”klarhet” över sig själv och sitt liv. En utomordentligt intressant inblick i hur det gick till och hur han arbetade ger han i den brevsvit, varmed han i slutet av juni 1875 inledde sin korrespondens med Siri von Essen och som ursprungligen under kapitelrubriken ”Konsten att bli författare” var ämnad ingå i Han och hon. Hemligheten i denna konst är enligt Strindberg så enkel att den kan tillägnas av en och var. Till att börja med utgår man från något som man själv upplevat, ”en författare är endast en referent av vad han levat”, ”att skriva för Er är endast att erinra”. Man bör vidare vara ohämmat öppenhjärtig, man bör tänka sig att det är en intim vän som man riktar sig till i ett brev. Den viktigaste förutsättningen är emellertid att man försätter sig i affekt, i en stark sinnesrörelse, ”den som är vred talar utmärkt, men skriver ändå bättre”, ”den som har en sorg bör bli författare, han kan alltid vara viss om deltagande åtminstone”. ”När man blir varm vid ett minne komma orden av sig själva man vet icke varifrån och när man så överraskar sig med att ha funnit ett slående ord blir man så glad häröver att man hittar flera. Blir man ond då får stilen färg, ty vreden är den starkaste av alla själens rörelser; erinrar man något sorgligt då kommer välljudet — det där behöver man aldrig tänka på. — — — bloden stiger Er åt huvudet — tänk på en oförrätt — bli ond — — — Observera att Ni har frihet att narras — på Er själv på alla! Ta fram osynliga fiender, dikta motståndare."

Strindberg rekommenderar också sin lärjunge att bli "en ädel författare" som riktar sin vrede mot "det låga och det usla". Man identifierar då de egna bekymren och privatsorgerna med lidanden och orättvisor som man iakttar hos andra, hos hela grupper av mänskligheten. "Att leva — det är att gå med öppet öga — att iakttaga skarpt — att reflektera över händelserna — och vidare att känna djupt — kunna lida! Detta sista ord måste ha en förklaring. Att lida är icke (uteslutande): att ha styvmor, att behöva vara osnygg när man älskar renlighet, att bli hållen för lögnare oaktat man älskar sanningen, att vara utan middag o.s.v. — — — Nej det finns större lidanden. Exempel! Varför lider man av förtryck i allmänhet. Jag tror den känsloprocessen måste passera så här. Först är det jag som drabbas! O det är förfärligt! Jag behöver dock bara se till höger eller vänster och får strax se en annan som är i samma fördömelse. Då lider jag med honom. Smärtan blir dubbel! Så ser jag flera, blodet stiger. Så antar jag då i min upprörda sinnesstämning att hela världen lider förtryck. Då blir min smärta tusendubblad — jag tar allas lidanden inom mig — jag blir en slags Kristus — jag blir människosläktets representant".

Författarskapet som en säkerhetsventil, en katharsis, som rening och urladdning av tillbakahållna övermäktiga känslor och affekter, oförvållade eller på konstlad väg åstadkomna — sådan var och förblev Strindbergs uppfattning om sin egen konst och överhuvud om diktens uppgift och förutsättningar. Att avreagera känslorna i skrift var hans specialrecept för missnöjda och bedrövade. När en av hans systrar i början av 1880-talet gripits av livsleda och vantrivsel med arbetet, fick hon följande råd av brodern författaren: "Är ditt hjärta fullt och du icke kan tala, så skriv! Varje människa med uppfostran kan skriva, det vill säga sätta sina tankar på papperet. Du kan ju skriva brev; en god och sann bok är ett brev. Att författa är icke att dikta, hitta på vad som aldrig varit, utan författa är att berätta vad man levat. Den som berättar vad han levat han är författare och han gagnar sina människor genom att tala om huru det kan gå till ute i livet. Men att berätta är icke att rada upp händelser; man måste också mena något med sin berättelse, belysa en sida av livet. Författarens konst består i att ordna sina många intryck, minnen och erfarenheter — — — Att författa eller lätta sitt hjärta är den största njutning och tröst. — — — Mitt råd är därför skriv, berätta! Sök icke vänner att tala om dina sorger för, ty vänner vilja hava roligt av sina vänner eller också för dem få berätta sina sorger. Anförtro dig åt papperet!" 25 år senare uppmanar han på samma sätt sin tyske översättare Emil Schering att befria sig från konflikter och lidanden: "Skriv ur Er smärtan! Ni skriver ju mästerliga brev! Och är således skriftställare."

MARTIN LAMM

Mäster Olof

Mellan de första utkasten och den på Kymmendö sommaren 1872 skrivna prosaupplagan av Mäster Olof, ligger en genomgripande förändring i Strindbergs liv.

Strindberg hade på våren 1872 slutgiltigt lämnat Uppsala för att i Stockholm slå sig fram såsom fri litteratör. I Stockholm hade han, efter att en kort tid ha förnött tiden med måleri, kastat sig in i journalistiken och börjat skriva uppsatser för den nyliberala tidningen Stockholms Aftonpost. Han påpekar själv i Tjänstekvinnans son, att han först nu gripits av de politiska samtidsfrågorna, i vilka han fick en introduktion genom läsningen av Hultgrens och S. A. Hedins programbroschyrer för det nyliberala partiet. Denna uppgift bestyrks också av hans artiklar i Aftonposten, särskilt den intressanta artikelserien Perspektiver, publicerad i april månad, där han ger sig i kast med diverse aktuella samhällsproblem.

Det är klart att redan denna övergång från religiösa till politiska intressen måste komma att sätta sin färg på det drama, som Strindberg just under denna vår hade i tankarna. Den religiösa reformator, som tecknats i utkasten, hade förfelat sin uppgift, då han låtit locka sig in på politikens marker. Med Strindbergs nya orientering ändras detta, och i det utförda dramat är Olofs fel, att han ej går tillräckligt långt, att han blott tänker på att bryta det kyrkliga förtrycket, men ta konungen till bundsförvant och först när det är för sent, tar del i revolutionsförsöket mot konungen. ”Vi började i orätt ända”, säger Olof i slutet av tredje akten till Gert. Han är en reformator, som stannat på halva vägen och som därför också avfaller, då han ställes inför alternativet att undergå dödsdomen eller göra avbön. Styckets verklige hjälte blir i stället Gert bokpräntare, som från att ha varit katolsk provokatör, nu förvandlas till glödande politisk revolutionär, ”kommunard”, för att begagna Strindbergs egna ord om honom i Tjänstekvinnans son. Olof förklarar sig i första akten vilja verka Luthers verk i sitt eget fädernesland, men Gert anser detta mål vara för litet: ”Luther är död! Han har gjort början! Vi skola fortsätta!”. Gert står obruten, då Olof faller till föga inför den värdsliga makten, och hans rop till den nådesökande reformatorn: ”Avfälling!” är det sista ordet i dramat, som kommer Olof att tillintetgjord av blygsel falla ned vid skampallen.

Att bestämt ange några direkta källor för Gerts politiska omstörtningsprogram är naturligtvis ytterst svårt. Det är klart, att alla de erfarenheter och alla de böcker, som Strindberg under det sista halvåret kommit i kontakt med, här spelat sin roll. Men med ledning av hans egna bekännelser i breven och i självbiografien kan man dock stanna vid ett par verk, som särskilt bestämt hans utveckling från religiös sanningsivrare till politisk radikal och vilkas idéer på mångfaldigt sätt återspeglas i dramat. Det är första delen av Brandes Hovedströmninger och Buckles Civilisationens historia i England.

Om Brandes Hovedströmninger talar Strindberg ej i Tjänstekvinnans son, men ett hänfört brev till Fahlstedt våren 1872 visar vilket oerhört intryck det gjort på honom. I själva verket är det ju just denna första del av Hovedströmninger, som slår reveljen till vad vi populärt bruka kalla åttiotalismen. Med ett djärvt grepp tolkar Brandes hela den begynnande 1800-talslitteraturen såsom en politisk och religiös reaktion mot 1700-talsupplysningen. Han framhåller, hur i de stora länderna denna reaktion tidigare eller senare på nytt slagit om till radikalism, varigenom de för en tid undanskjutna revolutionsidealen åter kommit till heders. Men här i Norden har reaktionen behållit fotfästet, och under det att överallt i Europa den nya litteraturen sätter problem under debatt, har den här bevarat en abstrakt idealism och utmynnat i en asketisk moralpredikant som Kierkegaard eller en diktfigur som Ibsens Brand, ”vilkens moral, om den genomfördes, skulle tvinga hälften av människosläktet att svälta ihjäl av kärlek till idealet”. Det är, som man ser, Strindbergs egna profeter, som Brandes vänder sig emot, och det nyssnämnda brevet visar också, att Strindberg just på denna punkt anammat Brandes lära. Nu först säger han sig genom Brandes bok begripa Kierkegaards och

Brandes mission. De tillhöra reaktionslitteraturen, såsom Brandes framhållit, och Kierkegaard är ”kristendomens sista nödrop innan hon sjunker”.

Gert bokpräntare befordrar reformationen, men den är för honom medlet, icke målet. Målet är den stora frigörelsen, revolutionen, som skall fortsätta Luthers verk och på en gång kasta all andlig och värdslig auktoritet ur sadeln. Det är samma uppfattning om förhållandet mellan reformation och revolution, som vi möter hos Brandes. Revolutionen är endast en fortsättning av reformationen, framhåller Brandes, den är den lutherska reformationens äkta son, ehuru reformationen ej velat erkänna den, och båda stammar de ur den italienska renässansen, som först pånyttfött den fria människoanden.

Redan i artikelserien Latin eller Svenska? som Strindberg skrivit under det omedelbara intrycket av Brandes — han berättar om den såsom färdigskriven just i samma brev till Fahlstedt — hör vi en återklang av dessa Brandesska idéer, när det yttras, att ”då kristendomen urartat till en usel påvelära och svingat sig upp till tyrann över den fria tanken” det var ”de friska liberala övermodiga idéerna, som hämtades upp ur katakomberna” eller när det sägs, att den ”stora minan, som sprang år 89 har kastat idéer nog vitt omkring, att vi än i dag ha göra med att plocka upp bitarna” (Kulturhistoriska studier). Och i Gert bokpräntares gestalt har detta Brandes revolutionssvärmeri tagit levande gestalt. Denne underlige vederdöpare, som siar om den kommande världsomstörtningen, som alltid finner de redan genomdrivna reformerna otillräckliga, som förkunnar ”andligt liv och andlig frihet” som mänsklighetens stora slutmål och som i sista akten lugn möter döden, förvissad som han är om att den skörd han sått, dock till sist skall mogna, ger en trogen återklang av den ettriga och ändå förhoppningsfulla radikalismen i Hovedströmninger. Han ger också ett uttryck åt den jäsande indignation och den friska framtidsoptimism, som ännu finns kvar hos den unge Strindberg under hans novistid i den politiska journalistikens tjänst, en optimism, som endast alltför snart skulle slå om i ett världstrött tvivel på allt och alla. Icke minst härigenom har den första versionen av Mäster Olof bibehållit ett företräde framför de följande omarbetningarna.

Dock märks redan i prosaupplagan tydligt förebuden till den skeptiska livssyn, som sedermera alltmer skall grumla verket och göra dess tendens svårgenomskådlig. Strindberg har själv fullt riktigt härlett den ur sin läsning av Buckle, vars betydelse för sin andliga utveckling han ingalunda överdrivit. Han har blott vid sin redogörelse i Tjänstekvinnans son begått det förklarliga felet att framställa dess inverkan såsom alltför ögonblickligt genomgripande. I själva verket bildar Buckleinslagen i prosaupplagan av Mäster Olof blott ett ferment, som under dramats vidare omarbetande allt starkare skall utvecklas, för att bli fullkomligt behärskande.

Buckles Civilisationens historia i England, som för Strindberg liksom för så många av hans samtida bildar ingångsporten till den positivistiska åskådningen, började utkomma häftesvis i november 1871 i svensk översättning, men Strindberg gjorde först bekantskap med verket efter sin ankomst till Stockholm, då han fick låna det av två av vännerna i det konstnärslag, som sedan skulle ge upphov till Rödarumskotteriet.

Buckles bok är det kanske mest genomförda försök, som gjorts att efter positivistiska principer bygga historien på naturvetenskaplig grundval och söka utleta de lagar, som styr folken. För att förverkliga detta, skulle det naturligtvis behövts en allmän kulturhistoria, men Buckle kände, att hans krafter ej förslog för en dylik uppgift, och begränsade sig därför till den engelska kulturen, dock med stora utvikningar till andra europeiska länder och med en synnerligen vidlyftig inledning, där han utförligt nedlade sina teorier. Det är framför allt av denna inledning Strindberg inspirerats, och det är dess innehåll han refererar i sitt kapitel om Buckle i Tjänstekvinnans son. Dessutom har han starkt påverkats av ett par smärre uppsatser av Buckle, som utkom i svensk översättning år 1872 och i viss mån avrundar bilden av dennes åskådning.

Vad Strindberg i första hand tillägnade sig från Buckle var dennes positivistiska betonande av det relativa och tidsbetingade i alla mänskliga åsikter, särskilt på det religiösa området. Vad som för vår tid är erkänd religiös sanning, var kätteri för närmast föregående period och skall bli vidskepelse för nästa. Det är, som ofta påpekats, denna Buckleska tanke, som på ett synnerligen opsykologiskt sätt kommer fram i meningsutbytet mellan Olof och hans mor. ”Kanske jag och släkten före mig ha levat och trott och dött på en lögn”, frågar modern, och sonen svarar: ”Det var icke en lögn, men det har blivit. När du var ung, moder, hade du rätt, när jag blir gammal, ja, då har jag kanske orätt! Man växer inte i kapp med tiden!”

Den logiska konsekvensen av detta resonemang borde ju vara, att all sanning är relativ. Det är också Buckles åsikt! Men Olof vägrar i det längsta att draga denna konsekvens. Han har förkunnat för sin mor, att hon levat och dött på en lögn, men han protesterar ännu i slutscenen med marsken mot att för egen räkning draga samma slutsats. ”Skulle jag ha levat och stridit för en lögn; skall jag nödgas förklara hela min ungdom och min bästa mannaålder förlorade, gagnlösa, förspillda? Låt mig hellre dö med min villfarelse!” Man kan ej undgå att märka, att dramats författare lika ivrigt som sin hjälte söker värja sig mot denna konsekvens av sina egna premisser. Gert bokpräntare har i första akten i stolt insikt om den Buckleska läran om all sannings förgänglighet förklarat: ”Det kommer en dag, då man skall kalla mig papist!” Men det blir han, som i sitt glödande sluttal varnar mäster Olof mot att tro, att en lögn någonsin eldat en människosjäl och som inskärper hos honom, att han begår synd mot den Helige Ande, om han förnekar sig själv. Det ligger en helt annan personlig värme bakom detta uttalande än bakom Lars Petris framhållande av att också en villfarelse kan bli en övertygelse eller svartebroder Mårtens nyktra reflexion: ”Alla tro sig ha funnit sanningen.” Den sats, som här lägges i munnen på styckets bov, blir i dramats slutredaktion dess grundrefräng. Vid den tid, då prosaupplaga skrevs, var Strindberg själv alltför fylld av övertygelsens patos och förkunnelsens värme för att kunna ansluta sig till den.

Det är också därför han ännu endast lamt och tvekande ansluter sig till de följdsatser, som Buckle drar ur sin tes om sanningens relativitet. Buckle anser naturligtvis varje ingripande i religiösa frågor vara av ondo. Staten har ej att göra med folks åsikter och saknar all rätt att ens i minsta grad blanda sig i det sätt att dyrka Gud, som dess medlemmar kan finna för gott att antaga. Och det är till och med fullkomligt lönlöst att söka propagera för en ny religiös lära, ty en dylik kan ej få någon framgång, om ej folket intellektuellt är moget för densamma. ”Om en religion eller en filosofi”, säger Buckle, ”är för mycket framom en nation, kan den ej för närvarande göra något gagn, utan måste bida sin tid, tills själarna blir mogna för dess mottagande... Varenda vetenskap och varenda religion har haft sina martyrer, människor, som ådragit sig förtal, ja, till och med döden, emedan de visste mer än sina samtida och emedan samhället ej var tillräckligt utvecklat för att mottaga de sanningar de meddelade.”

Hur tveksam Strindberg ännu ställde sig till dessa Buckles teorier kan man se genom en upplysande jämförelse mellan prosaupplagan och versupplagan. I den förra ha vi en ung löjlig adelsman, karikerad i Shakespearestil, som berättar för den hånfullt lyssnande Olof, vad han yttrat till kung Frans I. ”Ers majestät, sa' jag, på franska naturligtvis, lyckligt det land, som äger en konung, vilken kan skåda ut över tidens trånga krets, att han ser tidsandans krav, men likväl icke trugar de sovande massorna att omfatta en högre åskådning, för vilka de behövde sekler att komma till mognad till! Var det inte bra sagt!” I versupplagan har denne unge glop förändrats till en äldre, världserfaren adelsman, som fått till uppgift att först tillkännage för Olof Gustaf Vasas visa politik. Då Olof vill höra den punkt i Västeråsbeslutet, som handlar om romerska lärans avskaffande, svarar han nyktert: ”En sådan punkt har det aldrig varit tal om! Hör nu, min unge vän, förlåt att jag begagnar ordet, man avskaffar ingens tro med riksdagsbeslut!... Kungen är ingen tyrann! Folket vill intet nytt ännu och därför tvingas det icke!”

Buckleinflytandet på Mäster Olofs prosaversion har sålunda kommit att verka på alldeles samma sätt som de övriga nya, halvsmälta idéer, vilka Strindberg tillägnat sig mellan utkasten och det första dramat. Det har rubbat trosvissheten hos de båda frihetskämparna, Olof och Gert, och kastat ett mer sympatiskt ljus över Gustaf Vasa, som särskilt mot styckets slut ej längre är samme krasse opportunist som tillförne. Men i grunden finns det idealistiska patoset kvar, ehuru omflyttat till de politiska frihetsidéernas mark. Då Strindberg i sin redogörelse för prosaupplagan i Tjänstekvinnans son säger, att han i konungen och marsken diktat sig själv sådan han önskade vara, i Gert sådan han i lidelsens ögonblick var och i Olof sådan han verkligen funnit sig vara efter årtals självprövning, har han till en viss grad förväxlat den första versionen med de följande. Både av dramat själv och av Strindbergs samtida uttalanden om det, får man det otvivelaktiga intrycket, att Gert representerar det ideal av frihetsmartyr, som Strindberg drömmer om att bli, under det att konungens och marskens ståndpunkt snarare ger oss en föreställning om den verklighetens nyktra prosa, i vilken han fruktar att till sist hamna. Däremot har han rätt att i Olof i den utförda prosaupplagan ej längre är en imposant troshjälte, utan blivit ett levande porträtt av författaren själv med ett ofta ganska starkt understrykande av felen och svagheterna. Det är klart, att stycket med denna nya bild av reformatorn och detta omkastande av sympatierna hade svårt att bibehålla sin ursprungliga anläggning som idédrama. Och de samtida impulserna från Brandes Shakespeareuppsatser i Kritiker og portraiter lockade också Strindberg att omgestalta det till ett realistiskt drama med historisk miljö.

Den Shakespeareuppfattning, som Brandes i detta sitt ungdomsverk gjorde sig till taleman för, skilde sig i själva verket högst betydeligt från den idealiserande och deklamatoriska tolkning, som vid denna tid företräddes på Stockholmsscenerna, och även från den, som proklamerades av den tongivande tyska Shakespearekritiken. Brandes, som direkt byggde på Taine, vände sig också polemiskt mot den tyska och danska estetikens försök att uppfatta Shakespeares dramer som principdramer. Även det luftigaste lustspel blir för tysk betraktelse ett ”Ideen- und Principiendrama”. Han anser, att detta är att utsträcka Shakespearedramerna på en Prokrustessäng. I stället för att med all makt söka utpressa en idé ur dem, bör man observera, hur oteoretiskt och naturligt realistiskt Shakespeare skildrat sin egen samtid i historisk förklädnad.

”I den regelrätta danska tragedien”, klagar Brandes, ”har det som säges ett direkt förhållande till det hela... Inte en lakej, inte en kompars kan uppträda utan att varje ord, som går ut ur hans mun, rör sig om detsamma som huvudpersonernas tal. Vid första blicken upptäcker man den logiska tråd, som är fäst i hans nacke." Shakespeare ställer ej upp karaktären som ett abstrakt. Han vill ge något mer än den sida eller de sidor av karaktären, som den dramatiska handlingen har användning för. Han flyttar in hela människan på scenen. "Till den grad inträngande", säger Brandes om Hotspur, "med en sådan fördjupning i egenheter, lyten, nycker, infall och vanor, alla härledda från temperamentet, från blodets hastiga eller långsamma lopp, från kroppens byggnad, livet inomhus eller under öppen himmel, på hästrygg och i ledning, med en sådan kärlek till det lilla, är det Shakespeare utformar sina största, sina mest heroiska karaktärer. Orolig gång, stammande tal, glömska, distraktion, intet är honom för ringa. De skildrar sig själva i varje sats de yttrar, utan att någonsin tala ett ord om sig själva..." På samma sätt unnar sig Shakespeare ro att teckna utom handlingen stående miljöscener, och Brandes ger ett livfullt referat av den värdshusscen, som öppnar andra akten i Henrik IV, då formännen i gryningsstunden går ned till stallet för att sadla hästarna. Deras samtal rör sig ej om prins Henrik och Falstaff, de pratar om hur natten varit, om havrepriserna och hur upp- och nedvänt allt blivit i huset sedan Robert stallmästare dog. Allt detta hör ej till handlingen, framhåller Brandes, men det ger oss stämningen för handlingen, och aldrig har man med så litet kunnat skänka så mycket i poesien. "Alla ens sinnen tas i beslag, man ser, hör, luktar; man känner med den forman, som förbannar stället och tror, att det inte finns gemenare hus med loppor i på hela vägen till London'."

Denna Brandes utomordentliga analys av Shakespeares naturalism bildar den teoretiska utgångspunkten för den vardagsrealistiska behandling av det historiska stoffet, som kom mäster Olof att göra epok inom det nordiska dramat. Och ej nog härmed. Det är fullkomligt samma obesvärade realism, som går igen i Strindbergs senare historiedramer och noveller, icke minst de stora historiedramerna efter Infernokrisen. Han var också själv medveten därom. I en karakteristik av sin historiska dramatik från senare år, säger han, att han återgick till sin "dramaturgi från första Mäster Olof". "Jag tog till min uppgift, efter läraren Shakespeare, att teckna människor med stort och smått, att icke skräda det rätta ordet; att låta det historiska vara bakgrund och förkorta historiska tidslängder efter nutida teaterns fordringar för att undvika krönikans eller berättelsens odramatiska form." (Öppna brev till Intima teatern). Beträffande Mäster Olof framhåller han särskilt realismen i Julius Caesar såsom utslagsgivande: "Shakespeares sätt att i Julius Caesar skildra historiska personer, även hjältar, at home, intimt, blev bestämmande mönster för mitt första historiska drama och, med vissa reservationer, även för de följande efter 1899". Strindberg har här försummat att nämna, att det var genom Brandes han fick ögat öppnat just för detta drag hos Shakespeare. Då han för första gången — i Hermione — visar sig påverkad av Julius Caesar, har han ej alls förmått få med något av dess intima realism.

Vid den tid, då Strindberg skrev Mäster Olof, stod däremot hans tacksamhetsskuld till Brandes fullt klar för honom, såsom man kan se av kandidatuppsatsen om Hakon Jarl. Det är blott två ställen i Oehlenschlägers drama, som han finner "värdiga en Shakespeare": "De äro så obetydliga, att du skall le, när jag pekar på dem, och likväl äro de så storartade i sin litenhet." (Tjänstekvinnans son I.) Han påpekar därefter, hur abrupt Einar Tambeskjälfver talar vid sitt uppträdande i femte akten, där han bland annat säger: "Jeg troer det regner, min hjelmbusk drypper." "Vad hör det hit menar du! Men s e r du då icke Einar, hör du icke hur andtruten han är, huru bråttom han har; Thora får ju knappt svara, och ändå har han tid att tala om att det regnar. Ja, Oehlenschläger s å g Einar för sig, då han diktade denna scen, däri ligger det stora". Och efter ännu ett citat säger Strindberg: "Förstår du ej ännu, så läs Brandes om 'Hotspur'." Det skulle säkerligen ej falla någon in att utan färsk läsning av Brandes observera dessa synnerligen svaga ansatser till vardagsrealism hos Oehlenschläger.

Ett par detaljer i Mäster Olof visar dessutom, hur läraktigt den unge Strindberg ännu följde Brandes fingervisningar. För att få en motsvarighet till den av Brandes beundrade inledande värdshusscenen i andra akten av Henrik IV, lät också Strindberg andra akten i Mäster Olof börjas med en utanför handlingen liggande ölbodscen, där man pratar om ditt och datt. Den finnes redan i de första utkasten, är i prosaupplagan utförd med drastisk realism, och då Strindberg sedermera i omarbetningarna ansåg sig nödgad att stryka den, uttryckte han i en anteckning sin ledsnad över att behöva offra en så livfull scen.

Ännu mer belysande är kanske en annan liten detalj. Brandes fäster uppmärksamheten på att Hotspur vid skildringen av en hovman, vars affekterade manér förargat honom, bland annat säger:

> Han lärde mig att spermaceti vore
> mot inre skador riktigt suveränt.

”Varför detta spermaceti”, frågar Brandes. ”Vartill denna utförlighet och anförandet av en så obetydlig och löjlig småsak? Därför att denna lilla småsak är verkligheten, därför att småsaken är livet och framkallar illusionen. Just därför att man inte strax begriper orsaken varför en så liten, likgiltig och tillika så noga bestämd detalj nämnes, förefaller den omöjligt kunna vara uppdiktad. Men vid detta lilla ord hänga alla de andra föreställningarna, hela illusionen som i en kedja.”

Denna estetiska utredning tyckes ha gjort ett djupt intryck på Strindberg, och för att vara fullkomligt säker om att lyckas ge samma omisskännliga verklighetsintryck har han varit angelägen om att på samma sätt, till synes alldeles omotiverat, få in ett recept i sin dramatiska dialog. Redan i anteckningarna och utkasten figurerar envist ett recept på kryddat Rochelle, och det anbringas till sist i scenen vid moderns dödsbädd, där broder Mårten under likvakan bland annat prat säger till broder Nils: ”Men nu kan du tala om det där receptet på kryddat Rochelle som vi somnade ifrån därute”, vartill Nils svarar: ”Sa jag Rochelle? Jag menar Claret. Det vill säga, det kan vara vilket som helst. Jo ser du, man tar på en kanna vin ett halvt skålpund kardemumma, väl rensad . . .”

Det kan måhända synas småaktigt att så i detalj söka konstatera den impuls, som Strindberg fått genom Brandes Hotspur-uppsats, men saken är viktig, ej blott därför att Strindberg, långt sedan han blivit fullfjädrad naturalist, rör sig med slagorden från denna lilla essay, utan framför allt därför att Brandes skildring av Shakespeare såsom den realistiske impressionisten gav Strindberg nyckeln till hans eget konstnärskap. Han hade i sina ungdomsdramer fåfängt sökt skruva upp sig till akademisk vältalighet och anlitat det ena mönstret efter det andra för att nå en godkänd litterär stil. Brandes Shakespeareanalys gav honom äntligen mod att vara sig själv, att begagna sig av den omedelbart friska realism, som låg så väl för hans temperament, att illusoriskt återge personers sätt att tala, fånga doften av en stämning, karakterisera en situation genom en träffsäker detalj. Böök talar i Sveriges moderna litteratur om Strindbergs "strykande verklighetsaptit", som kom honom att så oerhört väl kunna "sätta sig in i en ny miljö, ta reda på slangen, yrkesjargongen, le mot proppre, suga upp intrycken". Att denna förmåga var en poetisk guldgruva fick Strindberg fullt klart för sig, då han läste Brandes Shakespearetolkning.

Genom handskriftsmaterialet kan vi följa Strindbergs metod vid tillämpningen av denna shakespeareska detaljrealism. Han skriver själv i Tjänstekvinnans son del II: "Ämnet hade han sorgfälligt studerat i Biblioteket och hade stora ark fullskrivna med vad han kallade lokalfärg, och där han då och då hämtade en touch för att icke avsikten med stycket skulle för mycket lysa igenom." Vi har ett par av dessa stora ark kvar, och man blir i första taget förvånad över deras innehåll. Man förstår ej genast, vad Strindberg velat med dessa lösryckta och till synes alldeles meningslöst uppsamlade notiser om att klosterjungfrur förföll till skökor, knektar lades i borgläger i klostren, att Gustaf Vasa av sina fiender beskylldes för att gräva upp lik ur gravarna för att sjuda salpeter ur benen. Men då man läser dramat, ser man, hur mycket de bidragit till att skänka det tidsfärg. Ibland har de rent tillfälligt instuckits i ett likgiltigt vardagssamtal, ibland har de givit uppslag till små belysande biepisoder, ibland har Strindberg nöjt sig med att begagna dem för att få en ledtråd till karakteristiken av sina hjältar.

Med hjälp av dessa genuina små tidsdrag är det sedan möjligt för Strindberg att — alldelse som Shakespeare enligt Brandes mening gjort — skildra sin egen tid i förgången epoks kostym. Han har själv i Tjänstekvinnans son del II påpekat, att stycket "bar färg av den tid det skrevs". "Pariskommunen spökar i vederdöparnas kulturfientlighet. Fransk-tyska kriget har givit anledning till tyskens uppträdande på krogen, där den övermodige, annekterande preussaren får sig en släng. Men opartiskt nog hånas fransmannens lättsinne i adelsmannen, samtidigt med att tysken (icke preussaren) får beröm för sitt 'sedliga' allvar. Även det på reaktionärt återtåg stadda lantmannapartiet får ett rapp, när marsken bryter ut mot dalkarlarna. Mot hjälten Olaus är författaren opartisk. Han hånar sig själv och sina underklasskänslor, då han satt bland ordonanserna-gardisterna i Carl XV:s tambur, genom den scen, då Olaus väntar på audiens hos Gustaf Vasa" osv. Det måste sägas, att en del av dessa samtidsdrag ej skulle märkas, om Strindberg ej själv påpekat dem, och möjligt är ju också, att han vid sin genomläsning av stycket för Tjänstekvinnans son intolkat någon samtidspuls, som kanske ej ursprungligen fanns i dramat. Men i det hela taget är de säkert riktigt angivna, och i varje fall kan man ej misstaga sig på att hans metod genomgående varit den av det citerade stycket antydda, att genom medvetna anakronismer göra den historiska skildringen aktuell och levande. Ty redan nu har han alldeles samma ställning till det historiska stoffet, som sedermera i sina Svenska öden, om vilka han en gång skrev till förläggaren: "För att få studier till tid och kostym begär jag böcker och begagnar dem, tar ränningen ur mitt eget liv såsom alltid".

Hanna Rydh har i De historiska källorna till Strindbergs Mäster Olof (1915) såsom Strindbergs egen princip för behandlingen av det historiska citerat ett uttalande i hans recension av Rosens tavla Erik XIV och Göran Persson: "Då historien skall behandlas av konstnären, så fordrar hon sanning i det stora, om ock hon tillåter frihet i detaljerna" (Efterslåtter) och sammanställt detta uttalande med Hettners regler för det historiska dramat i Das moderne Drama. Det lider väl ej heller något tvivel om att Strindberg både nu och senare trodde sig handla efter denna princip, som i något förändrad form återkommer i hans uttalanden om det historiska dramat från hans sista år. Men i realiteten tillämpade han snarare den motsatta principen, avvikelser i det stora och trohet i en del detaljer. Alla data och fakta i Olaus Petris liv är med nästan konsekvent nyckfullhet omkastade — på samma sätt som i det ett halvsekel senare tillkomna Gustaf

Vasa stora historiska händelser, vilka omspänt decennier, är godtyckligt sammanförda. Just det, som för en historiker skulle vara det viktiga, förbigås lekfullt av Strindberg, medan han däremot med yttersta samvetsgrannhet tar vara på allt anekdotiskt, allt som ger färg och liv åt skildringen. Hans historiska teknik förblir alltid den han lärt av Brandes Shakspearetolkning, att sätta in "en touch" lokalfärg här och där och för övrigt tillåta sig vilka anakronismer som helst, övertygad om att läsarens fantasi genom de impressionistiska färgklickarna fått tillräcklig impuls för att föreställa sig det hela i historisk dräkt. Hur litet han egentligen brydde sig om att ändra, kan en modern läsare direkt kontrollera genom att jämföra den numera på svenska tryckta novellen Genvägar (Efterslåtter) med dess 1600-talsomklänad till En häxa i Svenska öden och äventyr.

Det är klart, att Strindberg ej med ett enda slag kunde nå fram till den stundom alltför nonchalanta virtuositet med vilken han senare behandlar historiska stoff. Vid sidan av hans senare historiedramer och noveller verkar Mäster Olof ännu rätt försiktig i sin realism, och man måste jämföra stycket med dess föregångare inom svensk dramatik för att fullt kunna förstå, hur epokgörande det varit. Det var ju också anlagt som idédrama, och förkunnarlusten brottas genom hela stycket med tendensen att ge en frodig och färgrik tidsbild. Och dessutom har Strindberg ej helt kunnat frigöra sig från det samtida dramats utspekulerade intrig. Redan i slutet av första akten, då Olof lämnar klostret, skymtar i bakgrunden svartebröderna Mårten och Nils, och Olof

[1] Under den tid Strindberg var hemma för Giftasprocessen, hade han en sammanstötning med en renskriverska i Riksarkivet, som uppträdde som spiritistiskt medium och vars humbug Strindberg ansåg sig ha avslöjat. Han begagnade denna upplevelse för en novell, som emellertid ej kunde tryckas i sitt ursprungliga skick på svenska, då modellerna var för lätt igenkännliga, och därför kom ut i en tysk tidning. Strindberg fann det för besvärligt att för en svensk upplaga göra nödvändiga förändringar och flyttade därför av bekvämlighetsskäl över hela den första delen av novellens händelseförlopp till 1600-talet, förändrade en ångbåtsfärd till en seglats med galeas, osv., bibehållande t. o. m. dialogerna, vilka genom en lätt ton av arkaism berövades sin nutidskaraktär. Trots en del grova anakronismer, verkar dock 1600-talsfärgen i det hela förunderligt genuin.

”uppger ett rop av ofrivillig häpnad och far med handen över pannan”. En aning genomfar honom tydligen, att han här skådar styckets svarta bovar. Och den slår ej fel. Gång på gång utsättes Olof för deras gemenheter; det är Mårten, som läser upp bannlysningsdekretet över honom och som sedan för in modern och Kristina i ölboden för att visa dem Olof i sällskap med skökan. Det är Mårten och Nils, som förbittrar hans sista stund med modern, och det är till sist de, som avslöjar hans stämplingar mot konungen och befordrar honom till fängelset. Ännu mer teatermässiga verkar en del av Gert bokpräntares ingrepp i handlingen, och, som vi skall se, har denna inkarnation av Strindbergs frihetssvärmeri blivit en blandning av romantisk dimfigur och Scribesk intrigör. Men dessa rester av gammal teaterkonventionalism verkar dock endast som oväsentliga rudiment, och läsaren förvånas själv över hur lätt han glömmer bort deras tillvaro i dramat, under det att de realistiska scenerna lever kvar i minnet. Även efter färsk genomläsning har man svårt att göra klart för sig det sätt, varpå vederdöparnas komplott röjs, och den andel, som Olof har däri. Men envar kommer ihåg de friska scenerna i ölstugan, med den gemytlige skepparen Windrank som centralfigur, man erinrar sig den vidskeplige och sprithungrige kyrkvaktarens samtal med sin hustru och de två svartbrödernas halvsovande och cyniska repliker, då de bereder sakramenten och sjunger mässan för Olofs döende moder. Det är också i dylika, utanför handlingen fallande biscener, som Shakespeareinflytandena tydligast framträder, och man kan ibland till och med utpeka bestämda situationer hos Shakespeare som tycks gå igen. Den sistnämnda scenen vid moderns dödsbädd har en viss släktskap med dödgrävarscenen i Hamlet, ölbodscenen är ju direkt inspirerad av krogscenerna i Henrik IV, och för mötet mellan kyrkvaktaren och den berusade Windrank i andra aktens mellanspel har Per Lindberg med rätta hänvisat på scenen mellan Caliban och Trinculo i Stormen.

Särskilt ölbodscenen torde väl vara det första prov Strindberg ger av sin konst som realistisk livsskildrare. Med sin framställning av ett rus, som hastigt slår över i sentimental gråtmildhet — Windrank talar rörd om sin gudfruktighet och om sin döda mor — förebådar den på ett slående sätt ett av hans kommande yppersta mästerverk som prosaberättare, kapitlet Herrar och hundar i Röda rummet, där Carl Nicolaus Falk under rusets inverkan genomgår en liknande psykologisk utveckling.

Det är också i dylika komiska biscener Strindberg allra bäst lyckats genomföra en realistisk vardagsdialog. Också här är naturligtvis Hagbergs Shakespeareöversättning hans mönster, och det har av Lindberg påvisat, hur han på ett ställe till och med begagnar sig av ett typiskt ordlekande i Shakespearestil, då Olof kommer in i ölboden och finner den förföljda skökan. Men då Strindberg ger ordet åt skepparen Windrank och hans gelikar lyckas han hålla sig ganska fri från dylika direkta Shakespeareimitationer och skänka replikerna ett fullkomligt äkta tonfall. Hur ypperlig är ej t. ex. Windranks halvrusiga tirad till den känslosamme tysken: ”Ack, jag är en svag syndare, det vet jag, men ser ni — hjärta det har jag, ta mig fan. Kom en stackare och säg, att han är hungrig, och jag ska ta skjortan av mig!” Denna replik är ju i släkt med de shakespeareska kroghjältarnas, men det har säkerligen aldrig lyckats Hagberg att skänka deras orerande en så genomfört svensk form, utan att stryka under eller breda på för mycket. Och av dylika fynd är stycket fullt. Ej minst därigenom bildar det epok inom svensk dramatik.

Vad som emellertid skiljer Mäster Olof från de historiska dramerna från sekelskiftet är att denna stil ännu ej är enhetligt genomförd, och detta förklarar till någon del varför Mäster Olof på utländska teatrar aldrig nått en framgång, jämförlig med Gustaf Vasas, Erik XIV:s eller Drottning Kristinas. Strindberg vacklar ännu emellan naturalistisk prosadialog och retoriska utflykter i det Schillerska dramats stil. Bipersonerna får oftast bibehålla ett naturligt talesätt, och även Gustaf Vasa, som ju uppträder relativt litet i dramat och har korta repliker, har något av samma äkta malm i rösten som sin efterföljare i mästerverket av 1899. Men annars har huvudfigurerna en tråkig benägenhet att erinra sig, att de tillhör femtonhundratalet, och faller understundom in i en föga lyckad arkaistisk fraseologi. Ännu vanligare är det att de hamrar ut ståtliga sentenser och i själva sin vardagsdialog på ibsenskt manér symboliskt antyder styckets idéinnebörd. Man kan som exempel taga audiensscenen i tredje akten, där Gert och Olof står ensamma i rummet efter kungens sorti. Det kommer in en betjänt:

Betjänten Var så god och gå ut, det skall sopas här!
Gert Kanske skall det vädras också?
Betjänten Jojo men!
Gert Glöm inte att öppna fönsterna!

Endast med ledning av Gerts tidigare repliker om att det är för lågt i taket och att man behöver ta ut fönsterna, emedan det luktar unket, kan en nutida läsare förstå, att det på samma gång gäller en revolutionär samhällsvädring. Samtiden, som var van vid dylik dialog, tycks emellertid ha lagt in symbolik, där vi ej skulle göra det utan fingervisning. Då i scenen mellan de två bröderna vid moderns dödsbädd Kristina kommer in och i tankarna går och släcker de ljus, som Olof tänt vid hennes bår, frågar Olof: "Vad gör du min vän?" Och Kristina svarar: "Det är ju ljusan dager!" "Lars ger Olof en blick". Här skulle en modern läsare ej alls ana någon undermening, men Wirsén berömmer i sin recension av år 1882, därför att Kristinas ord på ett djupsinnigt sätt av bröderna Petri tolkas till den dager, som reformationen spritt. Möjligen har han tolkat rätt.

Också det, som stöter oss mest, de pompösa retoriska utbrotten i stil med Die Räuber — t. ex. mäster Olofs stora tal till skökan eller scholaren Vilhelms avskedsord till Olof — torde nog mest av allt ha slagit an på den vid dylik ståt vana samtiden. Hur långt den konservativa kritiken gick i sitt gillande av dylikt, kan man bäst se därav att Wirsén finner särskilt behag i följande ord av Kristina om den sovande maken. "Varför är jag icke sömnen, att du flydde till mig, då du är trött av striden!" Han kallar dem "ord av stor, enkel fägring. Detta är poesi." En nutida läsare torde snarare finna dem affekterade.

Då man framhåller dessa ojämnheter i Mäster Olofs stil, måste man emellertid betona, att den ej är oenhetlig och osjälvständig på samma sätt som stilen i Hermione eller Den fredlöse. I det hela taget har prosadialogen i Mäster Olof hållit sig beundransvärt frisk under alla de år, som förflutit sedan stycket skrevs, och det finns många scener, som verkar skrivna i dag. Och även på de ställen, där Strindberg fallit offer för retorisk fraseologi, finns det något medryckande i själva satsrytmen, som skiljer den milsvitt från det samtida historiedramats stelbenthet. Det var en olycka för svensk dramatik, att Strindberg genom den oförstående kritiken av prosaupplagan skulle lockas att i sina omarbetningar förvandla en stor del av denna livfulla prosadialog till knittel. Versupplagan uppenbarade honom som en betydande lyriker. Men för hans egen och det svenska dramats utveckling var detta återfall till romantiken och den akademiska diktionen ödesdigert. Hur mycket lyckligare skulle det ej ha varit, om Strindberg i stället föranletts att genomföra den realistiska stilen i dramat. Han hade då kommit att redan nu, på dramats område, göra samma revolution inom svensk prosa, som han först skulle åstadkomma genom sina romaner, och hans senare dramatik hade antagligen fått en helt annan inriktning än den nu kom att få.

Det vacklande mellan kvardröjande romantik och gryende realism, som jag på olika områden framhållit som betecknande för prosaupplagan av Mäster Olof, kommer tydligast fram, om man mot varandra ställer dramats två huvudpersoner, Olof och Gert bokpräntare. Man skulle ju väntat sig, att Olof, som ursprungligen tecknats som en abstrakt idealist, blivit en romantisk hjältetyp, under det att Gert bokpräntare, som skulle representera Strindbergs nya, realistiska världssyn, fått mer verklighetsblod i ådrorna. Resultatet har emellertid blivit det rakt motsatta. Mäster Olof har blivit ett levande självporträtt, under det att Gert blivit en halvt symbolisk gestalt.

I någon mån beror detta just på den moderna arten av Gerts förkunnelse. Han skall ju vara trehundra år före sin tid, och detta kunde Strindberg endast göra troligt därigenom att han framställde honom som en halvt overklig visionär. Men också figurens uppkomst förklarar i någon mån dess egendomliga gestaltning.

Uppslaget att göra Gert, vilken i utkasten var en katolsk intrigör, till vederdöpare och Kristinas fader, har Strindberg ovedersägligt, såsom Hanna Rydh uppvisar, fått från en roman av Starbäck, Mäster Olofs bröllop, som ingick i Familjejournalen av år 1868, därifrån t. o. m. ett par detaljer i dramats handling hämtats. Det är en ytterst fantastisk figur, en försupen spelman, som är vederdöpare, siar om det tusenåriga riket och i slutkapitlet avslöjar sig såsom Kristinas far. Trots sitt förfall är han innerst hjärtegod och döljer under en mask av dårskap en mild visdom. Men Gert bokpräntare har också, såsom av Lindberg först påpekats, en annan föregångare, bisp Nicolas i Kongsemnerne.

Bisp Nicolas är egentligen en Scribesk intrigörtyp, som av Ibsen skänkts romantiskt-demoniska mått och till och med i en föga lyckad scen uppenbarar sig efter döden såsom vålnad och avslöjar sig som en symbol av den norska avundsjukan. Gert har från bisp Nicolas ärvt både de demoniska dragen och de Scribeska intrigkonsterna. Redan då han för första gången dyker upp i dramat, förklarar han sig vara en sorts Lucifergestalt: ”Jag heter den förkastade ängelen, som tiotusen gånger skall gå igen, jag heter befriaren, som kom för tidigt, jag heter satan, därför att jag älskade er högre än mitt liv, jag har hetat Luther, jag har hetat Huss, nu heter jag Anabaptista!” Men med denna heroiska attityd förenar han en del mer småskurna drag, som erinra om bisp Nicolas och Scribeintrigörerna. Han dyker upp var som helst och när som helst, uppträder gärna förklädd, och visar sig i slutet av dramat som ledare av en sammansvärjning med vittutseende mål och såsom författare till en underlig bok, frukten av hans tysta arbete, i vilken han skrivit upp alla folkets klagomål över konungen.

Han har också intrigörens förmåga att kratsa sina kol ur elden, när det börjar bli för hett. Genom att spela vansinnig har han förskaffat sig en hospitalsattest, som han kan förete för att bestyrka sin oansvarighet för sina gärningar, men ett friskhetsintyg försäkrar honom om att ej behöva förbli inom dårhusets väggar. Det kunde tyckas som om Gert med hjälp av sin förslagenhet och dessa två intyg — vilka i förbigående sagt synes vittna om en synnerligen framskriden ståndpunkt inom sinnessjukvården på 1500-talet — lätt borde ha kunnat rädda sig från skampålen och stupstocken vid dramats slut. Men under det att Gert förut i motsats till Olof föredragit de krokiga vägarna framför de raka, blir han nu plötsligt en frimodig revolutionsmartyr, vilken uttalar de ord, som ligger Strindbergs hjärta närmast, och oburen går mot döden, då Olof fegt avfaller.

Det är klart, att den växande roll, som Gert fått under dramats gång, länt detta både till fördel och skada. Jag har tidigare framhållit, att Strindberg i honom funnit ett inspirerat språkrör för den radikala trosbekännelse, som han tillägnat sig under utarbetande av dramat, och som han ej kunde lägga i den veke Olofs mun. Tack vare honom får prosaupplagan ej en så nedslående utgång som versupplagan, där Gert reducerats till en kompars, och där Olofs avfall blir typen för alla sanningssägares oundgängliga öde.

Men å andra sidan blir dramat genom Gerts ingripande utrustat med en intrigapparat, som knappast passar för ämnet och får ett fantastiskt-romantiskt drag, som i viss mån skriker mot de realistiska intentionerna. Och i samma grad som Gerts gestalt växer och blir bestämmande för handlingens gång, mister Olof sin centrala plats i dramat. Han upphör alltmer att vara en självständigt handlande faktor och kastas som en skottspole mellan Gerts revolutionära framtidsdrömmar och Gustaf Vasas och marskens praktiska nyttopolitik. I viss mån har hans position kommit att likna hjältens i ett Scribedrama, vilken också brukar på samma sätt kastas som en lekboll mellan två kraftiga viljor, som söker dra honom åt var sitt håll.

Lyckligtvis passar denna ställning ganska väl för den karaktär, varmed Strindberg utrustat Olof. Hans väsen är just ombytligheten och nyckfullheten.

Som vi erinrar oss hade Olof under arbetets gång i Strindbergs ögon förändrats från den stelryggade idealist i Brands stil, som han var i utkasten, till att bli en hetsporre, som först stannar på halva vägen, men faller till föga, då han sätts på prov. Det naturligaste hade varit att skapa en helt ny Olofsfigur och en efter hans temperament anlagd handling, men dels hade Strindberg icke hjärta att avstå från sina ypperliga scenutkast, dels kände han instinktivt, att dessa båda Olofsgestalter hörde ihop, var avbilder av honom själv under olika stadier. Och från Brandes uppsats mindes han, att det stora hos Hotspur just låg däri att han ej var skuren efter schablon, utan var en hjälte, hos vilken stort och smått, sublimt och löjligt organiskt förenades till en fullblodig människa. Efter denna modell har Strindberg sökt forma sin hjälte. Han hade själv ännu, då han 1886 analyserade dramat i Tjänstekvinnans son, medvetandet om att det just var motsatserna i sitt eget lynne, som han velat få fram i Olofsgestalten, då han skrev, att han skildrat Olof, sådan han själv efter åratals självprövning funnit sig vara: ”Äregirig och svag i viljan, hänsynslös, när det gällde, och undfallande, när det icke gällde, stort självförtroende blandat med djupt missmod, sansad och oförunftig, hård och vek”. På detta sätt har Olof kommit att bli en egendomligt komplicerad figur, byggd på motsatser i åskådning och motsatser i karaktärsegenskaper. Man får knappast det rätta greppet på hans personlighet utan att se honom under det Strindbergska temperamentets synvinkel och iaktta i vad mån hans upplevelser återspeglar Strindbergs egna.

Den första akten i prosaupplagan är kanske den, som närmast ansluter sig till utkasten. Här möter vi mäster Olof, innan han ännu kastat sig in i striden med något av ett ungt helgons skimmer över pannan. Men hur olik är han ej ändå mot den Brandska idealist, som Strindberg ursprungligen tänkt sig. Denne Olof brinner ej av begär att få kasta de torra böckerna för att komma ut i livet. Han verkar till hälften drömmande och förströdd. Vemodigt tar han avsked från sina unga disciplar i klostret: ”Se där sitta de bland gravarne och leka och plocka blommor och sjunga pingstvisor.” Det är Strindbergs eget vemod, då han lämnar vännerna i Uppsala, det är hans egen känsla av saknad efter det stilla studentrummet mitt uppe i de politiska striderna och det journalistiska jäktet: ”Det var den sista ljusa morgondrömmen, som gick: förlåt mig — nu är jag vaken.” Och han känner sig också redan i början av sin förkunnarverksamhet skeptisk och desillusionerad. ”O ja, klagar han, jag hade en gång trons låga, och hon brann så härligt, men munkeligan släckte av henne med sitt vigvatten, då de ville läsa djävulen ur kroppen på mig!” Han saknar tron, och han saknar också ärelystnaden att vara ledare. ”Varför skall jag gå främst”, frågar han och ber i stället få följa med i det sista ledet i striden.

Det blir därför en rent yttre tillfällighet, som kastar honom in i striden. Domkapitlets förbud och medkänslan med det gudstjänstsökande folket lockar honom att hålla mässa, menighetens ovilja mot den svenska mässtexten retar honom att prononcera sig som lutheran, biskop Måns och Brasks försök att med hot och lockelser få honom tillbaka under kyrkans lydnad, frestar honom till öppen revolt, och han träder i kungens tjänst. Det är betecknande, att Olof från första stund drives framåt av sin motsägelselusta, av sin oförmåga att tåla tryck, alldeles som Strindberg i alla livets skiften. Gert träffar det djupaste i hans väsen, då han sedermera säger: ”Åt en sådan karl som du säger man 'låt bli det där', då man vill ha något gjort!”

Han har ej fått tron, tron på sitt kall, lika litet som Strindberg tyckte sig ha fått den. Men han är kastad in i virveln, och han drivs från den ena ytterligheten till den andra, icke minst av känslan att han till varje pris måste hävda sin självständighet. ”Jag vill göra min gärning, icke din”, säger han till Gert. Trots detta, eller rättare sagt, just på grund av denna oresonliga ömtålighet om sin självständighet blir det vanligen andras gärningar han utför.

När budskapet om reformationens genomförande kommer, kan därför Olof knappast göra anspråk på någon större andel i verket. Han har blivit konungens verktyg, men han har ej sett, åt vilket håll denne velat leda utvecklingen. Men redan innan han fått veta, hur litet denna reformation motsvarar hans egna förväntningar, är han nedslagen, förtvivlad över att redan stå vid målet. ”Ingen strid mer, det är döden!” . . . ” Det var icke segern jag ville, det var striden!”. Hur äkta Strindbergsk är ej denna stämning, så litet rimlig den än kan förefalla såsom den historiske Olaus Petris första ord vid underrättelsen om att han segrat.

Därför är han också färdig att utdöma besluten på Västerås riksdag i samma ögonblick, som han får veta dem. Han ger genast Gert rätt i att man börjat i galen ända, att man, i stället för att angripa kyrkan först bort börja med kungamakten.

Ju längre han skrider fram, dess oklarare blir det för honom vad han egentligen kämpar för. I den stora dialogen vid moderns dödsbädd förebrår honom brodern Lars, att hans mål är rent negativt: ”Du river och river, Olof, så att det blir tomt snart, men när man frågar: vad ger du i stället, svarar du 'icke det', 'icke det', men du svarar aldrig 'det'!” Och Olof kan endast försvara sig med att ej heller Luther givit något nytt. ”Det nya jag vill är tvivel på det gamla, icke därför att det är gammalt, utan därför att det är ruttet!”. Redan som tjuguåring har Strindberg fullt klart för sig, att han är född till felfinnare och nedrivare, redan nu är han anhängare av Esplanadsystemet:

Här rivs för att få luft och ljus;
är kanske inte det tillräckligt?

Olof känner, att han ej behärskar sitt eget stormiga temperament, men han anser det hopplöst att vinna herravälde över det. Vid ett tillfälle säger han till Kristina: ”Tro mig, du är starkare än jag, du rår på din vilja, jag rår inte på min!”

Genom denna oförmåga att rå på sin egen vilja blir han i själva verket ett offer för alla främmande impulser och låter sig drivas från det ena till det andra. Till slut kommer Gert med den sista stora frestelsen, komplotten mot konungen. Olof gör ett svagt försök till motstånd; han vill gå direkt upp till kungen och säga honom sanningen, men efter ett inkast av Gert, säger han trött: ”Så ske Guds vilja!” Och han upprepar nu dennes ord, att en måste dö för att alla skola leva, men tillfogar omedelbart: ”Låt oss gå innan jag ångrar mig!” Hur typisk för Strindberg är ej denna situation; han hade till livsprincip att genast slå till, då han kände sig tveksam.

Också den avslutande återkallelsescenen är en rad av dylika överilade och lika hastigt ångrade beslut. Vid brodern Lars fråga om han är beredd att dö, svarar Olof först villrådig: ”Jag kan inte tänka mig så långt! Och då han först får veta villkoret för sin benådning, att han skall göra en offentlig avbön, svarar han stolt: ”Man underhandlar inte om en övertygelse.” Ännu när marsken först råkar honom, är han spotsk, i tron att konungen kommer att låta borgerskapet friköpa honom. Då han får veta, att detta ej kommer att ske och får höra marskens visa anförande, faller han samman, gråter och säger sig vara förlorad, men i nästa ögonblick har han fattat sig och svarar ”kallt och bestämt” ja på frågan, om han gör offentlig avbön för vad han brutit. Han är nu färdig att tacka Gud för att han vunnit den största segern, segern över sig själv. Men nu kommer den unge scholaren Vilhelm in för att hylla honom såsom sanningsvittnet, som orädd går mot döden, och långt bort i kyrkan skallar Gerts rop: ”Avfälling”. Och Olof faller tillintetgjord ned på skampallen.

Det är i denna avslutningsscen en serie omkastningar, så många, så hastiga och så oförmedlade, att läsaren har svårt att riktigt få det psykologiska förloppet klart för sig. Ännu svårare har han kanske att fatta någon säker position. Både Gert och marsken talar med en så övertygande värme, och man har det intrycket, att Strindberg själv ännu in i det sista varit osäker om vilket parti han skulle välja. Vi kommer ju också ihåg, att det varit för denna scen han i utkasten haft de flesta och mest varierande förslagen, och den skulle också bli den första han satte sig ned att omarbeta. I den slutliga form den fått i versupplagan, har den givetvis blivit klarare till tendensen, men detta har köpts med offer av den psykologiska sannolikheten. Ty just på det sätt, som prosaupplagan skildrar det, måste en personlighet av Olofs eldfängda och impulsiva natur drivas fram till ett avfall, och just på samma blixtsnabba sätt måste han — efter att ha gjort det — ångra sig. Strindberg har så fullkomligt levat sig in i hur han själv skulle ha uppfört sig vid ett dylikt tillfälle, har så oförskräckt utrustat hjälten med alla sina egna svagheter och särdrag, att det tjugufem år senare föreföll honom, som om han förespått hela sitt senare livs utvecklingsgång i sitt första ungdomsdrama. I en gripande passage i Inferno vänder han sig trotsigt mot makterna och frågar dem varför de låtit honom födas ”med en kallelse att bestraffa, att kullslå avgudabilder, att anstifta uppror” men sedan låta honom återkalla vad han förkunnat. ”Krypa till korset, göra avbön. Det är för galet med en sådan circulus vitiosus! vilken jag för resten har förutsett i mitt tjugonde år, då jag diktade mitt skådespel Mäster Olof, som blivit mitt livs tragedi”. Och man erinrar sig också, att Den Okände i Till Damaskus, då han följer konfessorn på vägen till klostret, begagnar sig av samma vändning som Olof, då han följer Gert: ”Kom, präst, innan jag ångrar mig.”

Olofs karaktär kommer emellertid ej blott fram i hans förhållande till sitt livsmål. För att få gestalten allsidigare belyst har Strindberg visat honom i kretsen av sina närmaste, och ehuru en del av dessa scener strängt taget ej har med huvudhandlingen att göra, är de av yttersta intresse för att visa det Strindbergska i gestalten.

Så framför allt sammanstötningarna med modern, vilka naturligtvis hämtat sin inspiration från de konflikter med fadern, som uppfyllt Strindbergs ungdomstid. Såsom två fientliga makter, hatande varandra och ändå med något mystiskt band knutna vid varandra, står i prosadramat Olof och hans mor. På samma meningslösa sätt, som Strindberg pinade sin far med sina Parkerska idéer, tyranniserar Olof modern med sin lutheranism, och hon betalar igen med samma mynt, kallar honom en förtappad kättare och Kristina en sköka. Det är knappast för att vara trogen sitt kall, som Olof uppträder på detta sätt. Han gör det därför att han ej kan behärska sina nerver, därför att blotta känslan av att modern gör anspråk på tacksamhet och sonlig vördnad från hans sida pinar honom. Denna känsla av att i modern ha en besvärlig ”fordringsägare” kommer tydligast fram i en lång tirad mot föräldrars tacksamhetskrav, som Strindberg — ”försiktigtvis”, säger han själv i Tjänstekvinnans son — lagt i Kristinas i stället för i Olofs mun. ”Vill ni ha tacksamhet, sök den, men på annat sätt; tror ni det är barnets bestämmelse att offra sitt liv blott för att visa er tacksamhet... Skall han gå vill, skall han offra sina krafter som tillhöra samhället, mänskligheten, blott för att tillfredsställa er enskilda lilla självviskhet eller anser ni er gärning att ha givit honom livet och uppfostran ens förtjäna tacksamhet? Var icke detta ert livs uppgift och bestämmelse, bör ni icke tacka Gud att ni fått en så hög bestämmelse, eller gjorde ni det blott för att sedan ett halvt liv pocka på tacksamhet? Vet ni icke att ni med detta ord tacksamhet river ned vad ni en gång byggt upp?” Det är betecknande, att Strindberg ännu fjorton år senare i Tjänstekvinnans son med förtjusning citerar denna rent oresonliga replik, som ger uttryck åt hans böjelse att råka i raseri vid blotta nämnandet av ordet tacksamhet. Han förundrar sig över att ha varit så långt före sin tid och att redan nu ha vädrat tyranni i modersväldet, ”och varhelst han såg orättvisa eller tryck, slog han till”.

Av samma art är Olofs känslor mot brodern; han kan ej förlika sig med tanken, att blodsbanden skulle pålägga honom några förpliktelser. Det finnes en högst belysande scen vid moderns dödsbädd mellan honom och brodern Lars. Efter att ha drivit ut munkarna, som den gamla anser nödvändiga för att undgå skärselden, har han låtit modern dö med en förbannelse över sonen på sina läppar. Sedan slår hans stämning om, och Lars finner honom vid vaxljusen, som han tänt. Lars tackar honom för hans mänsklighet, men Olof förbannar sin svaghet och uttrycker sin glädje över moderns död: ”Hon var för gammal och jag tackar Gud att hon dog! O, nu är jag fri, nu först; det var så Guds vilja.” Och då Lars frågar honom, om han är från sina sinnen, svarar han: ”Jag vördar min moders minne lika väl som du, men hade hon icke dött nu, vet jag ej hur långt jag gått i mina offer”. Man har ej klart för sig, om Olof fruktat att begå modermord för att försäkra sig om sin självständighet. Sedan kommer samtalet in på Olofs omstörtningsplaner, och då det visar sig att Lars är en motståndare till dem, känner han sig nästan lättad av att få en ny fiende i sin familj: ”Vi äro alltså fiender! Jag behöver sådana, ty de gamla ha gått!” Lars vädjar till blodets röst, men Olof svarar: ”Det känner jag inte annat än i dess ursprung, hjärtat!” Och vid Lars erinran om hans tårar över modern, svarar han: ”Svaghet, kanske också gammal tillgivenhet och tacksamhet, men intet blod! Vad är det för slag!”

Ännu intressantare är scenerna mellan Olof och Kristina, då Strindberg här för första gången tangerar de för honom så ödesdigra Giftasproblemen. De är ju skrivna innan Strindberg haft någon egen erfarenhet av äktenskapets vedervärdigheter, och då han i Tjänstekvinnans son säger, att mäster Olofs giftermål är avsett att vara ”satir på ett andligt äktenskap” och att han skildrat Kristina som ”ett förmätet litet höns”, vänder han fullkomligt upp och ned på förhållandena i dramat, där ju Kristina är den avgjort mest sympatiska gestalten och scenen i den nygifte mäster Olofs arbetsrum avser att ge oss en vacker huslig idyll, som skulle bryta av mot de stormiga kampscenerna. Det är också tydligt, att Strindberg närmast utgått från Ibsens formulering av de erotiska problemen, motsatsen mellan kärlekens poesi och äktenskapets vardagsprosa, rivaliteten mellan mannens verk och kvinnans kärlek. Han anmärker själv om en replik i dramat, att den ”smakar av Ibsens Kärlekens komedi”, och Kristina är starkt i släkt både med Svanhild och med Selma i De unges forbund, en oskyldig ung flicka, som man hållit ”i djupisk sömn” och som, då hennes ögon öppnats för den obarmhärtiga verkligheten, harmas över att man fortfarande vill hålla henne utanför mannens bekymmer: ”Skall jag vara barn ännu? Sätt mig då i barnkammaren och jollra med mig!” Man ser också redan av utkasten, att Strindberg velat visa, hur Olof efter giftermålet helt slukas av sina större intressen och ”finner Kristina vara en vanlig kvinna och icke den stora ande han trodde — hon kan bara föda barn och laga middag” och till sist kommer till det resultatet, att Olof gift sig på trots ”för att visa det han litet aktade kanoniska lagen”. Denna plan kommer i dramat ej fullt till utförande, men till gengäld får de norska äktenskapsmotiven en alldeles omisskänlig nervös spänning, och scenen i studierummet ger med sina karakteristiska smådetaljer redan några antydningar om dissonanserna i Strindbergs kommande äktenskapsskildringar.

Vi finner här mäster Olof fördjupad i en bok[1], medan Kristina vattnar blommor och jollrar med fåglarna i en bur. ”Med en min av otålighet ser han upp från papperet och bort till Kristina liksom ville han tysta henne. Detta upprepas några gånger tills Kristina slår ned en blomkruka. Olof stampar lätt i golvet”. Han får huvudvärk av blommorna, han kallar fågelsången för skrik, han irriteras av Kristinas joller. Man har ett starkt intryck av att om ännu en blomkruka fölle ned, skulle det framkalla en katastrof. Det är Strindbergs egen retlighet och nervositet, som återspeglas hos hans hjälte.

Och dialogen mellan de två älskande verkar med all sin smeksamhet dock som en sorts andlig knivkastning. Makarnas kärlek tar sig uttryck i upprepade missförstånd, och de söker efter bästa förmåga dialektiskt snärja varandra. Den naiva Kristina, som före äktenskapet hållits i okunnighet om Luthers existens och ej har en aning om vad en sköka är, äger däremot en förvånande skarpsinnighet, då det gäller att genomskåda den komplicerade arten av Olofs känslor för henne. Till brodern Lars säger hon om Olof: ”Han vill ha mig som en helgonbild, stående på en hylla. Ju mindre och svagare han får mig, desto större blir hans nöje att kasta av sin styrka vid mina fötter”. Det är Strindbergs egen, sedermera aldrig tillräckligt upprepade karakteristik av sitt eget dubbelförhållande såsom tyrann och slav gentemot kvinnan.

Diskussionen mellan de två makarna avklipps av Olof med

[1] Det referat av Aristoteles som Olof läser upp för Kristina, tyckes snarast tyda på att han inpluggar ett kollegium i teoretisk filosofi såsom Strindberg själv våren innan han skrev Mäster Olof.

förklaringen: "Vår glädje är att överskatta varandra, låt oss behålla den villfarelsen." Man kan ej annat än önska, att Strindberg i sina äktenskap följt detta förnuftiga råd. Men det visar dock, att redan mäster Olofs nya kärlekslycka vilar på gungande grund.

Den analys jag gjort av Olofsfiguren har ådagalagt, hur den nästan i varje detalj återspeglar Strindbergs eget känsloliv, och ur självbiografisk synpunkt är den för oss av oskattbart värde, då den visar oss ett porträtt av Strindberg från en period av hans liv, som annars är relativt blottad på personliga dokument. Med historiens Olaus Petri saknar bilden naturligtvis varje ansats till porträttlikhet, och verkar väl snarare ung rabulist från 1870-talet än religiös reformator från Gustaf Vasas tid. Men med den läggning dramat fått passar Strindbergs Olofstyp utmärkt väl in i sin roll, och med sina överraskande och ologiska stämningsomslag har den i varje replik ett intensivt liv. Självporträtteringen kan ofta skada Strindbergsdramernas hjältar, då författaren varit bunden av egna upplevelser och yttranden, som han till varje pris vill motivera och försvara. Här är det ej fråga om något dylikt. Mäster Olof är ett försök till självskrutinering, kanske det mest djupgående och allvarliga, som Strindberg någonsin gjort. Olof uttalar saker, som Strindberg endast dunkelt känt, visar tendenser hos honom, som först långt senare öppet skulle träda fram. Och viktigast av allt, det finnes ej genom hela dramat något försök att kasta ett försonande skimmer över hans svagheter, långt mindre upphöja dem till dygder, såsom fallet så ofta är med Strindbergs senare sceniska dubbelgångare. Rent opartiskt framträder gestalten med sina förtjänster och sina avigsidor. Det är därför den blivit intensivt levande som kanske få gestalter i Strindbergs egen dramatik och säkert ingen i det svenska drama, som ligger före honom.

Mäster Olofs prosaversion är på alla punkter en jäsningsprodukt, där gammalt och nytt kämpar med varandra. Det var anlagt på att visa en religiös reformators överspända idealism, och kom i stället att visa hans avfall. Det var avsett att förhärliga kampen mot den andliga döden och det kom i stället att förkunna revolutionsradikalismen. Planerat under romantikens tecken, kom det i stället att i historisk kostym ge en realistisk bild av samtidens problemdebatter, dess idéströmningar och känsloliv. Så som ämnet gestaltat sig för Strindbergs fantasi, borde han i stället för att ha skrivit ett historiskt reformationsdrama ha diktat ett revolutionsdrama med nutidsmiljö. Att denna tanke ej legat honom alldeles fjärran skall vi finna vid behandlingen av det mellan Mäster Olofs omarbetningar tillkomna lustspelet Anno fyrtioåtta. I varje fall måste man vidhålla, att Mäster Olof haft allt att vinna på en omgestaltning i realistisk riktning. Nu kom kritiken över den första versionen tillika med andra omständigheter att föra Strindberg in på helt andra banor, vilka för flera år framåt klavband hans utveckling som dramatiker.

ALGOT WERIN

Karaktärer i Röda rummet

1

Om kännetecknet på en karaktär är att man kan förutse hur den kommer att förhålla sig, reagera och handla i en given situation, inför ett visst faktum, så kan man — mycket strängt taget — inte tala om karaktärer i Röda rummet. Strindberg är impressionist, lika säkert som blixtsnabbt fäster han en person och en scen på papperet. Sätter han personen i rörelse, finner man väl ingen inkongruens mellan den och dess nya läge — perspektiv och linjeföring, allt är åter i sin ordning — men det händer att personen själv har blivit en annan, förändrats så, att man endast genom författarens starka övertalning förmås att tro på identiteten. Det har mer än en gång framhållits att den Beda Pettersson som i slutet av Röda rummet skriver pigbrev till sin "Ellskade ven" Arvid Falk, trots doktor Borgs påstående i sin Revue i slutet av boken, omöjligt kan vara densamma som den söta och kvicka skådespelerskan Agnes Rundgren, Falanders och Rehnhjelms älskarinna. Rehnhjelm träffar man först i Röda rummet på Berns som en supig och slö odåga, som ingen tar större notis om; i X-köping försöker han sig så som skådespelare, överraskande full av entusiasm för sitt yrke och av ädla avsikter i förhållandet till Agnes, ett föremål för den människoföraktande Falanders speciella intresse. Och på bokens sista sidor presenteras han som förvaltare på ett stort bruk, "en lång grann karl", tämligen nöjd med sin värld. Det är i själva verket tre olika personer under ett och samma namn. Exemplen kunde ökas redan från Röda rummet, och toge man dem från alla Strindbergs diktade verk, bleve samlingen mycket stor. Detta beror naturligtvis till en del på snabbheten, det språngvisa i hans arbetssätt — t. o. m. ibland på en föresats hos honom att inte genomläsa vad han skrivit för att inte bli tvehågsen och av rädsla för effekten ändra en gång uttalade meningar. Men ytterst har inkongruenserna sin grund i hans eget skiftande väsen, i att han icke är en karaktär enligt ovanstående definition. Strindberg är en mästare i tablån, men kommer ofta till korta när det gäller att sammankedja ett dramatiskt stoff eller att följa en episk utvecklingslinje. Av sin natur fördes han i dramat så småningom till den fria drömspelsteknik som blev hans originellaste och kanske mest fruktbärande insats på detta område.

Det finns ypperliga tablåer i Röda rummet. Man behöver endast nämna några kapitelrubriker för att åter ha bilderna levande för sig. Bröder emellan — det är Nicolaus Falk som stannar framför sin stackars broder, ser honom rätt in i ögat med "en lång, sjögrön, falsk blick" och, med en röst avsedd att låta som om den kom från familjegraven, säger: "Du är inte ärlig, Arvid! Du är inte är-lig!" Herrar och hundar — det är åter Nicolaus Falk som mättar sina hejdukar; lika rått som välvilligt uppmuntrar han de svultna kräken att hugga för sig: "Ät du, Nyström; du vet inte, när du får något härnäst! Sätt i dig, notarie, du ser ut, som du skulle behöva kött på bena." Lyckliga människor — det är bohêmen på grön kvist: Olle Montanus i hög hatt, med tung mässingkedja och en tydlig upphöjning utanpå vänstra västfickan, glad och fin, som om han skulle på bröllop, och så god, att han gärna hjälpte hela världen med en liten penningförsträckning, hälsande morgonen med skålar för kvinnan, våren och universum.

Röda rummet är dock inte bara en serie lyckade målningar. Det finns något som binder allt samman till en enhet, och det är stilen, den Strindbergska språkstilen, som i Röda rummet har mognat och fått sin fulla bärkraft. Strindberg skriver så som Markus Larsson målar (se skissen Markus Larsson advokat): med "ett besynnerligt vekt ursinne", nyttjande cinnober och asfalt som sina livfärger. Det är vidare luften, tidsstämningen, som åt skildringarna ger den inre, historiska hophörigheten, av Levertin prisad som romanens största förtjänst. Det är slutligen och framförallt något mera obestämbart: den lyriska undertonen, som gör Röda rummet till en i Strindbergs produktion särskilt tilltalande bok. De få läsare som hade öra för denna ton hos Strindberg — så t. ex. den utmärkte finländske litteraturhistorikern Estlander

— översåg gärna med hans oregerliga fasoner. Fröding bagatelliserade reformbråket och karakteriserade Strindbergs författarskap som egentligen lyriskt, en "lidelsens poesi" av Byrons art. Ernst Ahlgren, som vid läsningen av Tjänstekvinnans son plötsligt upptäckte denna poesi, förstummades i sin förut rätt hårda kritik. Klarast hörs denna ton i Strindbergs ungdom, i Mäster Olof och i Röda rummet, där på något sätt gripbar i hjältens, Arvid Falks, fina, på en gång veka och trotsiga väsen. Det var inte alldeles med orätt som Levertin i sin recension av Götiska rummen framhöll som det karakteristiska för boken — och för Strindbergs hela utveckling — att i denna fortsättning av Röda rummet Arvid Falk, lyrikern och svärmaren, inte längre förekom, medan i stället "den måhända ärlige, men säkert råe och cyniske" doktor Borg har blivit författarens språkrör. I Götiska rummen var Strindberg långt borta från den fina linje som går från Mäster Olof till Arvid Falk. Den bröts dock aldrig helt, man kan följa den ända till Jägarn i vandringsdramat Stora landsvägen, i vars sista ord den lyriska strömmen från Mäster Olof rinner tunnare och mer stilla:

> Välsigna mig, din mänsklighet,
> som lider, lider av din livsens gåva!
> Mig först, som lidit mest —
> som lidit mest av smärtan
> att icke kunna vara den jag ville!

Lyriken i Röda rummet är förkroppsligad hos den Arvid Falk som känner sin kallelse och sliter de sociala förtöjningarna. Man anar den när man på en av bokens första sidor möter blicken ur Falks sorgsna ögon, och man hör den strax därpå tydligt när rymden dallrar av ljudet från stadens sju klockor: "men när de tystnat den ena efter den andra, hördes ännu långt i fjärran den sista sjunga sin fridfulla aftonsång: den hade en högre ton, en renare klang och ett hastigare tempo än de andra — ty den har så! Han lyssnade och sökte utröna, varifrån ljudet kom, ty det syntes väcka minnen hos honom. Då blev hans min så vek och hans ansikte uttryckte den smärta som ett barn erfar, då det känner sig vara lämnat ensamt. Och han var ensam, ty hans far och mor lågo borta på Klara kyrkogård, därifrån klockan ännu hördes, och han var ett barn, ty han trodde ännu på allt, sant och sagor".

Det är det lyriska som mest bidrar till att försona en med det barbariska hos Strindberg. En sådan verkan har också det överdådiga humöret. Man möter det redan i inledningskapitlet till Röda rummet, i den odödliga berättelsen om Kollegiet för utbetalandet av ämbetsmännens löner, en satir som på svenska endast äger en motsvarighet: Almqvists Ormus och Ariman. Detta humör, ännu icke förmörkat av grubbel och förbittrat av verkligt och litterärt äktenskapsgräl, gör läsningen av Röda rummet till ett storartat nöje.

Ja, så förhåller det sig verkligen, fastän den som endast finge romanen i ett summariskt referat omöjligt skulle begripa det. Ämnet är människornas skröplighet och idealens fall i en snöd värld. Boken handlar om allt det vidriga som gör entusiasten till skeptiker och den ridderlige till egoist. Om korruption och vingleri, om dumhet i det allmännas och fräckt skoj i enskildas affärer. Strindberg är mindre allvarlig men mera skoningslös än i Mäster Olof. Det finns i hela denna rundmålning av samhället bara en kvinna med hjärta och förnuft, och henne får man blott en sparsam skymt av. Det är hennes nåd Rehnhjelm, hon som vid startandet av en välgörenhetsförening förklarar att en klok och hederlig människa omöjligt kan låta trycka i en tidning att hon skänkt bort ett par ullstrumpor. De enda prov som ges på mänsklig heroism är Selléns och hans kamraters strider mot svälten och akademiprofessorernas ringaktning. Inte ens hjälten själv, Arvid Falk, prövas i en konflikt av större räckvidd. Han kämpar visserligen och faller, men inte från ett plan som är högt nog för att man skall kunna tycka att hans fall är tragiskt. Boken är negativ, det kan inte bestridas, och den är skeptisk, föraktfull. Från den ståndpunkt författaren valt blir allting löjligt smått: landets historia och nutid, riksdag och press, akademier och universitetslärda. I ett fall känner författaren dock beundran, och det är inför Sellén och hans konst. "Motivet var enkelt och storartat", heter det om en av hans tavlor (det är författaren själv som yttrar detta, utan språkrör). "Det var en tavla, som talade och som måste förstås av varje ofördärvat sinne, som haft mod att göra ensamhetens hemlighetsfulla, rika bekantskaper och som sett flygsand kväva lovande skördar.” Så sällsynt är ett dylikt entusiastiskt uppskattande ord i denna bok, att man frapperas av det.

Man skakas alltså inte i Röda rummet av någon högre tragik, och det finns inte mycket som man kan hämta uppbyggelse av i boken. Men man stimuleras av den som av en salt havsvind, man muntras av den som av spända segel och vita vågtoppar. Även om man måste dela Falks bekymmer över allt uselt i umgänges- och samhällsliv, kan man inte vara ledsen långa stunder i den värld där den begåvade bonden-artisten Olle Montanus filosoferar, skulpterar och föreläser, och där den glade och gode Sellén spatserar omkring i sin bohêmelegans, med kanelrör, druvhyacint i knapphålet och en flickas gröna sidenband i kråset. Att morgonstämningar har insmugit sig i inledningskapitlets kvällsskildring från Mosebacke är inte alldeles meningslöst. Romanen skrevs under tidiga förmiddagstimmar, innan Strindberg gick till sin tjänst på Kungliga biblioteket. Det kunde inte undgås att det föll glans över det hela av den morgonfriske arbetarens humör.

2

Fäster man sig vid det lyriska i Röda rummet, så kan man lätt föreställa sig boken gestaltad som en subjektiv stämningsroman med Arvid Falk som ensamt omhuldad och framträdande figur. Den skulle då ha hetat Arvid Falks roman, eller också Arvid Falks ungdom, och mer stillsamt passat in i en svensk lyrisk berättartradition. Vad Strindberg intimast kände ett behov av att uttrycka, det får man nämligen söka i Falks person och livsöde. Röda rummet har emellertid blivit den av hans romaner som äger det största persongalleriet. Av andra svenska romaner från 1800-talet kan väl endast Gösta Berlings saga jämföras med den i det hänseendet. Under 70-talets lopp hade Strindberg övat sig som dramatiker i att ställa fram figurer och scener, och i sina uppsaliensiska studier Från Fjärdingen och Svartbäcken hade han lyckats teckna typer sådana som Ensittaren och En snobb. Han var sålunda ganska durkdriven när han vid decenniets slut, jämnt 30 år gammal, satte sig ner att skriva en stor roman, inte bara i det subjektiva uppsåtet att lätta sitt hjärta från missmod och förargelse utan också med en bestämd önskan att avmåla det stockholmska samhället så som Dickens och Thackeray en gång skildrat det engelska. Hur han härvid gick till väga — tekniskt stödjande sig på mästaren Dickens — har Göran Lindblad förtalt om i sin bok om Strindberg som berättare.

I viss mån har Strindberg upprepat tillvägagångssättet i Från Fjärdingen och Svartbäcken, där det var det Uppsala-akademiska samhället som målades på tapeten. Det studentikosa följde med då han skrev Röda rummet, omplanterat i huvudstadens bohêmiska artistmiljö. Även karaktärsteckningen visar överensstämmelser. Skalden i novellen Skalden och poeten börjar som troende och renhjärtad idealist och slutar som trevlig brädgårdsinspektor i Norrland — hans historia är egentligen densamma som skådespelarentusiasten, sedermera bruksförvaltaren Rehnhjelms, ja som Arvid Falks, eftersom Rehnhjelms öde i det väsentliga är en parallell till Falks. Den motsättning som i Röda rummet består mellan Falks poetiska och Borgs cyniska naturell konstituerar också studentnovellerna; den blir särskilt tydlig i den sista av dem, Det gamla och det nya, där två studenter av skilda generationer munhuggs. Den yngre studerar ekonomi och naturvetenskap och han föraktar Boströmsk filosofi och signaturpoesi. "Ni hade åsikter färdiga om allting", hånar han, "ni sjöngo frihetssånger, ni hurrade för representationsförslaget; vi hurra för allting, vi känna på oss att någonting skall komma och därför avvakta vi; det blåser från så många håll, därför göra vi icke fast våra skot; men för att icke stå redlösa hålla vi oss tills vidare vid det bestående; vi äro konservativa därför att vi frukta pöbelväldet."

I detta gräl står Strindberg mestadels på den unges sida, men han ser ironiskt på hans stortalighet och hyllar naturligtvis inte hans opportunism. På samma sätt är det tydligt att han inte har slukat medicine kandidaten Borg med hull och hår, fastän han, liksom Arvid Falk, så småningom övervinner det obehag han känner i hans sällskap och låter en del av sina åsikter gå igenom hans penna i slutkapitlet Revue. Till slut låter han honom ha sista ordet i Röda rummet liksom den unge positivisten har det i Från Fjärdingen och Svartbäcken.

Men var står då egentligen Strindberg själv? Vad är sanning? — den gamla Pilatusfrågan hade Strindberg tänkt sig som titel till sitt reformationsdrama, och i Mäster Olof, liksom senare i Röda rummet, stannade han i denna frågeställning. Man kan med den danske kritikern Vodskov, som i sina Spredte Studier 1884 publicerade en ypperlig uppsats om Carl Snoilsky och August Strindberg, formulera frågan så: ”Er det Olofs Fejl, at han tilsidst fornægter sin Fortid, eller ligger tvertimod hans Uret i at have fulgt Gert saa langt? Ja, det kan ikke sees af stykket; Strindberg har her forgjæves søgt at løse Spørgsmaalet: er nogen Sag saa stor og ren, at man for den tør ofre Alt, eller bør de smaa, nære, personlige eller Samfunds-Pligter altid gaa først?” Det är Kierkegaards och Ibsen-Brands problem, som även för Strindberg kom i centrum. Brand gjorde resolut fast sitt skot, lika gott varifrån det blåste, men Strindberg var villrådig. I Tjänstekvinnans son har han erkänt att han i de tre huvudpersonerna i Mäster Olof uttalat sina tre tankar från tre ståndpunkter, att han varit idealist med Olof, realist med Gustav Vasa och kommunard med vederdöparen Gert. ”För att få uttala allt måste han låta Gert spela vansinnig, Olaus återtaga sina meningar och Gustav Vasa få rätt, och ingen annan orätt. Fienden av de gamlas läger, Hans Brask, behandlade han också med aktning, såsom den vilken hade haft rätt, men under tidens gång fått orätt.”

Samma behov att uttala alla meningar — relativistens och intrycksmänniskans behov — har även i Röda rummet lett till formandet av olika karaktärer. Idealisten är här Arvid Falk, som i likhet med Olof styr rakt mot målet men faller av, realisten är doktor Borg och kommunarden Olle Montanus. Vem av dem är det nu som har rätt? Falk lämnar sin juridiska karriär för att gå i radikala idéers tjänst. Men efter att ha betraktat världen genom Arbetarfanans osnygga redaktionsfönster vänder han åter till ämbetsverken såsom ett ringare ont. Utgången tillfredsställer den praktiske Borg, och även författaren tycks finna den anständig. Eller rättare: skulle synas anse den försvarlig, om icke Olle Montanus hade varit. Olle Montanus gör fast sitt skot och seglar en rak led, med all sin godmodighet är han en fanatiker. Här ligger hans släktskap med Gert Bokpräntare. Han ropar inte som Gert ”avfälling” till Arvid Falk, men han verkar som det onda samvetet. När Falk som Borgs läraktige elev i Röda rummet hånar allt vad heligt är, blir han plötsligt allvarsam, om han genom tobaksmolnen skymtar ”den dystre Olle”. Efter läsningen av den dödes anteckningar rycker han på axlarna och säger: det är ju det vanliga skränet. Borg ser på honom för att utröna om det är ironi, men finner ingenting oroande. Han är dock inte alldeles säker på honom. Falk lever för sin tjänst och sin fästmö, och han späker sig med numismatik och andra lika litet uppeldande studier. Men hur han lägger band på sig, säger Borg i bokens slut, så fruktar jag en gång en *explosion*.

Den hygglige, nygifte biblioteksamanuensen Strindberg, som kvävde sitt ursinne med lärda studier, lyckades i själva verket inte lägga band på sig. I självbiografien har han berättat om Röda rummets tillkomst under rubriken ”Explosion”. Med denna bok kom också utbrottet. ”Här har ni bitarna! Varför slog ni sönder min kruka?” Med dessa ord från Rousseau, ursprungligen satta som motto till romanen, anklagade Strindberg vederbörande för vad som skett. Utropet gäller honom själv, som människa och som författare, det gäller hans arbete och de tecknade karaktärerna, allt i dem som är styckevis och delt.

Med Röda rummet sprängdes fördämningen och strömmen virvlade fram i 80-talets bokflöde. Detta författarskap är till stora delar i Olle Montanus anda.

3

Röda rummets intressantaste figurer är Arvid Falk och Olle Montanus.

När Arvid Falk en afton i början av maj står på Mosebacke, med staden för sina fötter, har han ställt sig utanför det samhälle han blickar ner på. Strindberg befann sig visserligen inte själv i den positionen, när han skrev Röda rummet. Men han kände till den från tidigare dagar, och han anade att han skulle drivas dit igen, att han liksom Falk skulle lämna titeln och det sociala anseendet för litteratörens fribytarliv. För honom själv betydde det frihet, åt Falk, hjälten i hans roman, förde det med sig möjligheten att se sig om överallt i det samhälle som skulle skildras, kritiseras och helst även förbättras. Men det är inte nog med att Falk, f. d. notarien i Kollegiet för Brännvinsbränningen m. fl. verk, ställts utanför eller — även i bokstavlig mening — ovanför samhället, han är så ytterligt oerfaren och oskyldig som om han knappt en dag varit med i dess liv. Författaren anmärker medlidsamt, att ”han var ett barn, ty han trodde ännu på allt, både sant och sagor”. Han är en ingénu, mot vars oskuld en fördärvad omgivning kontrasterar ännu starkare. Liksom det voltaireska naturbarnet i 1600-talets franska despoti går han i 1870-talets Stockholm från den ena obehagliga överraskningen till den andra.

Man kan också jämföra Arvid Falk med Sten Ulvfot, hjälten i novellen Odlad frukt (Svenska öden och äventyr), den ruinerade, föräldralöse unge ädlingen, som en lördagsafton i maj hejdar sin klippare uppe på Brunkebergsåsen och betraktar staden, dit han begett sig därför att den kan ha användning för hans bokliga konster. När unge herr Sten lämnar sina fäders slott bakom sig, kastande ett av sina sista guldmynt åt portvakt och stalldräng att löpa i kapp om, skulle man vänta sig att få läsa om någon episod ur den älskvärde Taugenichts romantiska levnadshistoria. Man tror så fortfarande, när han trött efter några timmars ritt släpper hästen att beta i en ängsbacke och efter att ha sovit under en vildapel frukosterar på björksav och äpplen som övervintrat. Men det förhåller sig inte så. Sten Ulvfot-Taugenichts somnade in under romantikens blåa himmel, men han vaknar i en obehagligt realistisk värld, där han stöter emot obarmhärtiga lagparagrafer och illvilliga människor. I den stad, dit han förhoppningsfullt har styrt sin häst, blir han så illa tilltygad, att han till slut nätt och jämnt har kraft att kasta sig i Saltsjön.

Arvid Falk tycks liksom Sten Ulvfot skapad för en värld där bekymret inte räcker dagen ut. Men båda har haft oturen att födas minst ett halvt århundrade för sent och att komma under en modern författares realistiska och grymma behandling. Ädlingen från 1400-talet, som står i klädeshuset vid Saltsjöhamnen och med blåfrusna fingrar antecknar klädessorter, utan att egentligen begripa varför han inte lika gärna bokför gatstenar, och vice häradshövding Falk i Arbetarfanans smutsiga redaktionslokal har råkat ungefär lika illa ut. Det är ädla träd som man har ryckt ur den odlade jorden och planterat ute i marken.

Arvid Falks profil är emellertid inte fullt så rent tecknad som Sten Ulvfots. Han är av blandad härkomst, på hans stamträd läser man inte bara Taugenichts namn utan också Hamlets och Werthers, och vidare namnen på alla de romanhjältar från sentimentalismens och romantikens dagar som led av orolig reflexion och ömt hjärta. Taines yttrande om Hamlet att hans olycka består i att han är en poet som har blivit satt på en tron gäller på sitt sätt också om Falk. Han är poeten som samhällsreformator, mannen som förlyfter sig då han söker flytta på de politiska vikterna. Det är tydligt att han inte har på arenan att göra, han är för fint konstruerad, för betänksam och samvetsöm. Falk är i stånd att se en sak från minst två synpunkter, och han känner medlidande med en motståndare. ”Denna hans godsinthet var icke någon förtjänst, då den hindrade honom att fatta kraftiga beslut, den var blott en moralisk slapphet, som gjorde honom oförmögen till en strid, vilken han kände sig allt mindre vuxen.” Det är Falk som så bedömer sig själv. Han analyserar sig själv och finner att han ”lyckades märkvärdigt väl i att inarbeta sig i ett tillstånd av indifferentism, han övade sig i att söka vackra motiv för fiendens handlingar, och han gav sig efter hand själv orätt, kände sig försonligt stämd mot världsordningen, kom slutligen upp till den höga synpunkten och fann att det i själva verket var ganska betydelselöst, om det hela över huvud var svart eller vitt”. Han vaggar sig in i denna sinnesstämning, tills han väcks av en städerska och ett brev från Olle Montanus.

Det kapitel där Arvid Falk en regnig septemberkväll går till rätta med sig själv bär överskriften Nihilism. Ordet väcker associationer som det lönar sig att ta fasta på. Till en början slår det en att Falk har något av ryskt väsen, var han nu kan ha fått det ifrån. Han är snäll och godmodig, men politiskt aggressiv. Något påminner han om Rudin, den ryska intelligenstyp som Turgenjev gjorde bekant i Europa och så omtyckt, att han blev tidens romanhjälte alldeles som Byrons Don Juan hade varit det förut. Med Don Juan har Rudin inte mycket mer än melankolien gemensam; han är en enkel man av borgerlig härkomst, varken intressant genom börd eller moraliskt fördärv. Därtill är han — det är det mest utmärkande draget — en varmhjärtad människovän, gripen av liberala och humanitära idéer. Det går honom emellertid inte så väl i händer som den borgerliga liberalismens filantroper från ett tidigare skede, hos oss skildrade av en optimist som Fredrika Bremer. Trots alla goda uppsåt och all entusiasm lyckas han inte uträtta något, ty han är för svag, för böjd att reflektera och resignera. När Rudin stupar på en barrikad i Paris år 1848, så handlar han i trots eller förtvivlan, utan målmedvetenhet.

Vilken roll Turgenjev kom att spela i dansk och norsk litteratur är väl bekant; det har visats av Karl Tiander i en avhandling om Turgenjev i dansk Aandsliv (1913). Det är inte nog med att Turgenjevs stil togs som mönster, att hans figurer — och bland dem främst Rudin — gick igen hos Topsøe, Drachmann (En Overkomplet), Jacobsen (Niels Lyhne), Elster och, i någon mån, Ibsen (Peer Gynt) m. fl., hans inflytande framkallade under 1870-talet en fullt märkbar förändring i den litterära atmosfären i Danmark. Efter den Brandeska vårstormen kom med Turgenjevs poesi ”den lunende Foraarssol, som skænker Bladene Farve och Blomsterne Duft”. Klimatet blev milt nog för J. P. Jacobsens konst att blomma i.

Av samma skäl som Rudin, den svage hjälten, fängslade Danmarks unga intelligens i tiden efter kriget år 1864 bör han ha intresserat Strindberg mot slutet av 1870-talet. Sin sinnesstämning vid den tiden har Strindberg skildrat i kapitlet Explosionen i Författaren. Efter en tid av lättsinnig ekonomisk expansion, då ”en allmän sangvinism hade gripit sinnena och man hade överskattat landets förmåga att producera, förväxlande fingerade bytesbelopp med verklig avkastning”, kom år 1878 en krasch. Den återverkade även på Strindberg, som måste ge upp sin stat. Det var när denna sak arrangerats och han fått ro igen som han satte sig att skriva Röda rummet, ”sine ira et studio”, med ”ett stilla skeptiskt lugn över skildringen”.

Var han så till mods, bör Turgenjev ha tilltalat honom. Han kunde för resten inte undgå att göra den ryske författarens bekantskap, eftersom det talades och skrevs om honom överallt på den tiden. Man annonserar i kapp om Turgenjev i Bokhandelstidningen, berättar Strindberg själv i ett brev till Finsk tidskrift i januari 1878. Samma år översattes två av Turgenjevs mest bekanta romaner, Fäder och söner och Obruten mark, till svenska. I entusiastiska recensioner kallades han samtidens störste romanförfattare.

Hjälten i Obruten mark — eller Det unge Ryssland som boken kallas i dansk översättning — heter Nesjdanov och är av Rudins sensibla, handlingssvaga släkt; ”Rysslands Hamlet” kallas han av en person i romanen. Han är idealist av naturen, ”lidelsefull och brysk, djärv och försagd”, sökande att dölja sin försagdhet bakom cynism. Han hyllar de djärvaste politiska åsikter, men i hemlighet tillber han skönheten och är poet. Liksom Arvid Falk går han till rätta med sig själv, med den reflexionssjuka och skepticism som så illa passar en revolutionär. ”O Hamlet, hur skall man komma ur din skugga, danske prins? Hur skall man kunna låta bli att efterlikna dig i allt, t. o. m. i den föraktliga njutning som man känner vid att anklaga sig själv!” Han är en aristokratisk natur, men försöker, liksom Falk, att närma sig folket. Att han därvid råkar så illa ut — han drickes dödfull i vodka — beror på att de ryska bröderna var litet svårare att umgås med än de skärgårdsbönder som Falk resonerar med om allmän rösträtt.

Men Strindberg är inte Turgenjev, och Falk skiljer sig rätt mycket från Rudin och Nesjdanov. När Natalia, den unga flickan som älskar Rudin så naivt och starkt, frågar honom vad han tänker göra, svarar han: ”Er mor kommer säkerligen att visa mig på dörren.” Ja, säger hon, men ni svarar inte på min fråga vad vi skall göra. ”Vad vi skall göra?” Rudin svarar skyggt: ”Det säger sig självt att vi måste resignera.” Om man får tro vad Borg berättar var Falk tvärtom situationens man. Han förlovade sig med en flicka, gick sedan till den motspänstige fadern och sade ifrån att de tänkte gifta sig, om denne ville vara med om saken eller ej. När fadern en kväll stängde sin dotter ute, slog Falk helt enkelt in fönstret med orden: ”Jag slår inte gärna in fönster, men för er dotters skull gör jag vad som helst.” Han har inte bara Mäster Olofs reformatoriska patos utan också något av dennes heta sinne. När han i romanens början knyter handen mot staden Stockholm, som breder sig för hans fötter, känner man igen Mäster Olof i det ögonblick han fattat sitt stora beslut:

> Nu blåser det upp: förbannad den ro,
> som höll mig så länge! Nu är jag vaken!
> Välkommen, ofrid, kom, tag ditt bo
> här under de gamla, de gistna taken!
> Ja, darren, I murar, I unkna valv,
> där nattfåglar byggt och där svampar frodas!
> O hören I blott när jorden skalv,
> ej skulle då edra stenar blodas
> av krossade hjärtan för den som felat.
> Men nu skall sten ej låtas på sten!
> Jerusalem, Jerusalem, du har icke velat,
> och därför, därför skall du dö hän!

Fäder och Söner, den andra av Turgenjevs romaner som översattes 1878, är intressantare, även i detta sammanhang. Skildringen av medicine studeranden Bazarow, hans ohyggliga sjukdom (likförgiftning) och död har en realistisk styrka som för tanken till Flauberts Madame Bovary, en roman som väl får antas ha gjort intryck på Turgenjev. Att Strindberg själv inte varit oberörd inför Madame Bovary vet man; han hyste planer på att översätta boken vid mitten av 1870-talet. I Bazarow möter man den moderna avancerade människan, som i tidens romaner så ofta framträder i läkarens person. Han är skeptiker och materialist, föraktar spekulation och estetisk livssyn. Då hans vän Arkadi, en man av Falks läggning, ser på en ung kvinna och finner henne hänförande, utbrister Bazarow: ”En präktig kropp! Vad den skulle ta sig bra ut på dissektionsbordet!” I cynism har han tagit ett litet steg framom doktor Canivet i Madame Bovary, som påstår att han med samma känsla karvar i en människa som i en kyckling. Den Strindbergske doktor Borg är i släkt med Canivet och Bazarow. Men med den sistnämnde har han bara de grövre dragen gemensamma, de finare kan man säga att Falander, den världsföraktande skådespelaren, fått på sin lott. Falander är nihilisten, sådan han blev känd i Europa genom Fäder och söner, en man som inte respekterar något eller som, efter Arkadis definition i Turgenjevs roman, ”inte böjer sig för någon auktoritet”. Nihilist kallas han också av kyparpojken Gustav, som han underhåller sig med över absintglaset. Med följd att han brister ut, häpen och mörk i ögonen: "Nihilist! Vem har lärt dig det ordet? Var har du fått det ifrån? Är du galen, gosse? Säg!" Gustav svarar förskräckt att han hört det av Olle Montanus, varpå Falander lugnar honom: "Jaså, Montanus! — Montanus är min man; det är en karl, som förstår vad man säger."

4

Vad Olle Montanus själv säger förstår man däremot inte alltid. Hans tal är mystifierande. Det antydes att han är Falanders lärjunge, men mer får man inte veta om den saken. I ett följande kapitel, Nihilism, tycks han framlocka ett beslut hos den tvehågsne Falk; det sker medelst ett brev, som också är mer antydande än egentligen begripligt.

Därmed är emellertid inte sagt att Olle Montanus är en dimfigur. Tvärtom, han är inte bara den originellaste av personerna i Röda rummet utan också den mest levande. Man övertygas på ett helt annat sätt om hans existens än om Falanders, som enligt författarens osannolika påstående under sina teaterresor läst igenom alla småstädernas stiftsbibliotek. Redan Olle Montanus yttre är oemotståndligt. Han var, sägs det, "en civiliserad bondtyp, med sönderbruten men fetlagd kropp, hängande ögonlock, mongoliska mustascher; han var högst illa klädd och såg ut som vad som helst — hamnbuse, hantverkare eller artist — han såg förfallen ut på ett särskilt sätt".

Med detta grova utanverk är Olle Montanus en efter idealet trakterande själ, som svälter och studerar Fichtes Wissenschaftslehre. Han är den ädle Don Quijote i Sancho Panzas plebejiska kroppshydda. Turgenjev ställde en gång i ett föredrag emot varandra Hamlet och Don Quijote, världslitteraturens mest berömda tragiska personage och dess likaledes mest berömda romanhjälte, skapade vid samma tidpunkt. Hamlet är upptagen av sig själv, klok och skeptisk. Don Quijote är redo att vilket ögonblick som helst offra sitt liv för idealet och för Dulcinea. Det vore säkerligen att pressa en nyckfull författare som Strindberg in i ett alltför strängt schema, om man på samma sätt ställde Olle Montanus gentemot Falk. Men alldeles orimlig är tanken inte.

Liksom man i Arvid Falks — och författarens — förhållande till doktor Borg kan märka en ökad sympati, så spårar man också en förändring i hans hållning inför Olle Montanus. Han tar honom allt allvarligare. Montanus, som i början väcker mest löje, blir omsider en märkligt dominerande figur i Röda rummet, en man som uppenbarar sig vid kritiska tillfällen och säger avgörande fastän svårfattliga ord.

Han växer till slut ut över romanen. När han i det viktiga brevet till Falk säger sig ha fått ögonen upp för konstens s. k. "höga betydelse" — varom han tänker yttra sig i en föreläsning på någon offentlig lokal — anar man att den utilistiske författaren till Likt och olikt redan gör sina förberedelser. Man får misstanken bekräftad när man läser Olle Montanus' posthuma aforismer. Han har med nöje funnit att Plato utdrev artisten ur sin idealstat och han prisar bildstormaren Savonarola. I samma anteckningar läser man anslaget till Det nya riket: "Den ohyggliga reaktion, som inträtt efter 1865, förhoppningarnas dödsår, har verkat demoraliserande på det nya släkte, som vuxit upp. Större likgiltighet för det allmänna, större egoism, större irreligiositet har man icke sett på långa tider i historien. Det stormar ute i världen, och folken ryta av harm mot förtrycket, men här i landet firar man bara jubelfester." Och Olle Montanus' föreläsning Om Sverige i arbetareförbundet Nordstjernans stora sal, där landets hjältar betraktas nedifrån och dess forna krigarära kallas en dumhet, det är ju inledningen till Svenska folket i helg och söcken. Karl XII, som i Arvid Falk hade haft en beundrare, hånas av Olle Montanus. Strindberg som historieskrivare är i det närmaste färdig redan i detta kapitel av Röda rummet.

Men det är inte bara i Svenska folket, Historiska miniatyrer och de historiska dramerna som man tycker sig skymta denne bondske artist och tänkare, han är med också i Strindbergs filologiska och naturvetenskapliga arbeten. I En blå bok och i Tal till svenska nationen är han slutligen överväldigande nära. Strindbergs första blå bok är just Olle Montanus' Strödda anteckningar under promenader i det fria, hans första Tal till svenska nationen är föreläsningen Om Sverige. När Falk på hemvägen från förbundet Nordstjernans tumultuariska möte frågar Olle Montanus om han ännu älskar arbetaren, svarar denne: "Jag beklagar honom, som låter vilseföra sig av lycksökare, och jag skall aldrig svika hans sak, ty hans sak är den närmaste tidens fråga, och hela er politik är inte värd ett öre mot den." Känner man inte igen Strindberg som medarbetare i Aftontidningen och Socialdemokraten under de sista levnadsåren?

Strindberg och Arvid Falk står i ett förhållande till varandra som genomskådas utan svårighet. Strindbergs förhållande till Olle Montanus är mer besynnerligt. De två korresponderar med varandra ungefär så som Love Almqvist och Hugo Löwenstjerna. I den bisarre hovmarskalken, en fantasirik pedant, gestaltade Almqvist en sida av sitt eget jag och resultatet blev hans mest originella diktfigur. Med tiden växte sig denna överlägset skapade figur så stark, att den till slut vann över diktaren själv. Hugo Löwenstjerna inkarnerade sig i Almqvist och skrev de underliga arbeten som kallas Människosläktets saga och Svenska rim. Det finns emellertid mera av sund slughet hos Olle Montanus än hos Hugo Löwenstjerna. Strindberg lyckas bättre än Almqvist att hävda sin plats gentemot pretendenten.

GÖRAN LINDBLAD

Det nya riket

Det nya riket bär som motto mr Pickwicks till mr Winkle adresserade replik: ”Ni är en humbug, sir. — — — En humbug, sir. Jag skall tala tydligare, om ni önskar det. En bedragare, sir.” Det kan förtjäna inledningsvis anmärkas, att det var under vad Strindberg kallar ”attentatens och jubelfesternas tidevarv”, som ordet humbug vann burskap i svenskan. Den första översättningen av Pickwick-klubben, från 1859, ersätter det på detta ställe med ”vindböjtel” och på ett annat med det något mera adekvata ”charlatan”; det är först 1872 hos Backman, som man finner det engelska ordet och det är hans text, som Strindberg citerar.[1] Omkring 1880 tycks främlingen vara rotfäst i vårt språk. Så låter t. ex. Louis de Geer, i sin detta år utgivna komedi Grefve Lillie en tidningsskrivande magister yttra följande, som är alltigenom typiskt för tiden: ”Jag kan skrifva en inbjudning till aktieteckning, som ingen skall kunna motstå. Jag vet hur man lockar både knipsluga procentare och snåla, myndiga mamseller att köpa aktier för allt hvad de kunna skrapa ihop. Och jag har mina kanaler, så att jag kan få in en sådan artikel i mera än en tidning. Men jag kan också sätta ihop tio rader i de allra höfligaste ordalag, der jag, under försäkran om motsatsen, låter förstå, att hela försöket är en humbug, som blott afser att på andra vältra förlusten af en eljest ruinerande affär”.[2] och 1882,

[1] Det överhuvud äldsta belägg på ordet, som finnes i Svenska Akademiens ordboks språkprovssamling, är från 1854. Almquist talar i ett brev av d. å. om »det nya amerikanska humbuget». Men Almquist befann sig vid denna tid själv i Amerika och föregriper av detta skäl svenskt språkbruk.

[2] Det finns i denna pjäs ett och annat, som direkt leder tanken till Strindberg. Handlingen försiggår 1865, och ämnet är representa-

sålunda samma år som han utgav Det nya riket, skriver Strindberg själv i en uppsats Om realism: "Vi unge uppföddes av föräldrar från ett tidevarv, som aktade tro och heder. Sedan leddes vi ut i ett nytt tidevarv, som dyrkade framgången till vad pris som helst. Vi upplevde förfalskningarnas nya tid och leva mitt i den epok, som fått sitt namn från Amerika, humbugens."

Redan denna språkliga axplockning inrymmer ett stycke svensk kulturhistoria och ger en föreställning om bakgrunden för Det nya riket. Att närmare undersöka den sistnämnda ingår ej i planen för denna studie; ej heller skall här de strindbergska satirerna återföras till de direkta verklighetselement, varav de är sammansatta. Det kan visserligen vara av intresse att veta, att det är friherre Johan Liljencrantz, som rider vid kungens sida i Illusionernas dagar, att modellen till Ballhorn var en kollega till Strindberg i Kungliga Biblioteket, att den adlige skandalskrivaren i Claris majorum exemplis i verkligheten hette Nisbeth och var redaktör för Figaro och att herrarna Moses var allbekanta judar i Uppsala och Stockholm, men kännedomen därom och mer i den vägen förklarar väl varför boken vid sin framkomst mottogs som en pamflett, däremot inte varför den än i dag lever som diktverk. Det är diktverket Nya riket, som i främsta rummet intresserar oss, och det är det, som här skall behandlas.

Vi har sett, vilken roll Dickens spelat för Röda rummet, och söker man efter den yttersta litterära utgångspunkten för samhällsskildringen i Det nya riket, måste man ånyo vända sig till den sociala satiren i England, sådan denna utbildats av mästare som Dickens och Thackeray. Både i fråga om motiv och stil röjer sig sambandet flerstädes hos Strindberg. Berättelsen om adliga

tionsförändringen. Riddarhustalen återges delvis ordagrant: Henning Hamiltons även av Strindberg anförda fras om moder Svea, »under hvars medeltids drägt ett Svenskt, ett ungdomsfriskt hjerta alltid klappar», återfinnes sålunda s. 66 f. Magister Vindig, som yttrar de här ovan citerade orden — värdiga Struve i Röda rummet — säger på ett annat ställe: »Cynisk är den, som inte sticker under stolen med att han är en fähund; det vill säga den, som är sann. Ty alla människor äro fähundar, fast somliga göra sig till — liksom de inte voro det, och de äro just de värsta». Man skulle tro, att man lyssnade till doktor Borg.

ätten 806 (Hund av Hutlösa) är ett skott på ett förnämligt engelskt stamträd; det respektlösa skämtet med pedigrees hör hemma i viscounternas och baroneternas land. Skildringen av Moses är åtminstone formellt sett färgad av intryck från samma håll; bruket av ett egennamn som appellativ i satiriskt syfte är ytterst vanlig hos Dickens — man erinre sig blott den månghövdade mr Barnacle i Little Dorrit. Dickensk är även, om man ser på vad som ovan kallats fantasiens mekanik, den obetalbara idén att låta Ballhorn, den litteräre gnagaren och söndermalaren, härstamma från en benmjölskvarn — ehuru förvisso saluten: ”Frid över ditt stoft, gamle benmjölnare!” liksom hela tonen här som eljest så eftertryckligt som möjligt manifesterar närvaron av det strindbergska temperamentet. Vill man finna något motstycke till det, får man gå från de engelska humoristerna till de amerikanska. Något av den absoluta vanvördnad gentemot allt och alla, som präglar Det nya riket i än högre grad än Röda rummet, härrör otvivelaktigt från Amerika, humbugens land par préférence, men därför också det brutala genomskådandets. ”Napoleon och Washington, Michel Angelo och Beecher Stowe behandlades som krogkamrater — — —; dogmer och konstteorier, grundlagar och lynchlagar, allt togs över en kam.” Det är Strindbergs egen formel för det intryck, som den amerikanska humorn gjorde på honom, när han under sin journalisttid lärde känna den, och i Det nya riket tar han verkligen allt över en kam, brännvinsförädlare och idealistiska poeter, kungar och premiäraktörer. Den enda kategori av människor, för vilken han av teoretiska skäl — han höll vid denna tidpunkt på att bli rousseauan — hyser någon sympati är bönderna — inklusive riksdagsbönderna.

Strindbergs förhållande till den satiriska traditionen i England är emellertid inte uttömt med det nyss sagda. Själva den uppfattning av samhället, som kommer till uttryck i Det nya riket, är besläktad med den man finner hos engelsmannen. ”Min son”, säger fadern i De nyadlige, ”samhället består av släktingar, vänner och bekanta; samhället är ett kotteri, eller rättare en samling kotterier, vilka alla regeras av det kungliga kotteriet. Du tror att kastväsendet tillhör Indien. Det tillhör Gamla Världen.” Det är Dickens syn på de maktägande; man påminne sig ånyo herrarna Barnacle och deras sammanhållning i ny och nedan. ”Statens tjänster äro fideikommisser; de tillhöra kotterier, släktingar, vänner och bekanta.” Det gällde förr och gäller till en viss grad än om det aristokratiska och av instinkt konservativa England, men det har aldrig gällt om Sverige i tillnärmelsevis samma grad. Det var en engelsk historiefilosof — Strindbergs egentlige teoretiske läromästare under sjuttiotalet, Röda rummets kulturprofet, Buckle — som predikade mot ”skyddsandan”, och det är i den engelska litteraturen man lär känna den konkreta innebörden i detta ord. Man läse exempelvis följande, hämtat från en författare, till vilken vi strax skall återkomma; han behandlar franska förhållanden, men både i uppfattning och stil röjer han sig här som engelsman, vilket han även var: ”Institutioner äro, tyvärr, icke ting, mot hvilka man kan draga ut i härnad utan vapen i händerna, och mr Jobus, den oafsättlige och oansvarige, var en institution. Han var öfverallt och ingenstädes, den der mr Jobus; han hade vidsträckta utgreningar; han utbredde sig vidt och bredt till alla de samhällsområden, der ingen menniska väntade att få se honom. Jobusar funnos i pressen, Jobusar i armén, Jobusar i kyrkan, Jobusar i sällskapsverlden; hvarje statens verk hade sin Jobus, ty antingen de nu hette Jobus, eller voro Jobusar genom slägtskap och genom inbördes gifte, eller genom enskilda fördelars, tacksamhetens eller pligtkänslans band, voro de alla, hvarenda en utan undantag, Jobusar och höllo ihop som ler och långhalm; brytande upp då krigstrumpeten ljöd, liksom de skotska clanerna, då budkaflen gick, och uppställande mot fienden, icke en djerf bataljfront, utan en mängd osynliga bakhåll, der de lågo och sköto, låtande sina pilar hvina bakifrån klippblock, ur skogssnår, korteligen från alla håll och kanter.” Det är typiskt anglosaxisk satir, och det är slående likt satiren i Det nya riket.

Och detta är troligen mer än en slump; skildringen av mr Jobus har nämligen till upphovsman en författare, som Strindberg läst och lärt av. Han skriver själv, att han till förebild för sitt verk valde Grenville-Murrays Les hommes du second empire (på engelska Man of the second empire), och sannolikt har han känt till även samme författares 1877 till svenska översatta French pictures in English chalks, varur det anförda stycket är hämtat (Franska bilder, tecknade med engelsk krita). Grenville-Murray var en skribent, som tydligen lät rätt mycket tala om sig på sjuttiotalet; som exempel på vad man hos oss tänkte om honom, kan nämnas att Karl Warburg i en litteraturöversikt kallar honom ”den nya stjärnan på den engelska litteraturens himmel” efter att omedelbart innan ha talat om diktare som Walter Scott, Thackeray och Dickens — något som i våra dagar endast kan framkalla en stilla förundran. Murray hörde till det slag av engelska aristokrater — han var en Buckingham på sidolinjen — vars litterära verksamhet har till bakgrund ett kok stryk på en klubb, överbevisning om mened och en hastig flykt över kanalen till Frankrike. Som skriftställare fick han vind i seglen vid kejsardömets fall, då hans kännedom om ”ställningar och förhållanden” — den crusenstolpeska formuleringen kan här vara på sin plats — under den gamla regimen kom honom väl till pass. I den bok, som Strindberg säger sig ha tagit till förebild, presenterar han en samling typer, alltifrån L'homme du deux décembre i egen hög person till Le maire rural och Le simple soldat, ironiserar missförhållandet mellan synas och vara under den föregångna eran, gisslar skenväsendet, skojet, kort sagt samma fenomen, som i Det nya riket kallas ”den offentliga lögnen”. Synsättet hos Murray sammanfaller ofta med Strindbergs, och någon gång kan även tonen komma nära den som anslås av honom — så exempelvis i följande beskrivning på invigningen av en kyrka, byggd av Haussmann för en summa av fem eller sex miljoner efter klagomål från kleresiets sida över att Paris höll på att få för många skolor, teatrar och kaserner: ”Byggnaden invigdes en dag med stor ståt. I spetsen för kortegen tågade en bataljon soldater, sedan kom ytterligare en bataljon soldater, följd av en bataljon nationalgardister, följd av nya soldater, följda av gendarmer, följda av kavalleri, följt av M. Haussmann, av byggmästaren, av två privatsekreterare och av trettiosex medlemmar av diverse municipalråd, alla i vagn. Efter dem kommo återigen soldater och polis. På kyrkans trappsteg mötte M. Haussmann, iförd silvergaloner, den guldgalonerade kyrkvaktaren och Paris primas, den sistnämnde klädd i vitt och violett, hans ärkebiskopliga mitra icke att förglömma.” Soldaterna skyldrar gevär, M. Haussmann överlämnar å staden Paris vägnar kyrkan i den andliga maktens vård och prefekten håller ett dityrambiskt tal om den ärorika kejsarfamiljen. ”Efter dityramben skyldrade trupperna för andra gången gevär, varefter hela processionen med undantag av soldaterna intågade i kyrkan, där ceremonien avslutades med en predikan av Monseigneur, i vilken Salomos grundläggande av templet och uppförandet av Sainte-Amande genom Napoleon III jämfördes lika lyckligt som sinnrikt” (Les hommes du second empire).

Det är betecknande, att Strindberg tog till mönster en av en engelsman författad skildring av andra kejsardömets Frankrike. Det heter i Illusionernas dagar om ”rikets förnämste herre, ädlingen utan fruktan och tadel”, att han i Paris och Vichy som ung haft ”äran att dagligen se Napoleon III, vilket skall hava haft ett avgörande inflytande på hans senare statsmannaliv”, och över huvud hade ju Frankrike varit mönsterlandet för den äldre generationen. Därmed sammanhänger den verkan, som den maskerade samhällssatir, vilken bär Offenbachs namn, utövat både på Strindberg och hans samtid.

Grenville-Murray berättar i sin nyss citerade bok om en dramaturg, som fått en pjäs förbjuden av censuren, därför att han låtit en deputerad och riddare av hederslegionen uppbära rollen av styckets löjlige äkta man. Författaren är bedrövad men får slutligen en ljus idé: han förvandlar den hederlige M. Balanchu — redan detta namn hade förefallit censuren föga lämpa sig för en så högt uppsatt person — till en kinesisk mandarin och sauverar därmed apparenserna. Något snarlikt gjorde Offenbach, då han skapade sin gudamaskerad: Menelaus, ”kungengemålen”, dolde under sin mantel en mycket högt uppsatt Balanchu, en gadd var inlindad i de lekfulla kupletterna, och just därigenom blev de dubbelt pikanta för en publik, som fått sin känslighet ytterligt uppdriven genom polisbevakningen av det fria ordet. I det parti av Vanity Fair, där den kosmopolitiska halvvärldens av similiguld och falska antikviteter strålande salonger skildras, förekommer en furstinna, om vilken det sägs, att ”hon var av huset Pompilius och härstammade i rätt nedstigande led från Roms andre konung och nymfen Egeria av huset Olympus”. Huset Olympus — där är kryphålet, genom vilket Sköna Helenas skapare, en smidig israelit som han var, smugglade sitt kontraband av melodiös persiflage in i det napoleonska örnboet. Till Sverige kom Offenbachiaden 1860 med Orfeus i underjorden, som nämnda år spelades på Mindre teatern; 1866 gavs Sköna Helena på Kungliga teatern, och från denna tidpunkt står dessa och andra offenbachska stycken med jämna mellanrum på repertoaren. Nämnas kan, att flera librettoöversättningar utfördes av L. Strindberg, en frände till diktaren: så Sköna Helena — samtidigt tolkad av Frans Hedberg — Storhertiginnan av Gerolstein och Perichole eller Kungen och gatsångerskan. I Tjänstekvinnans son söker Strindberg göra sig reda för vad Offenbach betytt; det heter där: ”Offenbachs operett tog djupa tag, ty den beskrattade hela den västerländska föråldrade kulturen, prästadömet, konungadömet, matinrättningen, äktenskapet, de civiliserade krigen, och vad man skrattar åt är icke längre vördat. Offenbachs operett har spelat samma roll som Aristofanes komedi, varit ett liknande symptom vid slutet av en kulturperiod och därför har den fyllt en uppgift. Den var skämtsam, men skämt är vanligen maskerat allvar. Efter skrattet kom det rena allvaret, och där äro vi nu”.

Orden avser såsom synes inte bara det intryck, som Offenbach gjorde på Strindberg själv; de gör anspråk på en viss mutandis. Den böjelse för det gloriösa, som satte sin prägel på objektiv giltighet, och en sådan äger de otvivelaktigt mutatis det offentliga livet under Karl XV:s och måhända än mer början av Oskar II:s regering, krävde som motvikt det travesterande skämtet, och detta tycks också ha varit på modet vid denna tidpunkt så som aldrig förr eller senare. Den högre litteraturen har inte bevarat många vittnesbörd därom, men det finns en lägre litteratur, som har gjort det. Några ord härom kan försvara sin plats.

Det var i själva verket omkring 1860, som det svenska studentspexet uppkom i den form, vari det hållit sig till våra dagar. Dessförinnan hade man på nationerna i Uppsala spelat verkliga lustspel, mestadels franska, men även Aristofanes och Holberg, och denna tradition övergavs icke helt; nyssnämnda år skrev emellertid Hugo Montgomery-Cederhielm — modellen till den olycklige Primus i Strindbergs ungdomsnovell Primus och Ultimus — den studentikosa operabuffan På Madagaskar, och under de följande årtiondena tillkom i nationerna S. H. T. en hel rad för oss mer eller mindre legendariska spex, Mohrens sista suck, Stora Mogul, Erik XIV, Skänninge möte och allt vad de heter, bibliografi finnes numera för den intresserade, och mer än en gammal spexförfattare har dessutom utförligt behandlat ämnet. Det ligger i öppen dag, att uppkomsten av denna kvasilitterära studenttradition står i samband med den offenbachska operettens införande, även om därjämte andra faktorer kan ha spelat in. Man behöver bara slå upp Orfeus och läsa första aktens scenanvisning, för att genast vara på det klara med vem de uppsalienska — och lundensiska — Apollosönerna medvetet eller omedvetet hade till mönster: ”Til venster i ettan Aristei koja, med denna skylt: 'Aristeus, honingsfabrikör; nederlag på berget Hymettus.' — Till höger i ettan Orphei stuga, med denna inskrift: 'Orpheus, direktör för conservatorium i Thebe, ger lektioner per månad och per biljett'.” Anakronismen och respektlösheten, det är de båda principerna för den offenbachska teatern, och från denna har de gått över i studentspexet.

Någon har sagt, att det finns ett parti över alla partier, nämligen generationen, och däri ligger ett visst mått av sanning. Strindberg var äldre till åren än de författare — åttiotalets män — med vilka han i litteraturhistorien vanligen sammanförs, och redan detta faktum förklarar, att han i mycket var dem olik. ”De älskade icke musik och dans, kunde icke leka med ord och tankar eller som det kallas skämta”, skrev han om dem, när han lärt känna dem. De hade inte varit med om Offenbach, dessa ungdomar, som vuxit upp vid Ibsen. Strindberg hade varit det, och något av Offenbachiadens anda har gått honom i blodet; uteslutet är heller inte att han under sin universitetsvistelse i början av sjuttiotalet tagit intryck av det rådande spexhumöret, att den parisiska och den uppsaliensiska opera-buffan sammansmält för honom till ett allmänt uttryck för tidens förstucket blasfemiska sinnesart. Det finns faktiskt i Det nya riket trots gallan något av en leklust, som man inte rätt vet om man skall kalla offenbachsk eller studentikos. Karl XV i Illusionernas dagar, omgiven av tionde gradens frimurare, kammarherrar och första tenorer, mottagande folkets hyllning och skrattande ”den upplyste skeptikerns skratt” åt det hela, åt Karl XII:s drabanter likaväl som åt ”piprensarn”, är en typisk operettmonark. Han påminner inom parentes sagt om en annan berömdhet i den svenska diktens galleri, om Frödings Stadens löjtnant, som ”hälsar uppåt fönstren” och ”nickar nedåt hörnen”, och likheten beror nog inte bara på en slump: Fröding kunde ännu på nittiotalet i sin avlägsna landsort skönja de sista reflexerna av den offenbachska levnadsstilen, och tillkomsten av Stadens löjtnant stod i samband med hans aldrig förverkligade avsikt att skriva ett det svenska småstadslivets epos, vari han bland annat med stöd av barndomsminnen skulle skildra ett småstadsbesök av Karl XV, såsom man kan se av anmärkningarna i Ruben G:son Bergs Frödingsupplaga. Att, för att begagna några ord av Grenville-Murray, ”fladdra från palatset till foyern, umgås på förtrolig fot med furstar och konstnärer, operasångerskor och biskopar, under en kappridning inom samma fem minuter taga af sig hatten för en hertiginna och en balettdansös” (Franska bilder), är en livsform, som hör samman med andra kejsardömet, med Offenbach, med Karl XV:s tid hos oss; det är fördomsfrihetens apoteos, inkognitots poesi — det är Kungen och gatsångerskan. Men om sålunda Karl XV hos Strindberg tycks röra sig i riktning mot Djurgården till trakten av konungarnas marsch i Sköna Helena, exekverad på något avstånd av hovkapellet, så finns det i Nya riket en annan kung — det finns över huvud mycket gott om kungar i Nya riket, i motsats till vad fallet varit i Svenska folket — under vars stora scen man tror sig på så nära håll som möjligt lyssna till en mera primitiv orkester — en nationsorkester, i vilken framför allt bastrumman skötes av en hand, som påtagligen inte tillhör en recentior. Man erinre sig skildringen av Karl XII som estetiker i Våra entreprenörer. Karl blir en gång under sin Lundavistelse överfallen av en magåkomma och råkar av misstag springa in på en föreläsningssal, där professorn till all olycka läser estetik, något som föga intresserar konungen. För att inte somna offentligt tar Karl fram sin kniv och skär ut ett par ridstövlar i bordet. När professorn efter föreläsningens slut kommer fram och vill tala estetik, sparkar kungen ”honom i ändan på sitt vanliga rättframma sätt”, vilket tillvinner honom studenternas odelade sympati. Kungen blir genast vald till hedersledamot av Estetiska föreningen och bordet införlivas med konstmuseum i Lund. Det är såsom synes studentikost skämtlynne så att det räcker till; man finner knappast inom själva spexlitteraturen scener, som bättre motsvarar genrens idé. Man skulle kunna säga, att Uppsala i Nya riket tog skadan igen för att Strindberg som ung betraktade Fjärdingen och Svartbäcken med borgerliga ögon.

Och dessa ställen står inte isolerade; alltemellanåt måste man vid läsning av Nya riket tänka antingen på Offenbach eller på studentspexet eller på bådadera. När chefen för nittonde skarpskyttekompaniet, byggmästar Husberg, vid sin kaffefrukost mottar rapport av sin korpral, verkmästar Hagberg, om att kompaniet ej kan rycka ut på söndagen emedan "de tusan djävlarna ha satt bort sina uniformer" och vad värre är även gevären, som de har lånat av kronan, så är det återigen närmast studentspex, under det att den händelse, som härvid helt säkert föresvävat Strindberg, var ett stycke förverkligad Offenbach; den berättas i det kapitel av I röda rummet, som handlar om Oskar II:s kröning och som slutar med orden: "Och så läste de i aftontidningarna om det lysande tåget, om de granna uniformerna, om militärparaden! Det var en oförgätlig fest, stod det, som lämnade ett minne efter sig! Och det gjorde den verkligen, ty Johan kunde aldrig sedan se en kunglig kortège utan att tänka på assistansen". Över huvud är paraden, kortegen, invigningen, hyllningen vanliga ämnen i all opéra comique, den må härröra från Seinen eller från Fyris; hos Strindberg har man skildringen av järnvägsinvigningen i Kolbotten, där den komiska kören utgöres av banvakterna, som sjunger kungssången, och redogörelsen för hur det går till att frammana kungliga skuggor. "Kungliga lik, som äro balsamerade, få icke av allmänheten uppgrävas och därför måste deras skuggor vördsamt frammanas. Man går en mörk höstkväll med en fana och ställer sig utanför Riddarholmskyrkan. På ett givet tecken infalla sångarne i en hymn av Atterbom, då genast de höga fönstren fyllas med skuggor, som hålla för öronen och nicka beskyddande åt det unga Sverige", vilket därefter hurrar nio gånger för t. ex. Fredrik den förste innan det går och dricker punsch. Denna doft av gravkammare, i vars dunkel de balsamerade andarna börjar sträcka på sig, är om något studentikos. Vad för övrigt spextraditionen angår, förtjänar nämnas, att omkring 1880 den litterära parodien i Uppsala dök upp vid sidan av det burleska sångspelet. Så spelades i början av detta decennium en pjäs, betitald Ah! Ett litet fint franskt stycke, ett skämt med den parisiska salongskomedien, vari hjältinnan, markisinnan Camelia de Malaprops de Sans-Façon, utmärker sig för en replikföring i stil med den som utvecklas av Markisinnan de Carambole i den parodi på samma genre, som förekommer i En nationell bildningsanstalt hos Strindberg: "— Er frånvaro skulle berättiga er att fråga mig, varför er närvaro icke gör mig berättigad att fråga er" osv. Litet längre fram trädde Ibsenparodien i förgrunden; 1885 skrev sålunda Ernst Meyer Ett dockhem, fritt efter D:r Ibsen, som slutade med att jungfrun kom in och anmälde att frun stannade kvar i hemmet emedan hon fått tvillingar — en upplösning, som helt visst skulle på det allra varmaste ha gillats av författaren till Giftas.

Att det hos Strindberg verkligen finns en åder av det speciella, travesterande skämtlynne, som hos oss haft sitt egentliga hemvist i universitetsstäderna, förråder sig inte blott i Det nya riket utan även i andra av hans verk. Lycko-Pers resa uppvisar sålunda en egendomlig blandning av sagoinspiration, samhällssatir och spexton; vill man se prov på den sistnämnda, räcker det om man slår upp den scen i fjärde akten, där kröningsceremonien firas:

Folket utanför Leve Omar den 27:e! Allah! Allah! Allah!
Veziren Behagar nu Ers Härlighet bestiga tronen och börja regeringen!
Per Det skall bli ganska underhållande! Släpp in folket!

Det är inte att ta miste på: just så ageras — och regeras — i studentspexen. Man skulle nog kunna finna fler exempel på samma anda i Strindbergs produktion — hans historiska dramatik rymmer scener, som man knappt kan kalla annat än spexartade[1] — men det sagda må vara nog som bevis på dess före-

[1] Detsamma gäller om hans historiska novellistik, särskilt den av senare datum. Levertin citerar i en anmälan följande replikskifte ur Historiska miniatyrer: »Det står femti hopliter därute och väntar på

fintlighet. Meningen är nu inte att söka etablera något strängt litterärt samband mellan Strindberg och den produkt av en till stor del kollektiv och anonym humor, som spexet utgör; det skulle vara på en gång för frivolt och pedantiskt. Blott så mycket kan med visshet sägas, att spexet och det element i Nya riket, som här skärskådats, utgår från gemensamma förutsättningar i tiden och att en av de väsentligare bland dessa kan betecknas med namnet Offenbach. Spexet har, om inte annat, betydelse som vittnesbörd om att man heller inte alltid i den nationella bildningens högkvarter under jubelfesternas tidevarv tog så högtidligt på tingen, att blivande ämbetsmän och magnificenser intra muras roade sig ganska kungligt åt samma företeelser, mot vilka Strindberg stred på öppna fältet.[1]

Men häri ligger också skillnaden: vad som på sjuttiotalet varit ett sällskapsnöje blev på åttiotalet det blodigaste och mest publika allvar. Nya rikets författare kunde nog skämta, men han gjorde det inte för ro skull. Han hade över huvud en benägenhet att ta saker och ting på allvar, och denna egenskap är ett med hans genialitet. Han hade tagit de amerikanska humoristerna på allvar — "allmänheten tog deras skämt som skämt, men Johan tog dem på allvar" — och vi har nyss sett honom yttra om Offenbach, att "efter skämtet kom allvaret, och där äro vi nu". Nu, i mitten på åttiotalet, då orden skrevs.

I själva verket var Strindberg åtminstone vad den sistnämnde vidkommer inte ensam om att ha reagerat på det sätt, som han anger. En annan diktare hade känt något av detsamma som han

ditt huvud. — Hur många sa' du. Femti? Då flyr jag, ty över tretti maxar jag inte,» och anmärker därtill: »Den amerikanska pokern förbinder sig, som man ser på ett älskvärt vis med hellensk spekulation. Förklarligt vore sådant, om författaren åsyftade konkurrens med Offenbach.»

[1] Att den böjelse för apoteos, som låg i luften under sjuttiotalet, kunde ta sig objektivt sett verkligt löjliga uttryck, framgår av Bööks uppsats, Boggianos begravning i Essayer och kritiker 1917—1918. Den åldrade Böttigers där meddelade epistolära skildring av den f. d. ångbåtskommissionärens och delirantens griftefärd med ärkebiskop, landshövding och universitetsstat i spetsen, erinrar som också av Böök framhålles slående om kapitlen Våra idealister och Den offentliga lögnen i Det nya riket.

inför Offenbach, och denne diktare var själve banerföraren för den riktning inom litteraturen, som omkring 1880 började tränga igenom överallt i Europa. I början av Zolas Nana skildras en premiär på en parisisk teater, och det är uppenbarligen Sköna Helenas skapare, som författaren haft i tankarna vid återgivandet av föreställningen: ”Denna karneval av gudar, denna i smutsen släpade olymp, en hel religion, en hel poesi misshandlade och föremål för det grövsta gyckel — åh, det var ju en riktig högtid, den mest utsökta öron- och ögonfägnad!! En verklig feber av vanvördnad bemäktigade sig även de bildade personer, som voro närvarande vid denna liksom vid alla premiärer; man trampade legenden i stoftet — man krossade antikens bilder! Jupiter framställdes såsom begåvad med ett ganska gott huvud, Mars såsom en den mest förslagna galgfågel. Kungligheten blev en fars, armén ett galet upptåg.” Zola är såsom synes uppfylld av förtrytelse över detta skändande, under det att Strindberg snarast tyckes ha känt sig tillfredsställd därmed; men det i detta sammanhang väsentliga är att även Nanas författare tagit travestien au serieux, uppfattat den som maskerad kritik. Uteslutet är inte, att Zolas vidlyftiga behandling av ämnet — skildringen av teaterföreställningen fyller så gott som hela första kapitlet av hans roman — bidragit till att för Strindberg klargöra vad Offenbach betytt för honom själv; att han läst Nana när han skrev Tjänstekvinnans son kan tagas för alldeles givet.

Detta för över till frågan, om de franska naturalisterna inom skönlitteraturen och särskilt Zola till äventyrs spelat någon roll redan för Det nya riket. Att de icke gjort det för Röda rummet torde få anses fastslaget; har Strindberg före författandet av sin ungdoms mästerverk läst Madame Bovary och, vilket är troligt, känt till Alphonse Daudet, så har han likväl inte mottagit några påvisbara intryck av denna lektyr. Med Zola stiftade han bekantskap först efter utgivandet av sitt eget verk; det var kritikens sammanställande av honom själv och den franske författaren, som förmådde honom att läsa L’assomoir, som just utkommit i svensk översättning. ”När han läst den boken och häpnat över dennas intensiva kraft i skildringen och över hans oförskräckthet i motivets gripande, ansåg han sig överflödig. Det var sålunda gjort, det han velat göra, även på romanens område”. Trots att han sålunda närmast kände sig överväldigad av den naturalistiske mästaren, fortsatte han att studera honom sedan bekantskapen väl var gjord: ”Jag har läst under loppet av 30 år alla hans romaner, läst om flera av dem, flera gånger”, skriver han på ålderdomen i En blå bok, och i uppsatsen Livsglädjen av 1884 visar han sig vara väl förtrogen med Rougon-Marquart-serien, så långt den då hunnit. Att han 1882, då han författade Det nya riket, hade läst flera av Zolas böcker, är otvivelaktigt; han kan vid denna tidpunkt antas ha haft full kännedom om den franska naturalismens karaktär, dess livssyn och konstprogram.

Och något har han väl fått från den — om också blott och bart känslan av att bäras upp av en mäktig strömning i tiden, när han hänsynslöst avklädde institutioner och personer deras värdighet, blottade kräftsåren innanför sminket och dekorationerna, avslöjade hyckleriet och lögnen. Det nya riket går i detta avseende åtskilligt utöver Röda rummet, och man kan inte underlåta att ställa detta faktum i samband med den radikalism i synsättet, som utmärker Zola. En sådan skildring som den som i Våra entreprenörer ges av sedlighetsdirektören är vad motivet angår helt i den naturalistiska romanens stil, och här nämnes ju även Zola: ”den grånade skörlevnadsmannen” läser honom med hemlig tillfredsställelse om nätterna för att om dagarna med dubbel indignationa rasa över ”vilka skändligheter han pådiktar den välgörande kejsaren och den dygdiga kejsarinnan”. Även i partier, som i och för sig är mera harmlösa, röjer sig denna strävan att försimpla och förfula, att uppvisa smutsen och trasigheten eller blott och bart trivialiteten bakom den imponerande fasaden. En skildring från Svenska akademien måste nödvändigt börja med en vaktmästares betraktelser vid distribueringen av stearinljusen — ”Liljeholmens femmor” — ett kapitel från Riddarhuset med två skurfruars tankeutbyte vid rengöringet. Det är detta strindbergska synsätt, som en författare, själv tillhörande båda institutionerna, karakteriserar med orden: ”När han skall betrakta något, böjer han sig och synar det nedifrån, så att han inte ser rätan för bara avigan. — — — På samma sätt göra också tivedsgubbarna, när de köpa böxatyg” (Heidenstam: Stridsskrifter). Men härvidlag har, såsom man lätt kan övertyga sig, och såsom även Heidenstam menat, Strindberg befunnit sig i harmoni inte blott med den svenska landsbygdens utan även med den europeiska kontinentens naturalister. Man läse blott ingressen i La faute de l'abbé Mouret; den har förtjänsten att handla både om en skurfru och om vördnadsvärda, ehuru något skamfilade ting, sålunda exakt detsamma som de nyss åsyftade scenerna i Nya riket: "Då La Teuse kom in, ställde hon ifrån sig sin kvast och sin dammvippa mot altaret. — — — Dammet envisades att dagligen lägga sig där i springorna mellan estradens illa sammanfogade plankor. Kvasten rensade hörnen med ett vresigt gnisslande. Sedan tog hon bort skynket på altarbordet och fann till sin förargelse, att den stora övre duken, som redan var stoppad på tjugu ställen, genom nötning hade fått ett nytt hål på mitten; man såg därigenom den andra dubbelvikta duken, som också blivit så tunn och genomskinlig, att man skönjde den i det målade träaltaret infattade vigda stenskivan. Hon dammade detta av ålder gulnade linne, tog ett kraftigt tag med dammvippan över altarskåpet och rätade upp de pappfodrade liturgiska minneslistorna. Sedan steg hon upp på en stol och befriade korset och två av ljusstakarna från deras överdrag av gul kalikå. Bronsen hade dunkla fläckar här och där. — 'Så där ja', mumlade La Teuse halvhögt, 'de behöva minsann göras rena. Jag skall skura dem med trippel.' — Haltande, klampande och vickande med kroppen for hon i väg in i sakristian för att hämta mässboken, som hon utan att öppna, ställde på pulpeten vid epistelsidan med snittet vänt mot altarets mitt. Hon tände de bägge vaxljusen. Då hon gick sin väg med kvasten, såg hon sig omkring för att förvissa sig om att det var ordentligt städat hos Vår herre." Det är alldeles den strindbergska mentaliteten, samma förkärlek för så att säga perspektivet bakom- eller underifrån, som röjer sig i Det nya riket och som ett par år senare i Giftas skulle ta sig uttryck bl. a. i den för författaren riskabla satsen om "Högstedts Piccadon à 65 öre kannan och Lettströms majsoblater, om 1 kr. skålp." Och det finns likväl en betydande skillnad, om inte i synsättet så i den konstnärliga formen. Det heter i Strindbergs riddarhusskildring, att lantmarskalkens klubba ligger på bordet och att det ser ut som om det varit auktion, att Gustaf II Adlof kastar sina tomma blickar över den tomma salen och regnet runnit ner genom trossbottnen och starkt angripit en vapensköld. Allt detta skulle Zola kunnat inventera, eller fotografera för att använda ett riktigare ord; själva råmaterialet är naturalistiskt. Däremot skulle han inte fallit på den idén att låta det regna in därför att ”en plåtslagare hade trampat in taket, då han skulle reparera dygderna till sista riksdan”, ty här införes ett stycke berättelse i beskrivningen, något som är hans maner främmande, ett moment av tid och rörelse, som inte kan fångas av kameraplåten. På en punkt kan man såtillvida direkt jämföra de båda episoderna. Dammet lägger sig hos Zola tillrätta i springorna på altaret, och där förblir det liggande stumt, utan att ha något att förtälja. Hos Strindberg däremot har dammet en historia; det är ett episkt damm. Man måste höra honom själv för att rätt lägga märke till det: ”Tvenne skurfruar gingo omkring och torkade damm, som legat kvar sedan 1865, då det skuddades av fötterna på de bifallsstampande ädlingarne, höggrevligt damm, som gnuggades av det blå klädet, när rikets herrar vredo sig i ångest på bänkarne, friherrligt damm av det finaste uniformskläde; men där låg även ofrälse skrivardamm luggat av slitna svarta bonjourer, för att inte tala om det som låg på läktaren, ty dit hade inte fruarna kommit än.” Det är en trofast lärjunge till Dickens, tingens mästertolk, som har skrivit dessa rader; något i accenten röjer att det också är en lärjunge till H. C. Andersen, sagoberättaren. Och sagan är ju i själva verket inte långt borta: de båda skurfruarna lämnar snart rum för två andra agerande, väggskäktan och hennes dotter, och i och med deras entré är man mitt inne i den värld, där djuren talar och utbyter åsikter. Redan i Röda rummet fanns en fantasiens dragning åt samma håll, och det i ett kapitel, som i viss mån förebådar den här analyserade skildringen. Arvid Falk sitter på riksdagsläktaren: ”Det rådde några minuter en tystnad, som påminde om landskyrkans före predikan; ett sakta knaprande ljuder genom salen. ’En råtta’, tänker han; men så upptäcker han genom rymden på referentläktaren mitt emot, en liten nedtrampad figur, som formerar en blyertspenna på barriären.” Strax efter heter det om den ensamme kammarledamoten nere i salen, att ”ett starkt knaprande från vänster, högt uppe under taket, kommer honom att spritta till och kasta om halsen, så att han med en trekvartsblick kan mörda den råtta, som vågade knapra i hans närvaro”. Diktarfantasien är redan här på väg att skapa något i stil med Suppe paa en Pølsepind — man erinre sig att råttan nummer två hos H. C. Andersen var född i slottsbiblioteket — men hejdar sig vid kammarledamotens reflexion: ”Det var bara en referent; jag fruktade, att det var en råtta.” I Det nya riket har sagan frigjort sig, men den har på samma gång blivit naturalistiskt transkriberad. Råttan är trots allt ett ganska romantiskt djur, men ”en gammal väggskäkta”, som ”suttit hundra år i en bänk på referentläktaren” — även här tvingas blicken upp till denna lokalitet — gör näppeligen någon poetisk till sinnes. Förändringen beror på att diktaren, på samma gång som han ger sin inbillning lösare tyglar, inom sig är mera förbittrad, mera blasfemiskt stämd än förut; men sammanhänger månne inte väggskäktornas närvaro också i någon mån med den omständigheten att han under den tid, som förflutit mellan utgivande av Röda rummet och Det nya riket, stiftat bekantskap med Zolas parisiska sedeskildringar?

HENRY OLSSON

Sömngångarnätter

1

Strindbergs Sömngångarnätter på vakna dagar, En dikt på fria vers utgavs 1884. Sin karaktär får den av sin ställning mellan å ena sidan Mäster Olof och Röda rummet, å andra sidan Tjänstekvinnans son. Gemensamt för dessa verk är den intensiva och rannsakande självdissekeringen, men i Sömngångarnätter märks redan en systematisk reda i uppläggningen, som pekar framåt mot Strindbergs självbiografiska skriftställeri från och med 1886. Om Mäster Olof och Röda rummet ger en rörligare och mera psykologiskt facetterad bild av hans teoretiska utveckling, skänker Sömngångarnätter i gengäld en direktare spegling, självbekännelsekaraktären framträder avsiktlig och öppen, den fiktiva masken är kastad. Och om Tjänstekvinnans son är ett ännu grundligare försök att ”göra upp bokslutet och överskåda ställningen”, är Sömngångarnätter i gengäld mera ögonblicksbetonad, mera passionerad och febrilt spörjande. Man kan ifrågasätta om Strindberg någonsin framlagt en på samma gång så allvarligt skärskådande och häftigt sjudande uppgörelse med sitt förflutna, om hans experimenterande och dock lidelsefullt ärliga kamp med tidens idéer och makter någonsin fått ett sannare uttryck. Själv liknar han sig i inledningsdikten vid ett slaktdjur och ser i andanom sin tunnklädda lilla bok i boklådsfönstret som ett urtaget hjärta dinglande på sin krok. Onekligen fanns det i Strindbergs kriser, sökande och vånda ett stycke hysteriker, men där fanns också vad han själv kallar ”en brutal, djurisk sannings-drift”.

I själva verket erbjuder det inga svårigheter att ange de faktorer, som framkallat Sömngångarnätters karaktär av överslag och återblick. Det är Strindbergs första fristående diktverk efter landsflykten. I september 1883 hade han lämnat Sverige och styrt kosan till Frankrike, där han först slagit sig ned hos sin vän Carl Larsson i artistkolonien i Grèz. Han hade kommit i ny miljö och befann sig mitt uppe i ett jäsande övergångsskede, han kände behov att säga farväl till det gamla och samtidigt fixera sin ståndpunkt till det nya som strömmade över honom. Som bekant hade han alltsedan Svenska folket och Det nya riket befunnit sig i en våldsam och nervslitande polemik, och ännu då han passerade gränsen stavade han på niddikter mot sina motståndare. Det blev samlingen Dikter på vers och prosa hösten 1883, där han enligt Tjänstekvinnans son ville ta de falska änglarna grundligt vid öronen. Resan betydde först och främst en utluftning av denna grollatmosfär, och betecknande för stämningsomslaget är ett brev till hans nye förläggare Bonnier 10 november 1883: ”Jag ber hr Bonnier lämna mig i så fullständig okunnighet som möjligt om allt klander och ovett som förestår, ty det gagnar ej, det bara stör mitt arbete och retar mig mot personer, och jag har ju enkom rest 200 mil för att slippa tidningsgnatet.” Det var inte utan skäl Strindberg väntade ovett. Det senast skrivna och väsentligaste partiet i samlingen, Sårfeber, innehåller som bekant de mest obehärskade utfall han i hela denna strid gjorde sig skyldig till. Den förhoppning han i Tjänstekvinnans son uttalar att genom *versen* kunna lyfta sig över pamflettisternas nivå blev så till vida fullkomligt sviken. Tvärtom var den lyriska formen ägnad att skänka hans hopsparade rancunestämning dess mest omedelbara uttryck. Och sida vid sida om Sårfebers lysande, odödliga dikter möter sålunda rena excesser i personliga smädelser, där den dunkla syftningen förtar satirens vingkraft och det festliga klappjaktshumöret från Det nya riket tar sikte på alltför obetydligt villebråd för att tyckas ge lön för mödan.

Tydligen har det för Strindberg själv inte varit någon hemlighet att vissa delar av Dikter hade en starkt utmanande eller tvivelaktig karaktär, och in i det sista är han därför upptagen av förslag till ändringar och kompletteringar. Under detta redigeringsarbete var det som planen till Sömngångarnätter koncipierades. Redan i slutet av augusti och början av september 1883, då han vistades ute på Kymmendö, talar han i brev till Bonnier om en tilltänkt dikt med titeln ”Avsked” eller om en serie svenska avsked. Därav blev då intet. Men i ett Parisbrev 17 oktober anhåller han om utrymme för en ny dikt som då sysselsatte honom, ”ett stort skaldestycke på 1 ark, kallat Avsked, som blir det styvaste i boken”. Dikten var till tre fjärdedelar färdig, spelade i Adolf Fredriks kyrka, på Nationalmuseum och i Kungl. biblioteket och var romantisk-satirisk-realistisk-idealistisk. ”Det skall lyfta hela boken! Och kanske hjälpa mig något vid den odiösa concours som troligen kommer att anställas av kritiken, då jag ju samtidigt med de stora skalderna skall ut i världen med vers.” Redan två dagar senare inskickas första partiet av denna dikt, som då omdöpts till första Sömngångarnatten. Samlingen Dikter utkastades emellertid i bokhandeln redan i mitten av november, varför första natten där kom att stå som ett isolerat brottstycke. De återstående tre sångerna utfördes senare mot årets slut, och som självständigt verk publicerades diktcykeln i febr. 1884; femte natten skrevs först 1889 och faller utanför denna framställning.

Första impulsen till Sömngångarnätter hade alltså givits av Strindbergs förestående uppbrott, som osökt lockade honom att göra upp räkningen med tidigare livsformer och utvecklingsstadier. Man kan som en slående parallell anföra hans samtida publicistiska idéer sådana de utvecklas i breven till Bonnier och slutligen resulterade i samlingen Likt och olikt 1884. Omedelbart efter ankomsten till Frankrike ville han i en serie svenska brev ur sitt nya utländska perspektiv skärskåda inhemska kulturförhållanden, utan alla personliga angrepp återblicka på den tillryggalagda tiden sedan representationsreformen 1865 och därur draga slutsatser för framtiden. Som man märker har hans planer genomgående fått en självbiografisk och retrospektiv prägel. Samma tendens framträder också i Dikter, där ett av de viktigaste poemen just heter Biografiskt och där som särskild cykel inrycktes hans ungdomsdikter — i avsikt, säger han, ”att lämna några källor till min inre biografi”. Men allra intensivast understrykes den personligt biografiska karaktären genom introduktionsdikten till cykeln Landsflykt, en av samlingens betydande och i själva verket en upptakt till Sömngångarnätter.

Betraktar man de poem som ingår i avdelningen Landsflykt, är de med undantag för introduktionsdikten alla hållna i ett parodierande Heinemaner och utgör reseintryck från Strindbergs

Frankrikebesök 1876. Att cykeln delvis är av senare datum framgår dock av hans egen kronologisering för originalupplagan: "1883 års intryck av första utresan 1876." Formuleringen avser att markera en omarbetning, och en sådan kan också tydligt spåras. Det föreliggande materialet är dock så pass bräckligt att det torde vara klokast att avstå från en närmare fixering av gammalt och nytt. Om inledningsdikten gäller i varje fall att den direkt föregriper vad som i Sömngångarnätter blir ett grundtema: bundenheten vid ursprunget och det förgångna. Dikten är en jagskildring. Undan söndagseftermiddagens silregn och spleen, pirrig och feberhet efter gårdagsruset har Strindberg tagit sin tillflykt till Operakaféet, där en enslig schaggsoffa blir hans fristad och en tidningspacke avledare för hans orostankar. Jacobs klockor pinglar mjältsjukt, och medan tobaksmolnen ringlar sig upp mot taket tar hans tankar en ny riktning — för den hemlöse ungkarlen står gamla barndomsminnen upp från de döda:

Hemmet ser han hägra fjärran,
gammalt borgarhem från tjugotalet,
stamfar ifrån bryggarkärran,
som var med om kungavalet.

Nött mahognymöbel prydd med mässing,
tvåmanssäng ifrån Carl Johans dagar,
ärbar som en dram av Lessing,
byråar med stora magar.

I präktiga breda penseldrag och med tidstypiska attribut ungefär som i Frödings Ett gammalt förmak — på väggarna litografier av Torsslow och Emilie Högqvist, bokskåp med Franzén, Wallin och Braun — fångas den lugnt solida heminteriören. Genom rökmoln och spritångor hägrar för den övergivne kaféhabituén hemmets varma söndagskvällar med den sprängda syskonringen ånyo samlad. Glada systrar och muntra bröder har åter förenats om den Haydnska kvartetten, och i sitt soffhörn slår "den gamle" takten till musiken, medan morbrodern och mormodern evigt lika oförtrutet trälar vid respektive brädspel och postilla — det är exakt samma miljö som man återfinner i minnesboken Strindbergs systrar berätta.

Man har i denna dikt synes det mig ett slående uttryck för den slitning mellan motstridiga makter som är så djupt karakteristisk för Strindberg. Om naturalismens trotsiga revolt hade en given resonansbotten i hans själ, fanns där också en ursprunglig sentimental romantiker som med barndomsminnenas hela makt var bunden vid det gamla. I Tjänstekvinnans son uttryckes oupphörligt hans mest övertygade självdiagnos i ord som övergångsmänniska, bastard och halvblodsromantiker, ättling i rätt nedstigande led av ”den reaktions- och idealistepok som fött honom”. Självfallet har denna spänning mellan gammalt och nytt med särskild skärpa gjort sig gällande under de första 80-talsåren då han stod i begrepp att övergå till naturalismen och trädde i beröring med den moderna författargenerationen, Det unga Sverige. Ett betecknande indicium är novellen Utveckling i Svenska öden och äventyr, skriven samma år som Sömngångarnätter, alltså 1883. Kartusianermunken och asketen Botvid har övergått till renässansens livsbejakande förkunnelse: det sköna är det högsta, gamle Kristus skall vika för Apollo. Men han häpnar ”över den lätthet varmed de nya friska tankarna intogo de gamlas ställe” och har stundom återfall i barndomsföreställningarna. Kommer så den lutherske prästen som förkunnar att det sköna endast är ett sken och konstnären en onyttig lekare, medan det högsta är den kala, beska sanningen. Botvid som jublat över det vaknande skönhetslivet återföres nu till den gamla puritanismen. Han känner sig som sonen av två tidevarv med tvenne oförenliga synpunkter på tingen, munkens och satyrens, och han kommer till slutsatsen att utvecklingen går i kretsar. Det är en tydlig spegling av Strindbergs egen utveckling. Genom den antiestetiska utilism som han vid 80-talets början gör till sin känner han sig återförsatt till ungdomstidens skönhetsfrämmande pietism. Tydligen har det för honom tett sig som en cirkelgång, och däri har man väl den djupaste förklaringen till att han i Sömngångarnätter ånyo velat ventilera de gamla problemen om Kristustro och skönhetstro.

2

Första sömngångarnatten av oktober 1883 målar med något av den drömartade clair-obscuren i Strindbergs förut diskuterade Landsflyktspoem den biltoge diktarens återkomst till gamla valplatser. Medan det rasslande nattåget rycker honom fram över skånska slätten flyr hans ande tillbaka till födelsestaden, där man rest hans schavott "för att ej han trodde på den nationelle guden". Det är en sömngångarfiktion, som ju blir genomgående i poemet och förmodligen sammanhänger med att själva diktarinspirationen inte sällan för honom tedde sig som ett somnambult tillstånd. Några vingslag mot norr, och hans första vilopunkt blir Adolf Fredriks kyrka, där han tvingad av samhälle och anförvanter med skälvande hjärta och ljugande mun begick sin första mened. Skildringen har något av den satiriska snärten hos en annan Kierkegaardlärjunge, Alexander Kielland, i romanen Gift och ger en tydlig upptakt till det stycke självanatomi och den skakande framställning av konfirmationsakten som Strindberg skänkte i den kort efteråt skrivna Dygdens lön i Giftas. Kritiken vidgar sig emellertid till en uppgörelse med hela den institutionella kristendomen med dess massiva gudsuppfattning och världsliga strävanden. Hånfullt vänder han sig mot de enfaldiga apostlarna som väntade ett jordiskt rike, "en riktig monarki med ordnar och portföljer", mera skonsam är han däremot mot Kristus själv som han med vänligt gillande kamratskap framställer som den store tvivlaren och pessimisten. Enligt en övertygelse som han denna tid hyllade och förkunnade i Röda rummet och Tjänstekvinnans son var nämligen Kristi lära ingenting annat än Schopenhauers vanitas vanitatum vanitas. Genom en liknande förvantskap dras hans blickar till epitafiet över Descartes, vars mörke tvivlare för honom framstår som en pendanggestalt och motsatsbild till *kyrkans* Kristus, Prometeus contra Zeus. Och därmed säger Strindberg sitt farväl. Hans moderna själ har frigjort sig från kyrkans suveränitet. Men barndomsminnenas makt kan han inte undandra sig, och halvt mot hans vilja börjar den skälvande strängen i Landsflykt ånyo tona:

En avskedsblick till den gamla bänk,
familjebänken, där i unga dar,
då ännu icke fattades en länk
i syskonkedjan, då mor och far...
då orgeln brusade med stormens röster,
och solen lyste på altaret i öster,
då många ljusen om julen brunno,
och barnatårar av skräckfröjd runno —

Med insändandet av första natten i oktober och tryckningen därav inträdde en paus i arbetet, och under den närmaste tiden tänkte sig Strindberg en publicering först till följande års jul. Redan den 5 november rapporterar han emellertid att han omedelbart vill gripa sig an då han annars riskerar att brinna upp: ”Sömngångarnätterna leka mig i hågen, de leka så att jag har sömnlösa nätter, och det far jag ej väl av.” Han tror sig i dessa verser få sagt mera än i prosabrev, och uppläggningen skall nu göras i stor skala, han talar om 5 à 6 ark, en poetisk målning av alla tidens krav, lidanden och tvivel. Den viktigaste förändringen är dock att de svenska avskeden nu skall infattas i utländska ramar, för vilkas skull han t. o. m. i sällskap med Carl Larsson som tilltänkt illustratör velat göra en studiefärd på Rhône och Medelhavet. I de följande nätterna, från och med den andra, får man alltså en alternerande serie av svenska tavlor och franska ramar. Därvid är dock att märka att den tidigare diktplanen där ramarna ännu inte var påtänkta redan till tre fjärdedelar var utförd. Tydligen har Strindberg först utformat sin dikt med enhetliga svenska lokaliteter, Adolf Fredriks kyrka, Nationalmuseum och Kungl. biblioteket, och därefter insprängt de franska ramskildringarna. Med denna omläggning hade emellertid arbetet ånyo kommit i gång, och de tre följande nätterna insändes resp. 15 november, 11 och 23 december. ”Det hela är ju ett konjunkturstycke och kan icke ligga!... Och det måste ut i januari, ty väg skall vara skottad när jag kommer med mina brev”, skriver han 17 december.

Studerar man originalmanuskriptet, som numera med Birger Mörners samlingar hamnat i Örebro stads- och länsbibliotek, kan man i själva verket ganska tydligt urskilja de vittgående ändringar som företagits i planen. Enligt *ursprunglig* uppläggning föreligger i denna handskrift — vars strukna överrubrik var Tre farväl — endast första natten och senare delen av tredje natten, besöket i biblioteket; den franska ramen till denna tredje natt saknas helt i handskriften. Utskriften av andra natten, museibesöket med tillhörande fransk ram, har verkställts på annat papper och är tydligen senare infogad. Handskriften bekräftar alltså hypotesen att de franska ramarna inte varit med från början. Det framgår vidare av breven till Bonnier att Strindberg i november inte endast tänkte sig en utvidgning i antalet ark utan också i antalet sånger, en serie om fem nätter. I originalmanuskriptet finns också ett inlagt blad där denna plan har utförts och lokaliteterna angivits: i andra natten Grèz och Nationalmuseum, i tredje natten Trocadéro och Vetenskapsakademien, i fjärde natten La morgue och Biblioteket, i femte natten Jardin d'acclimatation och Observatoriet. Nämnas kan att han alternativt också tänkte få med Nya kyrkogården och även räknade med en sjätte natt, vars rent teoretiska innehåll han antyder sålunda: ”Naturen är förstörd så att ingen kan leva där utan kapital. — I urskogen duga vi ej, ty våra kroppar äro fördärvade.”

3

Andra sömngångarnatten har som fransk inledning en skildring av artistkolonien i Grèz. Strindberg hade vistats i Grèz till in i oktober 1883 och har i en uppsats om Carl Larsson, insänd till kalendern Svea 3 oktober samma år, givit en hänförd målning av dess paradisiskt soliga konstnärstillvaro. Man erinrar sig det i våra konstannaler ryktbara Grèzmåleriet med dess fina gråtonade valörer. Strindberg prisar dess enkelhet och sanning och fångar dess vardagliga, milt idylliska väsen i följande ord om en Carl Larsson-tavla: ”En bit av pensionsträdgården i den lilla byn Grèz par Nemours, där han slagit sig ner i ro från Parisbullret; ett trädgårdsland med gula pumpor, en gumma som står i begrepp att välja den största och gulaste, några äppelträd och som bakgrund ett stycke av pensionens flygelbyggnad.” Mellan strapatserna roade man sig med sång och dans. En av konstnärskamraterna, finländaren Ville Vallgren, berättar i sin kuriösa

ABC-bok att den kände Pariskorrespondenten Spada brukade sjunga spanska visor till gitarr, och Strindbergs första reaktion när han anlände var: ”Nå det var då för väl man får höra annat än den där förbannade Bellman till gitarren.” Därefter vågade man aldrig mer sjunga Vila vid denna källa som man förut utfört i trio.

I graciöst luftiga färger och otvungna rytmer fångas artistkoloniens liv i Strindbergs dikt. Solen lyser på vita murar, den praktfulla köksträdgården prunkar med alla kulturens härligheter: med säkert målaröga är ramen kring den lantliga festen given. Det är sommarlättja, familjelycka och bohemtillvaro, under glam och skämt gör vinet sin rund i ringen, flöjten stämmes till spansk gitarr.

> Lätt går dansen på gröna marken
> utan frackar och handskar på,
> sommarkläder i ljusa parken —
> fête champêtre, idyll av Watteau!

Men sin relief och säregna betoning får den lätta bilden genom den plötsliga skugga som faller in över den. I nästa strof är danstakten förbytt i en folkvisas klagande mollton.

> Mellan flodens vassklädda stränder
> glider sakta en liten båt,
> skygga dyka de vilda änder,
> skator skratta åt ovan låt.
> Hör, där klinga så tunga toner,
> klaga över att sommarn gick bort,
> glädjens blomster i kalla zoner,
> leva livet så tungt och kort . . .

Den oförmedlade skiftningen mellan ysterhet och melankoli bottnar i den underströmning av hemlängtan som löper genom dikten. Men som fortsättningen visar beror den också på att Strindberg anknutit till Wallins Dödens engel, där likaledes det stojande muntra laget bringas till plötslig tystnad, dansen stannar och ljuden sänks då dödsängeln träder in.

I förstone är man givetvis böjd att räkna en sådan Wallintongång som en tillfällig versifikatorisk extratur. Det förhåller sig nämligen så att Strindberg liksom i sista versionen av Mäster

Olof och ett eller annat stycke i Dikter begagnar sig av en knittel som ibland kommer versen i Dödens engel ganska nära. Men i själva verket är anslutningen av väsentligare art och återkommer f. ö. mer än en gång; man kunde säga att den är ett uttryck för det höga och bjudande ärende vari Strindberg känner sig stadd. Intresset för Dödens engel berodde tydligen på att Carl Larsson illustrerat en 1880 utgiven upplaga av denna dikt, som Strindberg i samband med sin Larssonuppsats studerat och varav han rönt ett mäktigt intryck. I den nämnda studien framställer han Larsson som sitt alter ego, en orolig exponent för tidens övergångsskede, splittrad mellan å ena sidan sin inärvda förkärlek för det sköna, de gamla idealen, å andra sidan sin förvärvade nutidsblick på verkligheten i dess oändliga rikedom. Av ett brev från Larsson till Strindberg 22 febr. 1884 ser man f. ö. att en sådan inställning inte varit främmande för konstnären; på tal om Sömngångarnätter skriver han nämligen: ”Att Du river i konsten skall Du ha tack för; det är ju helt och hållet mina egna funderingar.” Men givetvis har tendensen förstärkts under Strindbergs inflytande, och i Sveauppsatsen har den kommit att ytterst kraftigt markeras. Larsson var kluven mellan ”det gamla såsom barndomsminnen” och ”det nyas logik”, och sliten mellan dessa makter arbetade han ”alls icke så harmonisk eller så lätt färdig som man ville döma av hans verk. Mest synes denna strid i ’Dödens Ängel’, där till och med konstens, hans egen levnadsuppgifts intighet föresvävat honom, och därför är detta verk det intressantaste av alla hans, emedan det ger illustrationer, icke blott till det stora poemet från 1830-talet, utan till en kämpande andes efter 1870.” Måhända har Strindberg tänkt på rader som ”mot mig ej lärdom och konst består”, i varje fall är det sin egen kamp han har velat se i ljuset av vanitastemat i det stora 30-talspoemet. Och Carl Larsson har villigt följt diktarens order och intentioner, då han på omslagsvinjetten till Sömngångarnätter med dess bild av ramlade väldigheter — religionen, konsten och vetenskapen — direkt upptar en av sina tidigare illustrationer till Dödens engel. Man kan säga att denna Strindbergs domedagsstämning samtidigt har upplivat hans ungdomsminnen av dialektikern Kierkegaard om vilken han 1872 skriver: ”Han är hemsk! Men han rifver en med i en dödsdans! Det är just min man!” Men som vanligt hos Strindberg är det en dubbelinställning i nihilismen: hans raseringsnit verkar som en kontamination av Savonarola och Offenbach, av Dödens engel och Sköna Helena, makaber dödsdans och fräckt uppsluppen cancan.

Dagen i Grèz är emellertid till ända, och med nattens inbrott börjar åter Strindbergs sömngångarvandring i Mälarstaden. Ånyo står han på avskedsvisit framför en tempelport, det skönas tempel. Som utilistisk proselyt önskade ju Strindberg bryta med poesiens onyttighet för att i stället inordna sig bland tidningsskrivarna — de åtminstone hade rätt att säga den nakna sanningen som han framhåller i Björnsonstudien maj 1884. Argumenten har han hämtat från Platon och Aristoteles, men av Likt och olikt framgår att till hans låga tanke om poesien också medverkade hans misstro mot inspirationens rustillstånd, de egna måttlösa överdrifterna i Sårfeber. Naturalismen i Frankrike styrkte honom endast ytterligare i denna åskådning. Dess trollerier med mänskliga dokument finner han alltför lätt avslöjade, dess egentliga uppgift var i själva verket att föra litteraturen över i tidningsartikeln som han ser som framtidens litteratur. Det är också för att predika konstens intighet som han nu träder in genom Nationalmusei portar. I vestibulen stöter han bland galoscher och käppar på Oden, Tor och Balder, så älskligt onationella att han avväpnas, och med oförbrukad galla kan han därför avleverera drabbningen med själve överguden, den otricoliske Zeus. Och nu följer en gäckande mönstring av hela den klassiska gudaskaran. Flyende Kristus och hans grymma lära hade diktaren en gång hamnat i den levnadsglada familjen Zeus och sorglöst njutit den behagliga flärden. Inför återseendet står han däremot oberörd och kall, och med otrolig aplomb bjuder han farväl till hela den lustiga sköna hopen som vid nyktert dagsljus ter sig enbart skrumpnad och ful. Han städar i sin själ och bereder sig för nya värv, han har förlorat sin tro på kejsarens nya kläder: ”man står för en gudaskara, och vips så har man ett hästlass med gammal gips”. Men liksom han i kyrkan upptäckt en gammal bekant i tvivlaren Descartes finner han också här helt oväntat en anförvant, den fule och missbildade Sliparen, den unga naturalismens representant: ”Kryp fram, du slav, men bort med kniven! Räta din rygg och höj dina blickar.”

Strindberg hade dock en alltför livlig förnimmelse av att vara en övergångsmänniska och hängde med sina innersta hjärterötter alltför fast vid konsten för att låta diktaren och drömmaren alldeles nedtystas av logikern och sociologen. Med älskvärd självironi slår han i epilogen till reträtt: "min ande är villig, men min kropp så ung". I själva verket torde man något överskatta det blodiga allvaret i Strindbergs avsked till konsten, om man inte klargör för sig att den bravurmässiga elanen samtidigt riktar en polemisk spets mot de djupt hatade signaturskalderna med Wirsén i spetsen. Det är därpå han syftar, då han i Tjänstekvinnans son säger sig med sin diktcykel ha velat visa "de andra" som satte den lyriska sporten så högt att han kunde den konsten också om han ville, fast han i grund och botten föraktade den. Han har alltså inte endast velat dräpa till den klassiska konsten utan också dess nutida utövare. Det är därför han i sitt farväl riktar så häftiga hugg mot "våra stora och små gengångare", "det gamlas unga lovsångare", som han med sådan förkärlek citerar just Platons och Boströms ringaktande konstdefinitioner och gjorde sig mödan att på originalspråket återge ett helt stycke ur Aristoteles' poetik. Det negativt polemiska är således starkt framträdande. Men i själva verket uppställer dikten också ett positivt konstideal. Om huvudpartiet av andra natten har sin udd riktad mot signaturerna, utgör nämligen ramen en hyllning till Grèzkonsten, framför allt till Carl Larssons enkla och sanna konst som inte höll sig för god att gå ut bland massorna. Man kan naturligtvis fråga sig om detta ideal i längden är så mycket mindre idylliskt än signaturernas. Men huvudsaken är att man här har ett uttryck för tidens demokratiska konststrävan. Har Sömngångarnattens kärna som Böök påpekat sin motsvarighet i Snoilskys Afrodite och Sliparen, är däremot ramens bärande tanke en parallell till samme diktares I porslinsfabriken: "O, den som kunde skänka dikten så Den enkla form, som tusenden förstå."

4

Tredje sömngångarnatten inledes med en målning av det dimmiga höst-Paris där Strindberg mera förundrad än betagen irrar omkring. Världsstadens avgrundskakofoni gör honom vimmelkantig och framkallar en obetvinglig längtan efter stillhet och frid. Och plötsligt reser sig framför honom en gotisk kyrka, under vars himmelssträvande fialer och bågar han hoppas få njuta helig tystnad. Men glädjen förbytes i villrådig häpnad. Kyrkan har blivit museum för yrken och slöjd, och detta uppfattar han som en symbol för utvecklingen: även ur templet ljuder tidens helvetesmässa. Avvisande och sträng tronar i koret en ny husbonde, ångpannans uppfinnare monsieur Papin, till hans ära spelar ångrören sin orgelmusik, uppsänder stenkolen rökelse, stänker vattenhjulet vigvatten: ave, ånga, ave, Papin! Storindustriens Medusaanlete, den moderna maskinkulturen kommer Strindberg att baxna, bringar just utilisten inom honom i uppror. Med avsmak vänder han sig bort från Papin, till vilken han riktar Prometeus' fråga till tidsguden, Sömngångarnätternas genomgående tema: "Har du upplöst en enda gåta? Har du givit ett hjärta tröst?" Nej, svarar diktaren, mäster Papin rör ej hjärtan mer än ett vedträ, skapar ej dygd och lycka med kalorik, och det avsked han nu upprepar till kyrkan har en annan färgton än det tidigare: beklämd går tidens son det nya till mötes, "ty det gamla, i all sin förskämning, uselt var det — men det var dock stämning!" Det traditionella har inte förlorat greppet om hans själ.

Storstaden Paris hade i själva verket mycket hastigt blivit Strindberg förhatlig och åstadkom en välvning i hela hans åskådning som f. ö. ytterligare befästes genom ett studium av sociologen Max Nordau. Redan i ett brev till Bonnier 5 november 1883 yttrar han på tal om Sömngångarnätter: "min hjärna är inflammerad av detta stadsbuller och denna världsstadsflärd, som retar mig med sina anspråk". Och i Tjänstekvinnans son heter det om Paristiden: "Det är nu han kommer på den idén, att storstaden icke är kroppens hjärta, som driver pulsarna, utan den är en böld, som skämmer blodet och förgiftar kroppen." Parisupplevelsen har med andra ord givit kraftig näring åt Strindbergs radikala rousseauism, som förut kommit till uttryck i Svenska öden och äventyr och kort efteråt söker sig utlopp i Likt och olikt och Giftas. I Sömngångarnätter har denna aversion mot världsstaden i själva verket åstadkommit ännu en välvning i planen. Den franska ramen som ju var en senare tillsats har i denna tredje natt växt ut till självständig betydenhet, blir inte längre blott yttre miljöskildring utan har fått samma intensiva karaktär av *avsked* som själva sömngångarvandringen. Strindbergs första avsikt var ju att hålla en uppgörelse med sina *gångna* livsstadier, men i denna och följande natt går han i lika hög grad till rätta med *nuets* makter. Oberoende av diktarens intentioner har de aktuella bilderna av dagens händelser och dagens idékamp trängt sig fram och blivit lika väsentliga som nattstyckena av gångna epoker. Poemet hade, som Strindberg själv säger, växt ut till en målning av alla tidens krav, lidanden och tvivel, det hade blivit en smältdegel för hans egna kämpande och sjudande livsproblem.

Mot *idéernas* nyhet i tredje natten svarar också *formens*. Det är den Strindbergska framtidsmusiken om publicisten som morgondagens litteratör som här spelar upp. Man kunde kalla dessa impressionistiskt uppfattade scener av det flämtande storstadslivet, där intrycken liksom kinematografiskt växlar och jagar varann, för ett enda genialt reportage, och av en besläktad teknik präglas även fjärde natten där läsaren hela tiden bombarderas med material ur författarens dossier. Som bekant var det under naturalismens inflytande han hade utbildat sin teori om tidningsartikeln som framtidens litteratur. Av intresse är då att han även i praktiken bygger på denna tidsrörelse; i Tal till svenska nationen uppger han nämligen att han i Sömngångarnattens storstadsskildring direkt hade byggt på Zola. Som sin diktcykels huvudförtjänst framhåller han att han "åt samtidens prosaiska innehåll givit en poetisk form, svenska landskap och franska landskap, själva Paris, där av en lycklig tillfällighet den lilla kyrkan S:t Martin blivit industrimuseum och gav mig en motsättningsbild, som blev en symbol. Detta var i mäster Zolas egen stil." Jag skulle tro att Strindberg direkt har tänkt på den Zolaska romanen Le ventre de Paris, vars gigantiskt förstorade skildring av saluhallarna han denna tid intresserade sig för. Hallarna tecknas där som århundradets enda ursprungliga byggnadsverk, tidsandans spontana uttryck, och som deras motsats ställes kyrkan Saint-Eustache, vars portal skymtade mitt uppe bland hallarna. Perspektivet tas som en symbol: realismen eller naturalismen hade växt upp framför det gamla. Förmodligen har denna gotiska romantik haft så mycket lättare att vinna fäste hos Strindberg som både Saint-Martin och Saint-Eustache också figurerar i den av honom så livligt beundrade Hugoromanen Notre-Dame de Paris. Sammanställningen med Zola är emellertid av särskilt intresse på detta tidiga stadium, då Strindbergs kontakter med denne naturalismens mästare ännu var rätt minimala.

Efter dagens hetsiga Parisupplevelser följer så Strindbergs tysta andebesök i Kungl. biblioteket, hans forna arbetslokal, där han som en annan Faust går att frammana andarna. Hans utbyte blir emellertid klent, ty inför livsgåtans lösning står teologer som filosofer lika svarslösa och summan av deras klokskap blir enbart grått i grått. Med drastisk komik och festlig abandon målas de gamla vismännens vilda tumult, en Swiftsk battle of books i ny upplaga; man igenkänner den skeptiska rösten från Mäster Olofs versupplaga med dess genomlöpande fråga: vad är sanning? Men genom Humlegårdens frusna popplar och lindar susar morgonvinden, morgonstjärnan bleknar för soluppgången, och trött på böckernas eviga kiv tar Strindberg sin tillflykt till naturen. Med sitt avsked till biblioteket förknippar han emellertid en profetia: en gång kommer den dag då paleotyperna hamnar i hökarboden och tidningarna binds i kalvskinnsband. Hans farväl till böckerna är med andra ord ännu ett farväl till det sköna och ett välkommen till tidningsartikeln.

Ett par litterära paralleller till Sömngångarnätter kan här lämpligen behandlas i ett sammanhang. Om man frånser biblioteksscenens *uppgörelseton* med dess hetsiga och rörliga tempo, synes den mig ha en omisskännlig likhet med Snoilskys dikt Till G. E. Klemming i samlingen av 1881, som sannolikt har gett Strindberg en impuls. Utmålningen av magasinens bokkolonner med deras blandade innehåll av kostliga missalen och torftiga flygskrifter är i båda fallen lika initierad, i bägge dikterna får man också bevittna hur ställets alla slumrande väsen frambesvärjes och håller sin man fången, tills dagen bräcker över Humlegårdens kronor. Likheten kunde ju här bero på att båda diktarna av den spiritistiske bibliotekschefen Klemming inspirerats till samma lyhördhet för böckernas andeviskningar, men samstämmigheten gäller även själva uppläggningen. Situationen med den fågelfrie landsflyktingen som i vakendrömmar gör en nattlig rundvandring i Mälarstaden är i båda styckena densamma, och i inledningens skildring av hur anden lossar stoftets band, återser gamla kända ställen, gator och torg, kojor och palats finns rent verbala överensstämmelser. Sammanställningen synes så mycket mer befogad som Strindberg under arbetet med sina dikter bevisligen har haft Snoilsky i tankarna. I brev till Bonnier inskärper han att hans diktsamling borde ha samma stil och format som Snoilskys, och på konkurrensen med dennes i december 1883 utgivna sociala dikter syftar hans ovan citerade uttalande att han "samtidigt med de stora skalderna skall ut i världen med vers". Jag återkommer f. ö. längre fram till denna parallell. Att man i samband med Sömngångarnätter även kan nämna A. U. Bååth har påpekats av Sylwan. Någon gång har också erinrats om Robert von Kræmers originella diktsamling Diamanter i stenkol, varmed enligt Strindberg i Tjänstekvinnans son realismen "redan 1857 hållit sitt förtidiga intåg i Sverige". Överensstämmelsen ligger först och främst däri att stoffet i båda verken är hämtat "ur samtidens prosaiska innehåll" men sträcker sig någon gång även till stil och komposition. Jag påpekar särskilt hur Kræmer i avsnitt som Öfversikt från S:t Pauls katedral och Nattstycke låter de sociala storstadsskildringarna utmynna i spekulationer över världens framtid och i kosmiska visioner av Strindbergsliknande art: "se evigheten och oändligheten! Se tidens intethet! Hvad är ett lif?" etc.

5

Fjärde sömngångarnatten fullföljer den kritiska uppgörelsen med storstaden. "Mätt på buller och civilisation" har Strindberg för att andas ut i naturens frihet tagit sin tillflykt till Bois de Boulogne, men denna visar sig vara endast teaterkulisser och faddhet och bereder honom idel besvikelser. På en ödslig stig dit han förirrat sig slår emellertid en taggig grankvist mot hans öra, och det omilda stinget av denna nordiska barndomsvän öppnar plötsligt hans känslas alla fördämningar. Soliga syner från "det fula landet med de vackra ögonen" överväldigar honom, och i fria böljande rytmer fångar han sin vision:

gröna ängar, där havet brusar,
blåa vågor, måsar och änder,
blommande vassar i lugna stränder,
vita björkar i konvaljelund,
smultronställen och abborrgrund.

I ett ögonblick har den ömkliga granbusken frambesvurit barndomens alla julminnen. Granen lyser i hemmets varma sal, tjänstefolket dras in från köket, allt är frid och förbrödring:

jubel-och-klang, så heter dagen,
jul och ljus och endräkt och ro:
evangelium, men icke lagen,
icke forska, men bara tro.

Skildringen är synbarligen skriven dagarna före julafton, och i uppsatsen Marthas bekymmer har Strindberg berättat, vilket besvär man hade att uppbringa en julgran, en liten stackare i blomkruka. Barndomsminnenas makt är tydligen orubbad. I en annan existens skall vi alla mötas, skriver han julen 1880 till J. O. Strindberg, och ”då skola vi hålla en jul såsom då vi voro barn!” Typiskt för Strindberg är också att det inte minst tycks vara denna julsentimentalitet som han saknar då han i sina Tal till svenska nationen utdömer de berömda Heidenstamska fem raderna.

Från Bois de Boulogne gör Strindberg slutligen en titt in i den närbelägna acklimatationsträdgården, över vars skriande onatur han utöser en fullkomlig störtskur av sarkasmer.

Och så följer Strindbergs sista sömngångarvandring i hemstaden, då han samlar sig till en uppgörelse med den exakta vetenskapen och styr sina steg till Vetenskapsakademien. Men kritiken drabbar också den trosvissa naturvetenskapliga världsåskådning som Strindberg mött hos 80-talets författargeneration, Det unga Sveriges för honom främmande rationalism. Med sin Darwinska evolutionstro förenade han nämligen denna tid tron på en gudomlig försyn och fann just i den lagbundna utvecklingen ett starkt bevis för tillvaron av en vis lagstiftare. I Tjänstekvinnans son skriver han om Det unga Sverige: ”De voro alla ateister. Hur kan man leva utan Gud, och hur kan man tro på lagar utan lagstiftare, var Johans invändning.” Med samma argument avhånas i diktcykeln den nya tro, där cellen installerats som högsta väsen och där man som primus motor vägrar anta annat än en tidigare cell, där man ”tror på skon, men förnekar skomakarn”. Och i en åkallan där smärta och ironiskt gyckel kämpar med varann utropar han:

O, urslem, urslem, fyll upp vårt hjärta
och släck vår andes brinnande törst,
o, protoplasma, du, som kom först,
befria oss ifrån tillvarons smärta.

Hjälpa i själanöd förmår naturvetenskapen lika litet som tekniken och monsieur Papin, må den därför besinna sin otillräcklighet. Mot vetenskapens högfärd, specialisering och avstängdhet predikar Strindberg här som i hela dikten en återgång till naturen.

Medan Strindberg är i farten i dessa lärda kvarter, sveper han också med observatorieannexet uppe på sandåsen, varifrån han liksom Arvid Falk från Mosebacke kastar en mönstrande blick ut över staden. I själva verket är stämningen i de båda scenerna ganska likartad, en blandning av vekhet och trots, en på samma gång innerlig och hårdhänt kärleksförklaring till hemstaden. Som en brandsoldat vill Sömngångarskalden ruska liv i det sovande folket och få det på benen, ty det är eld i knutarna. Tydligen är det de sociala rörelserna Strindberg här tänkt på, och man erinrar sig ett till sin närmare datering osäkert yttrande i 80-talsberättelsen Hjärnornas kamp: ”I Frankrike läste jag i två månaders tid L'Intransigeant, och jag väntade varje morgon höra, att revolutionen utbrutit och att Europa stod i lågor.” Det är klasskampssignaler som ännu är neddämpade men snart skall ljuda med större kraft i en novell som Dygdens lön. Observatoriebesöket utmynnar slutligen i en kosmisk fantasi och en hyllning till det ur isarna återuppståndna Sverige, där Strindbergs rousseauanskt folkliga patriotism får ett vackert uttryck: ”lev fri och stolt i din karga natur”. Undergångsstämningen är emellertid inte långt borta och återkommer på nytt i en dröm om solens och mänsklighetens utslocknande. Och därmed är man framme vid verkets *epilog*, som har sin särskilda historia.

6

I och med visionen om jordens undergång har Strindbergs skepsis och nihilism liksom fått sin grandiosa slutsymbol: allt har prövats och befunnits ohållbart, alla gamla och nya värden har virvlats in i den förintande dödsdansen, allt är vanitas vanitatum. Man står på nytt inför den Hartmannska pessimismen i slutet av Mäster Olofs versupplaga och Röda rummet. Men just i ståndpunktens ytterlighet ligger liksom möjligheten till en återvändo, och Strindberg slutar paradoxalt nog med att bekänna sin tro på livet. Det är ett quand même som kanske inte saknar anknytning till det 1700-talsbetonade dygdeideal Wallin låter hägra i Dödens engel: ”Du fylle kallet Och frukte icke! Ur sjelfva fallet Du uppåt blicke!”, ”Gör rätt åt alla, och lindra nöden, Försvara sanningen uti döden”, ”Med trohet verka och tåligt lid!” Strindbergs överbryggande av klyftan mellan tro och tvivel är emellertid av rent personlig art och torde enklast kunna betecknas med hans egen formel ”optimism av pliktkänsla”:

Nej, låt oss taga för ovisst visst,
och låt oss söka så först som sist
åt oss förljuva de sista stunder;
ty vi, som ej längre få tro på under,
vi måste själva gripa oss an
och bråka allt vad bråkas kan
för att åtminstone gå sista färden
ej såsom slavar, men frie män;
och efter vi leva i denna världen,
så låtom oss göra något för den . . .
de flestes bästa är det högsta väl.
Nu har jag talat, och räddat min själ!

Därmed har diktverket nått sin egentliga avslutning. Men de goda föresatser Strindberg här förkunnat har synts honom så angelägna och betydelsefulla att han i en tillagd epilog ”Men morgonen gryr! Det är nyårsdagen!” ytterligare har velat inskärpa dem. Mot det tvivel som från alla håll vill smyga sig över honom sätter han en hymn till livstron och broderskärleken. Snoilskys nya diktsamling som vid denna tid föll honom i händerna har styrkt honom i hans demokratiskt sociala inriktning, och som sina medkämpar i striden för den nya tiden inmönstrar han bönderna, de trospredikande lekmännen, journalisterna och så Snoilsky. Inför detta andarnas vaknande vill han tvinga sitt högmodiga tvivel i stoftet och nödga tron upp i högsätet, vill han vara en stridsman bland de andra för nästans intressen och väl: ”Och skulle än lasset ofta stjälpas, så stig då av och lassa igen! Och blir du liggande? Nå än sen! Ditt liv är väl ej förmer än de andras.”

Journalisterna och bönderna var ju denna tid föremål för Strindbergs tydliga klockarkärlek, de förra som framtidens litteratörer, de senare som företrädare för naturens uppror mot överkulturen. Vad åter angår Snoilsky rörde sig han och Strindberg dessa år i parallella banor, och otvivelaktigt finns mellan Sömngångarnätter och Snoilskys i december 1883 publicerade Dikter en viss genomgående likhet. Böök, som i en förträfflig utredning har gjort denna iakttagelse, fäster sig särskilt vid överensstämmelsen mellan andra natten och Afrodite och Sliparen. Något direkt beroende är här dock av kronologiska skäl omöjligt, eftersom manuskriptet till andra natten insändes redan den 15 november. Vid jultiden har Strindberg emellertid kunnat läsa den nya samlingen, och typiskt för hans sätt att reagera är att han genast vädrade ett angrepp. Juldagen 1883 skriver han sålunda till Pehr Staaff: ”Hur dant var Snoilskys! Framåt eller bakåt? Skällde han på mig? Ja eller nej! Detta måste jag veta, men endast ja eller nej!” Vännen kunde emellertid omedelbart lugna honom, och sedan han sålunda fått sin oro stillad har han med dess bättre samvete kunnat hylla skaldebrodern, som handlöst kastar ”sin gyllne lyra på offerbålet” och ”åt brodren trälen räcker sin hand”.

Betecknande för Strindbergs villrådighet är emellertid att epilogen underkastades en omarbetning och därför föreligger i tvenne versioner, som företer en del karakteristiska olikheter. Den definitiva som synes ha inkommit till förlaget 15 januari 1884 har en mera lugnt förtröstansfull hållning; först i denna inarbetades partiet om Snoilsky och om bönderna. Den tidigare åter torde ta sikte på den polemiska framstöt som han förberedde med sina svenska brev, för vilka Sömngångarnätter ju skulle bana väg. Natten och tvivlet var över, och snart skulle han vända hem på ljusa dagen ”och många gånger ännu bli slagen”:

Men när han kommer den komma skall,
den rätte man och den sanne hjälte,
då spänner jag av mig stridens bälte,
och då är döparens dagar all!
Då skall jag hälsa den nye Messias,
som fick sitt elddop i tidens flod
och skulle krävas en droppe blod
och får Johannes ej än befrias
ifrån sitt tagna men tunga mandat,
då låt den trötte sitt hjärta behålla etc.

Innehållet i denna version kräver sin särskilda utredning och bör troligen sammanställas med ett yttrande i Strindbergs brev till Bonnier 17 december 1883: ”Nu har jag träffat ihop med Björnson, som jag älskar. Det är den man jag så länge sökt; mest kanske därför att jag är så omanlig själv. Det är icke huggen jag får, som smärtar mig mest, det är huggen jag slår; tro det! Och därför duger jag ej till stridskarl. Kommer bara den rätta, då skall jag hälsa honom, och som David smörja Saul och dra mig undan!” Strindberg led ju själv i hög grad av det hat han samlade på sig, och en del av botgörarsinnet och självtvivlen i Sömngångarnätter kommer väl just av ånger över begångna polemiska oförrätter. Det förefaller dock som om han ansett denna version alltför självömkande i tonen för att passa som sluteffekt, och i omarbetningen nöjer han sig därför med att emfatiskt bjuda högmodet vika och tron krypa fram:

Stå upp du, tvivlare, slå spelet i kras,
här duger ej längre på vers att leka,
och när de knotiga påkar dras
då får du ej mera tveka!
Och slår du blindvis, och slår i sten
slå om igen tills du träffat målet,
och hugger du dig i ditt eget ben,
så är det ej mer än du tål’et.

Den Strindbergska självmoralisering som man sålunda bevittnar är ingalunda exempellös i hans produktion. Från början hade den som framgår av Tjänstekvinnans son rent personligt biografiska anledningar. Med dotterns födelse ett par år tidigare hade han nämligen återvunnit känslan av livets relativa värde för individen och i tanken på barnets framtid fått en eggelse att arbeta för det kommande. Som Lamm visat får det sitt uttryck i de båda dramerna Lycko-Pers resa och Herr Bengts hustru, som förkunnar det praktiskt oromantiska idealet att ta livet sådant det är och inte uppställa överdrivna fordringar. Att åskådningen bryter igenom i Sömngångarnätter synes emellertid också ha berott på ett inflytande utifrån. I brev till Björnson 21 febr. 1884 skriver Strindberg: "Så der! Nu rasar du väl som bäst öfver Nätterna! Det är en kamp med mig sjelf! Den slutar med en sjelfförebråelse och en botpredikan! Senare delen skrefs efter min bekantskap med dig!" Det är ju genom flera uttalanden känt att Björnson och Lie under sin samvaro med Strindberg i Paris julen och nyåret 1883—84 på allt sätt sökte motarbeta dennes pessimism och asketiska självplågeri. Lie skriver t. ex. om denna mission i brev till vännen Erik Werenskiold 8 januari 1884: "vi vil sætte en Smule glad, lys nordisk Kultur i ham, Tro paa hans egen Nation istedetfor mørk Mistvil og saa faa Fyrens positive Side frem". Lie säger sig också tro att denna livsglädjeförkunnelse bitit sig fast hos Strindberg, och själv yttrar denne i brev till Geijerstam på tal om Björnson och Lie: "Jag skyller dessa män mycket, ty de ha gifvit mig igen min gamla fasta tro!"

Tro på *vad?* kan man fråga sig, och svaret torde bli: tron på politiken och tron på den egna uppgiften. Strindberg hade under denna sin första egentliga utlandsresa utan tvivel genomgått en kris, i varje fall försatts i ett mycket pinsamt dilemma. Det var inte endast tron på vetenskapen och industrien som hade vacklat och det i samma ögonblick som han stod i beredskap att lämna diktningen och övergå till den sociala stridsfronten. Samtidigt väcktes också alla gamla tvivel till nytt liv. Breven till Björnson, Geijerstam och Pehr Staaff visar hur ytterst angelägen han är att inte bli desavouerad av vännerna: "Sömngångarnätterna kunde ha varit oskrifna! Det var emellertid min sista strid med mig sjelf. I hvad jag nu skrifvit och skrifver kommer hela saken fram" etc. Det var Björnson och Lie som enligt hans egna ord räddade hans själ. Breven visar genom vilka medel. Björnson uppmanade honom att bli "den store svenske europén" och förehöll honom att "politiken är nästans väl; vem kan klandra oss för att vi försvara andras intressen?" Strindbergs instämmande svar får man i

Sömngångarnätter: "Hell, hemland! Natten är över! Det fega tvivlet, som kraften söver för morgonsolen har vikit bort." Och samma positiva anda möter man också i epilogens energiska paroll om gemenskap: han vill moralisera sig fri från självtvivel och romantiska anfäktelser, räcka brodern trälen sin hand, vara en kämpe bland de andra i arbetet för världens demokratisering.

Samma fas i Strindbergs utveckling kommer också till uttryck i hans i februari 1884 skrivna uppsats Livsglädjen som kunde kallas förkunnelsen satt i teori. Som botemedel mot tidens pessimism rekommenderar han här en osjälvisk moral som sätter fortvaron i släktet framför den personliga fortvaron, vidare ett allmänt återvändande till naturen och över huvud en nyktert illusionsfri åskådning som nedskruvat de högtspända förväntningarna på livet. Då skall livstron vakna, "och om du ligger som en slaktad kalv, skall du ändock känna att det kittlar i vänstra sidan och drar i mungipan, ty då har du livsglädjen i nervändarna". Man kan kalla denna självuppgörelse för Strindbergs spontana reaktion mot sitt eget martyrpatos och sina egna obehärskade nervutbrott sådana de kom till uttryck i Sårfeberpoemen om det stora sköna hatet. Man kunde också kalla det för en orientering mot "lys nordisk Kultur" på grundval av en Hartmannsk frihet från illusioner. Men i en likartad gensaga mot Strindbergs eviga missnöje och känsloutbrott utbildades i själva verket också den nya livsglädjeförkunnelse som predikades av 90-talet och som även den influerades såväl av Hartmann som av Björnson. Man frapperas då av att Strindberg faktiskt på precis samma sätt har reagerat *mot sig själv.* Och man slås av att denna självkritik redan i Sömngångarnätter resulterar i en maning "att åtminstone gå sista färden ej såsom slavar, men frie män", dvs. i en hyllning till den moraliska tapperhet och illusionslösa stoicism, som senare ingick som ett moment i Heidenstams livsglädje. Det är kanske inte någon norsk "lys Kultur" men möjligen en efter förhållandena lämpad svensk version därav.

I den litterära utvecklingen har Sömngångarnätter med sitt stimulerande och till motsägelse eggande innehåll och sin banbrytande formgivning otvivelaktigt haft en mycket stor betydelse. För diktverkets helhetsintryck var det f. ö. inte oviktigt att "den fyrsatsiga symfonien", som Strindberg kallar den, 1889 utökades med en femte sats, "Finalen i D-moll", där drömstämningen i Landsflykt och de tidigare nätterna utbildades till en Poe-artad fantastik. I motsats till Dikterna blev Nätterna också såväl en publik- som en kritikframgång. Jag nöjer mig i detta sammanhang med att anföra två rent personliga uttalanden, intressanta också därför att de går stick i stäv mot varann. Diktverket hade av Strindberg tillägnats de båda Parisvännerna Björnson och Lie. I K. O. Bonniers stora förlagshistorik får man veta Björnsons mening. Till Albert Bonnier hade han vid ett sammanträffande i Paris meddelat sin mycket måttliga förtjusning och bl. a. yttrat: "Det är också ett hastverksarbete, och hos oss skulle man icke stå ut med dylika föreläsningar på vers." Omdömet är naturligtvis inte alldeles oberättigat. Men Björnson har å andra sidan råkat glömma att det hastverksbetonde hör ihop med själva den verskåserande genren och att denna i Strindbergs tappning också har sin oemotståndliga tjusning. Björnson har i själva verket förbisett allt det som gör diktverket till vad det är: fräschören och det lätta artisteriet, det fyndiga och måleriska i scenerierna, den spontant frambrytande poesien och så framför allt den levande ögonblicksbilden av en sällsynt dynamisk människa. I grunden mera träffande och även mera givande tycks mig därför Lies yttrande i brev till författaren 27 februari 1884: "Din Digtning er Tidsaanden blaasende indover os fra et varmt, til Grunds oprørt og beveget Hjerte, og fordi det kommer fra Grunden i Dig, tar det ogsaa Grundbraat indeni os andre, som læser det."

Ty däri ligger dock till slut storheten i detta diktverk att det utgör ett monument över de två stridande grundtendenserna i Strindbergs väsen — *behovet att tvivla* och *behovet att tro.*

HANS LINDSTRÖM

Strindberg och kriminalpsykologien

De åttiotalistiska analyserna av brottets psykologi är en underavdelning av naturalismens psyko-patologiska genre. För den litteratur, som valde det anormala till material vid sitt människostudium, erbjöd kriminologien ett rikt och vetenskapligt bearbetat stoff. — Redan vid vändpunkten i sitt författarskap, i Tjänstekvinnans son, noterade Strindberg detta uppslag till motiv för en psykologiserande diktning. I det strukna förordet med dess paradoxala krav på en konsekvent dokumentarisk litteratur rekommenderar han Pitavals och Feuerbachs samlingar av kriminalfall. Hänvisningen till dessa tyska brottmålsarkiv i samband med det litteraturprogram, som propagerar för varje medborgares självbiografi, är något dunkelt, då det i de båda fallen ingalunda är frågan om några förbrytarmemoarer. Tydligen har Strindberg menat, att de dels redovisar intressanta psykologiska fakta, dels erbjuder en parallell till tidningarnas rättegångsreferat, som han senare förordar såsom överlägsna ”konstruktionslitteraturen”. Pitaval och Feuerbach ger nämligen ganska konstlösa framställningar av det verkliga förloppet i märkligare brottmål samt dessutom referat av rättegångsförhandlingarna.

Strindberg tycks ha hyst en speciell förkärlek för de anförda skrifterna. Eklund har påpekat, att han redan 1878 hade Feuerbachs Darstellung merkwürdiger Verbrechen till låns från Kungl. biblioteket. Och ännu 1910, när Strindbergs fantasi kretsade kring en samtida mordaffär i Danmark, hämtar hans kriminalpsykologiska reflexioner näring från de gamla auktoriteterna. ”Människosjälen är icke upptäckt än i alla dess anomalier. — — — Bulwers Eugene Aram upplyser något och Feuerbach: Actenmässige Darstellung Merkwürdiger Verbrechen säger mycket liksom Neue Pitaval.” Det kan påpekas, att Strindberg inte var ensam om att finna givande psykologiska iakttagelser i dessa källor. Harald Høffding hänvisar till Feuerbach liksom till Bischoffs Merkwürdige Criminalrectsfälle, och hos J. P. Jacobsen observerar man tidigt den senare strindbergska konstellationen Poe-Pitaval.

I den psykiatriska litteratur, som Strindberg med sådan iver kastade sig över medan han arbetade på självbiografien, har han kunnat studera de kriminella företeelser, som hör samman med sinnessjukdomarna. "Vansinnighetslitteraturen" erbjöd gott om tillämpningsexempel för en kriminalpsykolog, egendomliga och makabra fall, som med förkärlek studerades och utnyttjades av diktare som bröderna Goncourt, Zola och Maupassant. Rättspsykiatrikern Tardieu hörde till profeterna i Flauberts krets, och de degenerationsteorier som framställdes av Morel och hans lärjungar blev inte minst på detta område föremål för tidstypiska spekulationer. — Att degenerationsproblem har sysselsatt Strindberg och Ola Hansson framgår av deras brevväxling — speciellt hos den senare fann hela detta idékomplex en fruktbar jordmån. Strindberg ägde i sitt bibliotek arbeten av två psykiatriker, tillhörande Morels skola: Legrains Du délire chez les dégénérés (1886) samt Saurys Étude clinique sur la folie héréditaire des dégénérés (1886). Hos de fall som här beskrevs, var kriminella tendenser och "folie morale" genomgående symptom, och Ola Hansson tyckte sig med all rätt påträffa gengångare från Poe i Saurys galleri av degenererade. Fallet Glenadel illustrerade t. ex. tvångsföreställningarnas oförklarliga och skrämmande makt i typisk poesk stil.

Hos Ribot och framför allt Maudsley fanns material av samma slag att hämta. Beskrivningen av kriminella tvångshandlingar och perversioner upptar här ett avsevärt utrymme, och man observerar vidare, att Maudsley har en analys av förbrytartypen, som föregriper Lombrosos definition i L'uomo delinquente. Han talar om en klass av "born criminals, whose instincts urge them blindly into criminal activity, whatever their circumstances of life, and whom neither kindness, nor instruction, nor punishment will reform, they returning naturally to crime when their sentences are expired, like the dog to its vomit or the sow to its wallowing in the mire". — Uppslag inom denna ämneskrets har vidare och framför allt den suggestionspsykologiska litteraturen givit; det fanns inom denna riktning ett livligt intresse för hypnotismens juridiska konsekvenser, och den av allmänheten starkt uppmärksammade forskningen rörande de kriminella suggestionerna kom att på ett betydelsefullt sätt befrukta Strindbergs tankevärld.

Det är emellertid framför allt bekantskapen med Lombrosos verk som ger Strindberg anledning att anknyta till den litterära genre, som i Sverige redan representerades av Geijerstam i hans novell Förbrytare. Karakteristiskt nog är det till Geijerstam som Strindberg i december 1888 skriver: ”förbryteriet jämte psykologien är vår räddning ur socialism och kvinnofråga”. Det behov av litterär förnyelse som här kommer till uttryck var en av orsakerna till Strindbergs nyorientering i och med Tjänstekvinnans son. Men i själva verket kommer också de nya uppslagen att i hög grad bli en funktion av hans lidelsefulla engagemang i kvinnofrågan och problematiken kring De stora — De små. Så blir också Lombrosos kriminologiska och antropologiska teorier ett medel att komma De små — däribland kvinnorna — till livs. Förbrytarna och De små blir synonyma begrepp i Strindbergs vokabulär — ungefär på samma sätt som kvinnan och hysterikan.

Det blir därför en naturlig följd, att Strindberg skarpt reagerar mot Nietzsches sympati för brottslingen-övermänniskan, sådan som den demonstreras i framför allt Götzendämmerung. I sin brevväxling med Nietzsche hävdar han gentemot denne sin och Lombrosos uppfattning av förbrytaren som en svag, degenererad typ. ”Cependant, avec l’esprit si affranchi il me semble que vous vous êtes leurré du type criminel! Regardez ces centaines de photographies accompagnant L’homme criminel de Lombroso, et avouez que le fourbe est un animal inférieur, un dégénéré, un fabile dépossédé des facultés nécessaires pour éluder les paragraphes de la loi, obstacles trop puissants à sa volonté au pouvoir. (Observez bien comme ils ont l’air stupidement moral tous ces bêtes honnêtes. Quel désaveu de la morale!)”

Samma ståndpunkt företräder Strindberg i breven till Ola Hansson. Nietzsche hade i sitt svar på Strindbergs kritik i det citerade brevet hänvisat till Galton, vilken i det antropologiska arbetet Hereditary genius påvisat, att förbrytarfamiljernas historia alltid pekar tillbaka på ”einen *zu starken* Menschen für ein gewisses soziales niveau”. På denna uppgift hänsyftar Strindberg tydligen i ett brev till Hansson den 19/2 1889. ”Galton (och Nietzsche) tro att brottslingen är en stark som ej kommit på sin plats. Det tror jag ej! Den starke intelligensen kan böja sig, vara smidig, bära, tåla, vänta! — — — Den starke brottslingen är svag i intelligens, (= dum) stark i emotionerna (= djuret).” Den sista karakteristiken överensstämmer med den som Nordau gav av kvinnan och som Strindberg så entusiastiskt anammade. Parallellen dras också helt följdriktigt, och ambitionen att göra kvinnan till förbrytartyp blir ett genomgående drag i Strindbergs patologiska kvinnoskildringar från denna period. Tendensen framträder tydligt i breven till Ola Hansson, och teorien utvecklas i all sin förmenta vetenskaplighet i de artiklar i kvinnofrågan, som tillkommer under åttiotalets sista år, samt på flera andra håll. I ett brev till Birger Mörner kritiserar Strindberg t. ex. Lombrosos geniuppfattning men ansluter sig däremot oförbehållsamt till den uppfattning av kvinnan, som han menade sig kunna härleda ur Lombrosos verk, framför allt dennes framställning av den prostituerade. ”Att kvinnan sammanfaller med brottslingstypen (horan i synnerhet) det kan man se var dag och kontrollera — — —. ”Ännu i Vivisections II kan man finna samma identifikation: ”La grande fillette se révèle: lubrique, voleuse, perfide, et le type criminel y est. Les disproportions du visage le nez trop court, la lèvre supérieure trop longue; Le rire continuel et bête, les chuchotements clandéstins, la gourmandise et toutes les passions viles.”

Kvinnosaken enligt Evolutionsteorien ger vittnesbörd om Lombrosos betydelse som stöd för Strindbergs antidemokratiska argumentering. Lombroso härleder sin åsikt om brottslingen som en atavistisk typ ur en jämförelse med de kriminella tendenserna hos de vilda folkslagen; brottslingen är liksom vilden en ”osamhällelig, lågt utvecklad varietet av människa”, för att använda Strindbergs terminologi. Från denna utgångspunkt löser nu Strindberg i förbigående negerfrågan: det är ett felslut, att negern skall ha alla en civiliserad och oförvitlig människas rättigheter, ty negern är ”en ociviliserad och närmast den europeiska förbrytar- eller idiottypen stående människa”. — Så dras parallellen vidare till kvinnan.

”Tyvärr talar fysio-psykologien för denna analogi, och nyare forskare hava haft det modet meddela sin upptäckt, att kvinnan jämförd med mannen erbjuder en stor del tecken, som utmärka den europeiska förbrytartypen eller den vanvettige — — — Förbrytartypen i Europa är nämligen ingen annan än den för samhället mindre anpassade individen, sålunda den om rätt och orätt omedvetna." Vad är Nora, Fru Alving och Rebekka West, själamörderskan, annat än omedvetna förbrytare, framkastar Strindberg och hänvisar till Schopenhauers upptäckt om "kvinnans instinktiva skurkaktighet". — Den fysiologiska och antropologiska beskrivning enligt Lombrosos schema, som sedan följer, visar bl. a., att den för kvinnan egendomliga åkomman hysteri är detsamma som brottslingens oförmåga att undertrycka sina passioner.

Temat går igen i den senare artikeln Kvinnans underlägsenhet under mannen, och det på grund därav berättigade i hennes underordnade ställning. Man söker bevisa kvinnans moraliska överlägsenhet över mannen statistiskt, påpekar här Strindberg. Men statistiken kan vara farlig, "då ju det manliga galanteriet och överseendet med den svagare, det 'sjuka barnet', ofta hindrar mannen att ange en kvinnlig förbrytare". Så hänvisar han till Lombroso, som har visat, "att brottslighet över huvud består i oförmåga att tillbakahålla de samhällsfientliga drifterna. Denna oförmåga är konstant hos barnet, dåren, epileptikern och hos hela den grupp av samhällsmedlemmar, som icke kunna styra sig, och vilka träffas i alla samhällsklasser men mest hos de lägre och obildade, vilka författaren tror utgöra en särskild typ, utmärkta genom psykiska och fysiska defekter". — "Jag vill sålunda icke välta någon skuld på kvinnorna, när jag på många anförda grunder anser dem vara mera omoraliska än männen, då de ju genom sin oförmåga att behärska sig, stå nära barnets och brottslingens typ."

Strindberg synes ha litterärt utnyttjat Lombrosos beskrivning av "le criminel-né" för första gången i den på våren 1887 skrivna Hjärnornas kamp. På den med anteckningar om reskamraten Gustaf Steffen fullklottrade konceptlappen till novellen går Lombrosos klassificeringssystem igen. "Kranium, Hår, Naglar, Skägg, Ögon (Strabism), Tänder, Fötter", noterar Strindberg och sammanfattar på ett annat ställe sina iakttagelser av de anatomiska detaljerna i ordet ”Bandittyp”. I novellen identifieras Schilf såsom tillhörande typen Meyer. Han har samma långa, gängliga, sneda kropp, samma vassa, närsynta ögon med orolig blick. Liksom Meyer är han en atavism, en ”återgång till vilden”, hatfull, hämndgirig, rå och osociabel. Han avslöjas också mycket riktigt som en förbrytare, som bestjäl och bedrar sin uppdragsgivare.

Visserligen översattes Lombrosos huvudverk från italienskan först 1887, men de kronologiska hindren för ett beroende avlägsnas av det faktum, att hans teorier om *homo delinquens* redan före detta år ägde europeisk aktualitet och livligt diskuterades, inte minst av den franska vetenskapen, där kriminologien hade gamla anor. Granskar man den tidskriftslitteratur, som Strindberg kan förmodas ha observerat, finner man gott om belägg för detta förhållande. 1885 och 1886 förekommer t. ex. flera artiklar om Lombrosos system i Revue philosophique, bl. a. redogör den berömde kriminologen Tarde ingående för förbrytartypens anatomiska kriterier. Diagnosen passar utmärkt in på Schilf-Steffen. I Revue scientifique 1886 lämnar Lombrosos lärjunge Ferri bidrag, och Lombroso själv medarbetar i Revue philosophique och La Nouvelle Revue. Hans uppsats i den sistnämnda tidskriften, L’anthropologie criminelle et les délits politiques i maj-junihäftet 1886, bör ha kommit under Strindbergs ögon. Slutligen kan det påpekas, att Revue des deux mondes i april 1887 bjuder på ett utförligt referat av L’homme criminel, som just utkommit i fransk översättning.

Att den litterära naturalismen skulle tillgodogöra sig Lombrosos uppslag är helt naturligt. Le criminel-né var en auktorisation av en obetingat deterministisk människouppfattning; hos denna varelse var predestinationen ett bevisat faktum, den moraliska ansvarigheten eliminerad. — Strindberg och Geijerstam var inte de enda som fann detta material litterärt gångbart. Léon Daudet berättar, att fadern var inne på samma linje. ”De longue date mon père projetait un roman sur le crime et l’*Homme criminel* de Lombroso l’avait, en dépit de ses lacunes, vivement intéressé. — — — Mais à ce moment parut la traduction en français de *Crime et châtiment* de Dostoievsky, — — —. Il jugea alors inutile de traiter le sujet du déclassé assassin”. Likaså studerade Zola den italienska kriminalantropologien och tillämpade dess resultat fr. a. i La bête humaine, där Jaques Lantier uppvisar åtskilliga av Lombrosos kriterier. Lombroso själv skrev f. ö. i anledning av romanen en artikel med utförlig granskning av dess kriminologiska applikationer. — Går man till det nordiska litteraturområdet, finner man i Garborg en fascinerad Lombrosoläsare. Han kallar i sina Kolbotnbrev Der Verbrecher för ”ei genial Bok; ei skræmeleg Bok”. Garborg berättar, att han under läsningen blir allt mer och mer uppskrämd, och slutligen inbillar han sig, att han själv är en förbrytartyp.

Ungefär samtidigt med Hjärnornas kamp skrevs Fadren. Också här kan man möjligen leta fram en förbrytartyp — naturligtvis Laura. Hon har drag av den kvinnotyp, som Strindberg senare demonstrerade i sina nyss citerade artiklar i kvinnofrågan — den typ som var en analogi med den ”europeiska förbrytaretypen”. Laura saknar förmågan att undertrycka sina passioner. ”När hon var barn, brukade hon ligga som en död, ända tills hon fick sin vilja fram”, berättar brodern-pastorn, och bekräftar därmed ryttmästarens egna erfarenheter. Liksom Rebekka West i Rosmersholm — enligt Strindbergs analys av dramat — begår hon ett ”själamord”, ”ett litet oskyldigt mord, som icke kan åtkommas av lagen; ett omedvetet brott; omedvetet?” (s. 77). — Maria i äktenskapsromanen visar samma tendenser, också hon är predestinerad, har brottets brännmärke på sin panna. ”Ett helt litet, omedvetet brott, framkallat av obestämda begär efter makt.” — ”Är hon sinnessjuk? Är hon en omedveten brottslingsnatur.” — Ännu tydligare är identifikationen i I havsbandet. Skildringen av Maria avslöjar rastecken som tillhör en lägre ras; hon företer t. ex. prognatism: hennes underkäke är för stor och påminner intendenten om ett rovdjur. I Lombrosos framställning är prognatism ett vanligt kännetecken på ”atavisme du crime”. Maria avslöjar sin mindervärdiga rastyp genom att sympatisera med brottslingar (s. 96) och föredra vilden framför filosofen (s. 111).

De anförda fallen visar i hur hög grad Strindberg utnyttjar studiet av Lombroso vid sina analyser av ”de små”, framför allt av kvinnan, som genomgående utrustas med för förbrytartypen utmärkande eller atavistiska drag. Ytterligare några exempel må anföras, där man har anledning att misstänka, att Lombrosos teorier spelar in. — Ett belägg erbjuder Gustavs analys av Teklas

”vampyrism” i Fordringsägare. ”Men detta är ju kannibalism! Vet du vad det är?” frågar han Adolf. ”Jo vildarna äter sina fiender för att få deras framstående egenskaper i sig.” Det är inte osannolikt, att symboliken här har inspirerats av Lombrosos beskrivning av vad han kallar ”cannibalisme par préjugé”. — Vidare kan det påpekas, att Strindbergs hatfulla angrepp på den asexuerade kvinnotypen, ”mankvinnan”, kan ha fått näring hos Lombroso. Denne anför nämligen genomgående såsom ett kännetecken på förbrytartypen av båda könen, att könsdifferenserna är mycket små: kvinnorna företer ofta ”l'aspect viril du visage”.

Till den egentliga kriminologiska genren, som tidigare har exemplifierats, anknyter Strindberg först i och med tre verk från 1888: novellen En brottsling ur Skärkarlsliv, Tschandala och Paria. Vidare skymtar ett hithörande motiv, mordet, i Den romantiske klockaren på Rånö och I havsbandet. I sammanhanget kan framhållas, att Strindberg i artikeln Om modernt drama och modern teater med hänvisning till Zolas Thérèse Raquin kallar mordet för ”ett stort och starkt motiv”. Han uppskattar särskilt Zolas deterministiska syn på brottet, frånvaron av både ursäkter och anklagelser. Det är Lombrosos vetenskapliga betraktelsesätt, den åsikt vari Taine instämmer i ett brev till författaren, som inleder andra upplagan av L'homme criminel: ”Comme vous, je pense que *déterminisme* et *responsabilité* sont deux termes parfaitement conciliables.”

En analys av dessa inslag i Strindbergs senare åttiotalsdiktning resulterar först och främst i ett konstaterande av sambandet med Lombrosos kriminalantropologi och den naturalistiska romanens brottslingspsykologi. Men iscensättningen av ”förbryteri”-motivet har vissa drag, som gör att den genetiska undersökningen måste arbeta efter flera linjer. Det är inte bara förbrytaren — Tschandala, paria, ”de små” — som figurerar i dessa verk; det är också hans traditionella motpart, detektiven, här kostymerad som övermänniska, arier, ”de stora”. Associationen till detektivromanens hjälte ligger nära till hands, när man observerar det analytiska skarpsinne och den logiska slutledningskonst som utvecklas av t. ex. Gustav i Fordringsägare, Törner i Tschandala, Herr X i Paria och Borg i I havsbandet. Detektivgeniet var en variant av den intellektuella övermänniskan, som Strindberg hade alla förutsättningar att uppskatta. Symptomatisk är hans förtjusning vid den genom Ola Hansson förmedlade bekantskapen med Edgar Allan Poe. ”Vad är Hjärnornas Kamp, Schleichwege, — ja Gillets Hemlighet (som jag i dag läste i Danskt korrektur) annat än E. P.!” utbrister han, och i ett senare brev framhåller han, att han även i Tschandala har anteciperat skaparen av det analytiska snillet Dupin: ”Det är Poe före Poe! komplett!”

Nu är det emellertid inte alldeles uteslutet, att Poe-läsningen har satt spår redan i Tschandala. Enligt ett brev till Bonniers var romanen troligen färdig först den 30 december, men redan under juldagarna har Strindberg studerat Poes noveller. Naturligtvis kan även överarbetningar ha gjorts innan den danska upplagan började tryckas. Speciellt blev Strindberg fascinerad av Guldbaggen (jfr brev till Ola Hansson 3/1 1889). Det är intressant att konstatera, att en detalj från denna novell går igen i Tschandala: den osynliga skriften, varmed Törner imponerar på förvaltaren.

Emellertid kan Strindbergs ”antecipering” av Poe delvis förklaras genom en annan hypotes. Kontrollerar man hans bokinnehav i auktionskatalogen 1892, finner man en hel del böcker tillhörande den enklare kriminallitteraturen, förrådande en ganska överraskande sida av diktarens litterära smak. Här representeras t. ex. Poe-lärjungarna Gaboriau och Wilkie Collins med flera romaner, och Strindberg äger vidare liknande alster av Jules Claretie samt G. Macés dokumentariska skildringar från Paris fängelser. Om Strindberg har intresserat sig för denna genre, ligger väl förklaringen däri, att den dels, följande traditionen från Poe, var starkt vetenskapligt inspirerad, dels presenterade en hjälte av strindbergsk favorittyp: den psykologiske vivisektören, mästaren i logikens konst. Gaboriau kan med sin vetenskapliga vokabulär i viss mån betraktas som en detektivromanens Zola, och hans detektiv, Lecoq, löser sina problem på samma sätt som Poes Dupin, ”par une suite de calculs assez compliqués grâce à une série d'inductions et de déductions qui s'enchaînent”. — Collins tar t. ex. — vilket särskilt anknyter till Strindberg — i The Moonstone (1868) upp hypnosforskningens aktuella problem och hänvisar i sammanhanget till fysiologerna Carpenters och Elliotsons berömda arbeten.

Möjligen kan man våga sammanställa denna litteratur med de detektivambitioner som gör sig gällande hos Strindberg, redan innan han lärt känna Monsieur Dupin hos Poe. Redan i Fordringsägare utvecklar hans alter ego, Gustav, en fullt detektivmässig skarpsinnighet, och magister Törner i Tschandala agerar spårhund med en virtuositet som inte står en Sherlock Holmes efter. I sin förbrytarjakt undersöker han kyrkböckerna och samlar bevismaterial från olika håll. Han avslöjar omedelbart fotavtryck såsom villospår, anbragta med samma högersko, och finner även skon "kvarlämnad som ett vilseledande corpus delicti". En avgjutning av det rätta spåret visar sig passa in i zigenarens fotspår — "till och med däri att becktrådarna på vänstra sidan voro lösslitna och i form av en ögla hade tryckt sig in i sulans läder". — Motivet är ju vanligt inom genren. Det kan påpekas, att detektiven Cuff i Wilkie Collins The Moonstone verkställer alldeles samma spåranalys. — Det finns även i själva iscensättningen i Tschandala element som erinrar om ifrågavarande romantyp. En hemlighetsfull dager vilar över det mystiska "slottet" med dess igenbommade dörrar, dess förfallna och igenvuxna trädgård och dess egendomliga invånare. Magister Törner skräms vid sitt första besök av underjordiskt hundskall och ett oförklarligt skri, "som av ett skrämt barn, en döende räv eller en kvinna i barnsnöd". Slutet på romanen är en nattlig skräckscen med starka effekter, och till rekvisitan hör vidare teckenskrift, osynligt bläck, bolmört och heliga snokar, som magistern förgiftar. Den böjelse för mystik och mystifikationer som här kommer till synes, demonstreras samtidigt i brevväxlingen med Ola Hansson. Fascinerad av Poe-läsningen bombarderar Strindberg vännen med tankeläsningsexperiment, chifferproblem, spekulationer om skattletning, suggestion, reinkarnation osv.

Herr X i Paria och intendent Borg har sannolikt ärvt något av Dupins detektivbegåvning. De deducerar med samma precision fram sanningen ur de fakta som respektive fall erbjuder. Borgs hjärna arbetar lika säkert som vanligt, fastän sinnessjukdomen redan angripit honom, när han av de två mördarna blir kallad till medikolegalbesiktning. Det är tulluppsyningsmännen, bröderna Vestman, som har dödat den ene broderns hustru, vilken även varit den andre broderns älskarinna: alltså ett incestuöst passionsdrama i naturalistisk stil. Mordvapnet är en spik, som slagits in i hjärnan. Borg är från början misstänksam. "Men han sade intet, frågade intet, ny han ville tvinga fram den dunkla bekännelsen genom att nödga mannen att tala först, viss på att han skulle röja sig vid första ord." — "Han såg straxt, att hon var död. Och på hennes sammanknipna ansiktsmuskler förstod han, att något våld var begånget, och när han tillika märkte att hennes hår var omsorgsfullt kammat över hjässan, förstod han straxt, att det gamla, goda sättet med spiken var använt."

En brottsling har samma litterära anor som Geijerstams Förbrytare: det är temat och betraktelsesättet från Zolas Thérèse Raquin som går igen, den strängt deterministiska iakttagelsen av drifternas välde hos primitiva varelser, med mordet som yttersta konsekvens. Liksom Geijerstam finner Strindberg den primitiva, driftsbundna människan bland skärgårdens befolkning, och i företalet till Skärkarlsliv kan man förnimma en återklang från kyrkoherdens slutreflexioner i Förbrytare. "Börjar det brista i familjebanden långt borta från grannar och tvingas starka lidelser länge, inträffa stundom hemska utbrott av naturkrafterna, då den vid död och fördärv vande skärkarlen icke räknar så noga med medlen. Då uppföras därute tysta sorgespel, om vilka man endast får höra antydningar, och varom jag glunkat något i ett par av dessa berättelser. Då springa blodsband sönder, förbjudna hägn överhoppas, naturen griper med hård hand vad han kommer över, och för hungern och kärleken existera icke längre hänsyn eller lagar." — Likheten med slutorden i Förbrytare är påfallande:

[1] S.S. XXIV s. 232 f. »Jag är övertygad, att den där spikningen i hjässan är uppfunnen av en adelsman eller präst under medeltiden», reflekterar Borg. Till detta kan kanske anmärkas, att det »gamla, goda sättet» bl. a. kommer till användning i Canterbury tales. I Fruns från Bath prolog heter det: »En del har under sömnen drivit in / en spik i huvudet på mannen sin / med gift ha andra tagit sin av daga» (Canterburysägner. I svensk tolkning av Harald Jernström, Sthlm 1938, s. 355 f.). — Det är svårt att avgöra, varifrån Strindberg kan ha fått sitt uppslag. Överdirektör Harry Söderman vid Kriminaltekniska anstalten och professor Einar Sjövall har haft vänligheten meddela mig, att de inte känner till något svenskt mordfall med denna kasuistik och att något sådant fall inte heller återfinns i gängse handböcker och sammanställningar av rättsmedicinska undersökningar.

”Hunger och kärlek — det var hela historien.”

I Den romantiske klockaren på Rånö antydes en sådan mörk tragedi på en kobbe ute i skärgården, där Alriks mor har fått sätta livet till, en händelse som kastar sin skugga över Alriks liv och ger nyckeln till hans psykiska skyddsmekanism. En brottsling innehåller analysen av ett liknande fall. Novellen är i stort sett ett rättegångsreferat av ungefär samma art som Strindberg förordade i det strukna företalet till Tjänstekvinnans son och erinrar härigenom också något om brottmålshistorierna i Der neue Pitaval och Feuerbach. Melker Johnsson har påpekat, att Geijerstam i sin novell Fadermord in i minsta detalj har följt rättegångsprotokollen från en mordhistoria år 1844. Det förefaller inte otroligt, att Strindberg har fått uppslaget till sin novell på liknande väg. Omständigheterna vid mordet, så som Strindberg skildrar dem, företer i varje fall någon likhet med ett omtalat mordfall i Vinslöv, bl. a. refererat i Aftonbladet 1884. Där omtalas, hur en man slagit sin svägerska sanslös med en träskovel och därefter nedstoppat henne i en avloppsbrunn, för att hon skulle kvävas.

Vad Strindberg åsyftar med sin novell är emellertid huvudsakligen att ge en analys av brottets psykologi i exakt anslutning till Lombrosos vetenskapliga teorier. Temat får dock en originell — och synnerligen karakteristisk utformning: det är inte mördaren-mannen som är den egentligen brottslige, utan offret-hustrun. Enligt medicinalrådets rapport tillhör Ek ej ”den kategori av individer, som den nyare vetenskapen anser predestinerad, eller på grund av organiska fel lättare hemfallen åt handlingar som för brott gälla”, eftersom ”icke hans kranium lider av asymmetri eller missbildningar, hans sinnen äro fullt normala, så att varken hans ögon äro afficierade av strabism (skevögdhet) eller daltonism (färgblindhet), icke heller hans hörselsinne röjer någon brist eller hans lukt och smak, och alla kroppens och själens funktioner befunnits normala — — —”.

Frågan om brottets orsaker blir inte klarlagd: det är ”sed, folktro, vidskepelse” att mannen inte talar på hustrun. Men efter rannsakningen kommer vetenskapens representant, doktorn, och en av nämndemännen sanningen på spåren. Ett fotografi av de mördade utvisar, att det är hon som har tillhört brottslingtypen:

hon har företett de fysiska abnormiteter som inte var till finnandes hos Ek; inte ens färgblindheten och den dåliga hörseln saknas i karakteristiken av denna i allo fulländade ”criminel-né”!

Intrigen i berättelsen Tschandala bygger som bekant på Strindbergs egna upplevelser på den danska gården Skovlyst, där han bodde med sin familj sommaren 1888 — i denna högst kuriösa miljö utvecklande en flödande produktivitet. Harry Jacobsen har i Digteren og Fantasten klargjort, hur intimt 1600-talsskildringen med dess variation på det stående temat ”hjärnornas kamp” ansluter sig till verkligheten: Strindbergs relationer till Skovlysts egendomliga invånare, främst förvaltaren-”zigenaren” Ludvig Hansen. Denne var i själva verket halvbror till gårdens ägarinna, ”baronessan” Frankenau.

Konflikten med Ludvig Hansen manifesterar på samma sätt som i fallet Steffen de paranoida tendenserna hos Strindberg, och upplevelsens litterära konsekvenser blir också desamma. Även i denna nya vivisektion blir Strindbergs motståndare ett demonstrationsobjekt för Lombrosos förbrytarkriterier, och åtskilliga detaljer i skildringen går tillbaka på L'homme criminel. Tschandala skrevs just under de höstdagar 1888, då Strindberg i breven till Nietzsche betygade sin anslutning till den italienske kriminologens uppfattning. — Situationen är analog med den i Hjärnornas kamp. I båda fallen rör det sig om personer, som av Strindberg misstänks för brott och som han för att få sina misstankar verifierade söker placera in i Lombrosos schema. Skillnaden är den, att det nya motsatsparet, Törner—zigenaren, har koncipierats under inflytande även från Nietzsche. ”De små” har identifierats med parias, ”en ras av förnedrade, som borde ligga underst såsom värmande och närande gödsel, för att arias adelstam skulle kunna skjuta upp och sätta blom vart hundrade år liksom aloën.”

Magister Törners psykologiska vivisektion på zigenaren avslöjar snart, att det är en förbrytartyp som han har att göra med, ”en storljugare och tjunatur”. Han är liksom Tschandala hos den vise Manu ”frukten av äktenskapsbrott, blodskam och förbrytelser”. Både han och ”baronessan” är starkt alkoholiserade, och även den senare är ärftligt belastad: modern har, som Törners undersökning av kyrkböckerna visar, varit prostituerad och tidvis sinnesförvirrad. Alla detaljer i beskrivningen av Hansen, även de fysiognomiska kriterierna, hänvisar till Lombroso. Också här, betonar Strindberg, är det frågan om en atavistisk typ, förbrytaren = vilden, och likaså gör han sig till tolk för Lombrosos syn på barnen, ”dessa små vildar och förbrytare i miniatyr”. — I ytterligare en karakteristisk detalj i romanen ertappar man Strindberg i beroende av L'homme criminel. Törner finner på en trädstam några av förvaltaren inristade tecken, som erinrar honom om de indianska hieroglyfer han sett avbildade i en resebeskrivning från Nya Sverige. Hans vän, adjunkten Bureus, tyder för honom deras innebörd. Handen ”betyder: att taga; nyckeln troligtvis: att låsa upp, och eftersom det här är tal om tjuvar: öppna andras lås; och ögat slutligen betyder nog ingenting annat än att se”. Det helas innebörd blir: ”stölden är begången, och man håller ögonen på oss!”

Lombroso behandlar i ett avsnitt av sitt verk, Hieroglyphes et écritures des criminels, förbrytarnas teckenspråk som en atavistisk företelse. Bland hans exempel, varav en del är återgivna i texten, återfinner man just dem som förekommer i Tschandala: en nyckel = stöld, ett öga = spionage. — Möjligen kan även Strindbergs intresse för grafologiska spekulationer återföras på studiet av detta kapitel hos Lombroso (samt av de skriftprov som ingår i hans Atlas). Redan i Hjärnornas kamp observerar han Schilfs handstil (den noteras även i utkastet till novellen tillsammans med de övriga ”förbrytarkriterierna”), och i breven till Ola Hansson finns flera belägg för samma slags funderingar.

På samma sätt som i de tidigare anförda fallen avspeglas Lombrosos inflytande i Paria. Herr Y:s fysiska och psykiska anomalier avslöjar för herr X en lägre ras, en atavistisk typ, som i sin intellektuella utveckling har stannat på barnets nivå. ”Ha vi inte stulit och ljugit som barn allesamman? Jo, säkert. Nå, nu finns det människor, som förbli barn hela sitt liv, så att de icke kunna styra sina lagstridiga begär. Kommer nu bara tillfället, så är brottslingen färdig!” Herr X representerar den objektiva och deterministiska synen på brottet och kan inte förstå Y:s skuldkänslor, hans genomskinliga bortförklaringsförsök. ”När barnet anses otillräkneligt, så skulle väl brottslingen också anses så”; ”Skulden har naturalisten utstrukit med Gud”, heter det i förordet till Fröken Julie.

Strindbergs avhängighet av Nietzsche och Lombroso i Tschandala har beaktats av den tidigare forskningen. Däremot tycks ett så vitt jag kan finna ganska påtagligt inflytande från annat håll hittills ha undgått uppmärksamhet. — I ett brev till Edvard Brandes i oktober 1888 meddelar Strindberg, att han håller på att anlägga en ”kriminalpsykologiroman”, alltså Tschandala. Samma brev upplyser också om att han har gjort en litterär nyerövring: han har läst mästerverket inom den genre som han nu själv vill pröva. ”Nu läst Raskolnikov! Bra, men Dickens! Medvetna intrigörer! Överstor personal! Och intrig! Inga män karaktärer: alla tala lika, som fyllrackor!”

Trots dessa invändningar, symptomatiska för de estetiska teorier som låg bakom Strindbergs naturalistiska dramatik, bör Dostojevskijs roman ha gjort intryck på diktaren, speciellt om man ser hans studium av Raskolnikov mot bakgrunden av de färska intrycken från Nietzsche. — Att Nietzsche har varit utsatt för en icke obetydlig påverkan från Raskolnikovs diktare är otvivelaktigt, och man kan förmoda, att Strindberg har observerat beröringspunkterna. Avvikelserna i fråga om det kriminalpsykologiska betraktelsesättet är visserligen, om Ch. Andler framhåller, avsevärda. ”Ce cérébral dégénéré [Raskolnikov], pour qui l'assassinat est une *expérience,* une façon de vérifier si son *aboulie* est incurable, s'il a en lui la force de 'franchir l'obstacle' du scrupule, n'est pas le type criminel auquel Nietzsche a songé.” Men å andra sidan finns en slående likhet. Raskolnikovs mord är ju baserat på en övermänniskoteori, som på många punkter överensstämmer med den tyske tänkarens.

Raskolnikovs argumentering lyder sålunda: ”Jag har helt enkelt antytt, att den ovanliga individen har rätt... dvs. icke någon officiell, endast en egen, personlig rätt att överskrida vissa skrankor, men märk väl, endast och allenast för den händelse, att utförandet av hans idé (som ju kan vara lyckliggörande för människosläktet) fordrar det. — — — alla de, som äro i stånd att upprätta något nytt, till följd av sina naturanlag äro ovillkorligt tvungna att bli brottslingar — naturligtvis mer eller mindre. — — — Jag håller endast fast vid min huvudtanke, och den består däri, att mänskorna enligt naturlagen i allmänhet kunna delas i två kategorier: en lägre (de vanliga) så att säga, materialet, som uteslutande tjänar till släktets fortplantning — och *egentliga människor,* som äga förmågan eller talangen att var på sitt område uttala ett *'nytt ord',* slå in på nya vägar." — Den förra kategorien, materialet, är skyldig att lyda — däri ligger dess bestämmelse, de övriga har rättighet att överskrida lagarna. "Om någon av dem i sin idés intresse måste skrida över ett lik eller utgjuta blod, så kan han med gott samvete ge sig själv tillåtelse därtill — naturligtvis alltid endast i proportion till sin idé och dess omfång. — — — Majoriteten av människosläktet, materialet, existerar ju i det hela taget endast och allenast för det ändamålet, att genom en viss kraftyttring, en viss, ännu okänd process, en viss kroasering av släkter och arter äntligen efter långa ansträngningar komma därhän att frambringa en någorlunda självständig människa, låt oss antaga en på tusen."

Dessa av Raskolnikov uttalade läror erbjuder ju en tydlig parallell till Strindbergs distinktioner mellan De stora och De små, de "differentierade" och massan. Det är Raskolnikovs teorier om materialet och de stora utvalda, som i nietzscheansk sättning återklingar i Tschandalas slutord: Manus lära om den ras av förnedrade, som skall tjäna som gödsel åt arias adelstam, blommande endast vart hundrade år. Och Törner handlar med Raskolnikovs teori för ögonen, när han låter hundarna bita ihjäl den ömklige zigenaren. Han överväger liksom denne mordets principiella berättigande. Han inser, "att hans person var av högre värde både för hans familj och för samhället än detta skadedjur, av vilket ingen människas väl berodde, men av vars utrotande mångas räddning var beroende." Ett ögonblick ryggar han tillbaka: "tanken på att ha mördat skulle kanske förfölja honom, liksom rädslan för det tillkommande förföljde den andre". Men så inser han, att hans ängslan för att krossa sin fiende har sina rötter i "känslan av ett människolivs värde, i lärosatsen om förlåtelse mot fiender, besegrade eller ej, gamla dumma läror, som den ondskefulle alltid hade betjänat sig av för att dräpa den förlåtande segraren, i historier om barmhärtighetens välsignelser — — —". Denna herremoral är magister Törners sista ord. Den omvände Raskolnikov, slutets ödmjuka och luttrade botgörare, har ingen motsvarighet i Strindbergs roman. För Törner är vägen till Damaskus inte aktuell.

GUNNAR BRANDELL

Till Damaskus, första delen

1

Utgångspunkten för Strindberg då han våren 1898 skrev första delen av Till Damaskus var hans egna upplevelser av verkligheten — med allt vad dessa upplevelser redan innebar av syntetisering och symbolisering. Han skapade den märkliga dramatiska formen i dramat genom att fortsätta i denna upplevelsens egen riktning, skärpa den, arrangera stoffet med tanke på dess dramatiska verkan, förenkla, dra ihop och sätta ut accenter i upplysande avsikt. På detta sätt har Till Damaskus, trots det direkta utnyttjandet av verklighetsstoffet, blivit ett syntetiskt och symboliskt drama. En närmare granskning av dramat skall belysa denna process. Därvid kommer dess motivkrets först i betraktande.

Det dramatiska förloppet i första delen av Till Damaskus är i sina grunddrag mycket enkelt. Den Okände möter Damen och enleverar henne från hennes första man. De bägge gifter sig och tvingas av ekonomisk nöd att ta sin tillflykt till hennes släktingar på landet, där de får ett blandat mottagande. Modren lockar Damen att läsa Den okändes sista bok, trots hennes löfte i motsatt riktning, och Den okände reser bort och hamnar på Asylen. Efter den samvetskris som där skakar honom går han, delvis i sällskap med Damen, sin väg tillbaka och upptäcker att han gjort människorna orätt. Då han återkommer till utgångspunkten finner han penningförsändelsen som hela tiden väntat honom på postkontoret. Dramat slutar med den moraliska lärdomen: "Det var min egen dumhet, eller ondska... Jag ville icke vara livets dupe, och därför blev jag det!"

De flesta yttre detaljerna i detta förlopp känner man igen från Strindbergs andra äktenskap. Det råder väl inte något tvivel om att Strindberg har tänkt på Frida Uhl då han talar om Den okändes och Damens sammanträffande i en litterär salong, där de "talade ensamma i fyra timmar": den förvirrade kurragömmalek och de ekonomiska bekymmer som därefter gav äktenskapet dess prägel går igen i dramat, liksom sceneriet hos de gamle bland bergen direkt återspeglar miljön i Dornach och Klam i Österrike. Men även om dramats stomme sålunda kan hänföras till upplevelser under åren 1892—94 har det knappast varit Strindbergs mening att skildra vare sig denna eller någon annan bestämd period i sitt liv. Med materialet från det andra äktenskapets tid vävde han samman reminiscener från både tidigare och senare epoker.

I motsats till Frida Uhl då hon träffade Strindberg är Damen i Till Damaskus redan gift, och Den okände "befriar" henne från hennes man, Läkaren eller "Varulven". Detta för ju tanken till Strindbergs första äktenskap, men triangelsituationen hade ännu äldre rötter i Strindbergs liv. I ett tidigt brev till Siri von Essen sade sig Strindberg ha "skyddat en kvinna förr mot hennes egen man" (12. 3. 76.). Han syftade på en kärleksaffär som föregått mötet med Siri von Essen och som långt senare tyngde på hans samvete. Genom att på detta sätt smälta samman det andra äktenskapet med tidigare erotiska upplevelser vann Strindberg ett dramatiskt gripbart uttryck för den skuld som Den okände ådragit sig. Han räknade också ut ett passande straff för denna förbrytelse, ehuru han inte lät det komma till utförande i dramat. Den okände fantiserar om ett giftermål mellan "Varulven" och hans egen första hustru, som skulle göra rivalen till hans barns förmyndare; detta motiv utgör en kontamination av Strindbergs gamla fruktan för en hämnd från Carl Gustaf Wrangels sida och hans farhåga att barnen i första äktenskapet skulle få en styvfar.

Den okände har emellertid också en äldre skuld att betala till Läkaren. En gång som skolpojke begick han ett streck, som denne fick ta ansvaret för. Även detta motiv kan följas bakåt i Strindbergs produktion, och sannolikt är väl att det bygger på någon faktisk tilldragelse. Intendenten i I havsbandet träffade oförmodat på en gammal skolkamrat då han mötte predikanten Olsson. En gång i skolan hade han gjort sig lustig över denne, med påföljd att predikantens hela liv tog en annan riktning. På liknande vis inbillar sig Den okände att Läkaren blivit "en varulv, därför att han som barn förlorade tron på en gudomlig rättvisa, då han blev oskyldigt pinad för en annans streck". Givetvis kan också litterära reminiscenser, t. ex. Rousseaus bekanta anekdot om bandstölden, ha inverkat på motivets utformning.

Inramningen kring scenerna med Läkaren kan med hjälp av Inferno lätt identifieras som hämtad från doktor Eliassons bostad i Ystad, där Strindberg vistades korta perioder 1895 och 1896. Det är inte osannolikt att något av Läkarens karaktär och hans en aning nedlåtande men vänliga hållning inför Den okände går tillbaka på Ystadminnena. Eliasson beskrivs i Inferno i ordalag som passar ganska bra på Läkarens skeptiska resignation inför ödets slag: "Änkling, enstöring, oberoende har han gått igenom livets hårda skola och ser ner på människorna med det starka och förnäma förakt, som härflyter ur en djup kännedom om den relativa värdelösheten hos allt, det egna jaget däri inbegripet." Läkaren framstår i första delen av Till Damaskus som en överlägsen ande vilken medlidandet mot slutet höjer till verklig själsadel.

Därför är det för åskådaren svårt att riktigt få syn på den andra sidan av honom, den som anges av öknamnet "Varulven". Även här spelar Ystadminnena in; Strindberg hade ju ett ögonblick misstänkt Eliasson för att stämpla mot hans liv, och den i Inferno relaterade episoden då doktorn visar upp ett dödfött foster, går igen i Läkarens demonstration av likstumpar ur en islår. Härtill kommer emellertid en ny kontamination av motiven. Då Strindberg i slutet av 1892 några dagar vistades i Weimar träffade han där Karl August Tavaststjerna och förälskade sig i dennes fru. I ett meddelande till Adolf Paul hette det: "2 dygns roman i verkligheten. Otroligt behagligt, intressant; hjärnornas kamp och hannarnes! Neue Liebe! Fullständig kärleksförklaring i hannens närvaro. Jalousie. Alles" (7. 12. 92). Denna situation som får sin förklaring genom Tavaststjernas dövhet går igen i den scen i Till Damaskus, där Läkaren vänder ryggen till och de bägge andra talar om honom i hans närvaro: "Ni kan gärna tala högt, ty min man hör illa men han ser på munnen vad man säger!"

Den närmaste psykologiska bakgrunden till Cæsarmotivet kan

studeras i Strindbergs berättelser om sitt besök på Sandhamn 1889. Han utnyttjade dessa erfarenheter redan då han skrev I havsbandet. Strindberg beskyllde Ekbohrn för både förföljelse- och storhetsmani, eller som det då ofta hette "kejsarvansinne"; men mellan raderna i hans hätska angrepp kan man utan svårighet läsa den oroliga frågan: Men jag själv då? Skräcken för vansinnet var i hög grad aktuell för Strindberg mot slutet av 80-talet, och han var förtrogen med tanken att självöverskattningen och misstänksamheten kunde vara sjukdomssymptom. Ekbohrn blev i detta perspektiv en spegelbild, ett slags dubbelgångare till Strindberg. I Till Damaskus återges denna situation i genial förkortning vid det första mötet mellan Den okände och Cæsar. Dåren är "inackorderad" hos Läkaren — Eliasson lär ha haft en "mindre vetande" patient i huset. Han går omkring och grubblar över "naturens oändamålsenlighet" och "ordnar om skapelsen", heter det med formuleringar som för tanken till övermänniskan Borg i I havsbandet. När han får se Den okände, som föreställes som en stor diktare, svarar han genast: "Cæsar är han, men stor är han inte", dvs. han har storhetsmani men han är inte stor i verkligheten. Den okändes oro stegras av den — för övrigt rationellt förklarade — namnlikheten mellan honom och dåren, och dramat igenom uppträder namnet Cæsar som en påminnelse dels om de pinsamma händelserna i ungdomen, dels om det hotande vansinnet.

Då Strindberg skrev andra delen av Till Damaskus hade han blivit intagen av dubbelgångarmotivets sceniska möjligheter och utnyttjade det på ett ganska äventyrligt sätt. I första delen har motivet däremot en psykologisk motivering och infogas organiskt i dramat. Strindbergs intresse för det ockultistiska dubbelgångarbegreppet under Infernotiden har föranlett uppfattningen, att Cæsar och Tiggaren i Till Damaskus I avsetts som motsvarigheter till William Wilson hos Poe eller Broder Medardus hos Hoffmann. Naturligtvis finns det ett samband med romantiken och ockultismen då Strindberg tar upp dubbelgångarmotivet till litterär behandling. Men här lika litet som eljest bör man överbetona det spekulativa hos Strindberg. Inför en del av de utläggningar som Till Damaskus givit anledning till skulle man vilja citera Strindbergs egen uppmaning till regissören av ett annat post-Infernodrama, Brott och brott: ”Och så: icke antyda avgrunder som icke finnas! eller djupsinnigheter som aldrig tillämnats!” (Till Schering 10. 9. 02.) Strindbergs utgångspunkt, inte minst då han skapade sina bästa och mest ”mystiskt” klingande verk, låg i verkligheten och hans faktiska upplevelse.

Liksom Cæsargestalten i upplevelserna på Sandhamn, så bottnar det andra dubbelgångarmotivet — det som knyter sig till Tiggarens gestalt — i föreställningar och farhågor från Dornach- och Paristiden. Bakgrunden är Strindbergs dåliga ekonomi och hans fruktan för att gå under i armod och dryckenskap. Som så ofta växlade hans ståndpunkt, så att han ibland idealiserade tiggargestalten, ibland fruktade den. Han kunde tala om att ”gå på rännstenskanten och ha Machtgefühl” som ett eftersträvansvärt tillstånd, men han kunde också reagera med avsky då han trodde sig läsa en motsvarande tanke om honom i andra människors ögon.

Tiggargestalten i Till Damaskus I är en projektion av dessa Strindbergs grubblerier kring en livsmöjlighet som var aktuell för honom själv. Även verkliga levande personer kan ha influerat på motivet, men inte så att Strindberg direkt porträtterat dem utan indirekt, därigenom att han försöksvis identifierat sig med dem och tänkt sig själv i deras situation. I detta sammanhang tänker man först och främst på Strindbergs ungdomsvän Jean Lundin som levde i armod i Paris, och i vilken Strindberg såg en introduktör till ”yrkets hemligheter” — dvs. tiggaryrkets. Men i Paris levde också en annan ”tiggare” vilkens existens sysselsatte Strindbergs fantasi. I ett brev till Littmansson sade han sig längta till den franska huvudstaden — ”Där Verlaine som är en straffad person vilken aldrig kunnat reda ekonomien, är berömd emedan han har talang” (odat. juli 94). Verlaines namn förekommer här och var i Strindbergs anteckningar, bl. a. på ett försättsblad i Ockulta dagboken vid sidan av motiv som kommit till utförande i Till Damaskus.

Strindberg både fascinerades av och fruktade ”tiggeriet”. Därför inger Tiggarens uppträdande Den okände samtidigt skräck och en känsla av underlägsenhet. Tiggaren är besk och satirisk, han talar latin och är för övrigt inte någon riktig tiggare enligt egen utsago; han inkarnerar således den fattiglapp med ”Machtgefühl" som Strindberg en gång fruktat att bli — och ibland velat bli. Strindberg låter Den okände fråga Damen alldeles som han själv skulle kunnat fråga Frida Uhl med syftning på t. ex. Verlaine: "Är det sant att han liknar mig?" Men Damen svarar inte på den frågan; med en av de geniala omkastningar som förekommer i Strindbergs dialoger utgår hon från den rätta frågan, den som motiverar Den okändes oro: Är det sant att jag liknar honom? Hon svarar mycket förnuftigt: "Ja, om ni fortsätter att dricka, blir ni lik honom!" Detta är, så enkelt det kan låta, själva kärnan i Tiggarens gestalt, dubbelgångarens raison d'être. Tonvikten ligger inte på det mystiska i dubbelgångarfenomenet, även om Strindberg för att stryka under motivet också förser Den okände och Tiggaren med vissa iögonfallande yttre likheter, t. ex. ärret i pannan. Gestalten har en uppgift att fylla som inkarnation av en livsmöjlighet för Den okände. Samma sak gäller Cæsar. Därigenom räddas dubbelgångarmotiven från att bli ockultistiska mystifikationer i skräckromantisk stil. I senare delen av dramat frigör sig Tiggaren från detta samband och uppträder som en självständig gestalt, men därmed skjutes också själva dubbelgångarförhållandet i bakgrunden.

Det finns i första delen av Till Damaskus strängt taget ytterligare en person som kan betecknas som dubbelgångare i alldeles samma mening som Cæsar eller Tiggaren, nämligen det lik som begraves av de brunklädda begravningstjänarna i första scenen. Efter begravningen slår sig följet ner på kaféet, och ett samtal utspinner sig:

Den okände Det var ett glädjelik kan jag se då gästerna berusa sig efter den heliga handlingen.
Gäst I Ja, det var en onyttig människa som icke kunde ta livet allvarligt.
Den okände Och som sannolikt missbrukade starka drycker också?
Gäst II Det var vad han gjorde.
Gäst III Och så lät han andra föda hustru och barn.
Den okände Det var mycket illa gjort. Men det är väl därför han får ett sådant här vackert liktal av sina vänner. — Var god och knuffa inte till mitt bord, när jag dricker.
Gäst I När jag dricker är det rätt...
Den okände När jag, ja, ty det är en stor skillnad på mig och de andra.

Den okände känner sig pikerad då gästerna börjar förtala sin döde vän och fattar genast "liktalet" som en kritik av honom själv. I detta fall kan man med full säkerhet följa motivet tillbaka i Strindbergs tidigare produktion: han har tagit fasta på en fullt naturlig händelse som gjort intryck på honom och i utformningen skärpt den en smula så att det hemlighetsfulla intrycket kommer fram. Våren 1891 då Strindberg bodde på Runmarö skrev han till Ola Hansson: "Jag bor i en stuga där för 2 år sedan en barndomsbekant bodde, då han dränkte sig i ett härvarande träsk därför att — hans hustru gått ifrån honom och tagit hans barn med sig" (12. 5. 91). Strindberg berördes illa av denna tragedi som inträffade just då han förlorat sina egna barn; kanske väntade samma öde honom själv. I novellen Silverträsket låter han huvudpersonen vara närvarande vid likvisningen och spinner ut parallellen ett stycke:

Sedan fasan för döden givit sig, samlades byfolket, och nu hördes liktalen:

— Han var stygg mot sin hustru.
— Och drack så fasligt, som han gjorde.
— Hon skall vara en riktigt ordentlig fru.
— Fy vale!
— Visst har han gjort av med sig!
Konservatorn lämnade sällskapet, högst oangenämt berörd; det var nästan, som om de gisslat honom.

Scenen vid kaféborden i Till Damaskus innehåller i princip ingenting som går utöver denna tidigare relation; den är bara sinnrikare och mera dramatiskt utformad. Strindberg kunde i ett teaterstycke inte som i novellen direkt upplysa åskådarna om att Den okände känner sig träffad av gästernas prat; redan av detta skäl måste han göra anspelningarna tydligare.

Det dramatiska skeendet ackompanjeras i Till Damaskus av en rad symboliska detaljer, vilka gärna återvänder som ett slags ledmotiv och vid insceneringen spelar den största roll för dramats verkan. Den symbolistiska tekniken förekommer ju på många håll inom dramatiken. Men Strindbergs symbolism i Till Damaskus första del är särpräglad. Maeterlinck bygger med stark stilisering upp sina stämningssuggererande scener. Något av denna teknik kan man väl spåra i Till Damaskus, t. ex. i den scenanvisning som lyder:

Ett högt flerstämmigt ackord av kvinnoröster närmande sig skrik höres inifrån kyrkan. Det upplysta rosettfönstret mörknar hastigt; trädet ovanför bänken ristar sig; begravningsgästerna resa sig från sina platser och se uppåt himlen som om de såge något ovanligt och skräckinjagande.

Men detta är inte karakteristiskt för Strindberg. Hans symboler har i motsats till Maeterlincks också ett intellektuellt innehåll och får just därigenom ett drag av gåtfullhet, som saknas i Maeterlincks rätt massiva effekter. Man märker den suggererande avsikten hos Maeterlinck, men det gör man inte hos Strindberg annat än i enstaka teatraliska arrangemang som det ovan anförda. Hos Ibsen möter en utpräglat intellektuell symbolism, men hans symboliska dramvinjetter får gärna, vare sig de är genomskinliga eller inte, ett drag av utspekulerad medvetenhet, av rebus. Strindbergs symboler lyser på ett mycket mera nyckfullt och organiskt sätt fram ur dramats struktur; de har på en gång intellektuell och emotionell innebörd men är i bägge avseendena ytterst svåra att tolka och precisera.

Denna Strindbergs symbolism låter sig endast förstås mot bakgrunden av hans tillvägagångssätt vid skapandet. Lika litet som förtätningarna i händelseförloppet eller dubbelgångargestalterna är dramats symboler någonting vid skrivbordet utspekulerat. De hade djupa rötter i Strindbergs upplevelse och var i många fall mättade av ett starkt och för honom själv oklart symbolvärde redan innan de fördes in i den dramatiska konceptionen.

De ackompanjerande symbolerna framstår som projektioner av Den okändes undermedvetna farhågor och förhoppningar. Särskilt i förra hälften av dramat uppträder Strindbergs hjälte utåt som en skeptisk ”gentleman” med en trotsig och överlägsen inställning till tillvaron. Symbolerna visar på ett för åskådaren gripbart sätt vad som rör sig inom honom. Dramat utspelas genom dem på två plan, ett medvetet och ett undermetvetet, och de konkretiserar en ”esoterisk” föreställningsvärld som Den okändes medvetna jag först efter hand accepterar.

Att Strindberg avsiktligt ville åstadkomma en dylik scenisk gestaltning av gränsområdet mellan medvetet och undermedvetet framgår av en sedermera struken replik i Till Damaskus. Då Den okände möter Modren får han av henne besked om det motiv som drivit honom att ge Damen namnet Eva: han vill som en trollkarl fördärva hela kvinnans släkt i sin "självgjorda Eva". Den okände häpnar över detta skarpsinne och frågar hur Modren kan komma på sådana tankar. Svaret lyder i den tryckta versionen helt enkelt: "De äro edra". Man vill gärna tänka sig att hon funnit dem i den i dramat mycket omtalade bok som Den okände skrivit, dvs. En dåres försvarstal. Men detta har inte varit Strindbergs mening, att döma av den strukna fortsättningen: "... men Ni har icke kraft att dra fram dem i ljuset själv... eller icke mod." Modrens intuition uppspårar tankar i Den okändes undermedvetna som denne inte vill erkänna inför sig själv. Något motsvarande gäller om hela symbolvärlden i första delen av Till Damaskus.

Den okände förklarar i första scenen för Damen att han inte fruktar döden. "Icke döden, men ensamheten" är det som skrämmer honom, och medvetandet om att ha döden i sin hand ger honom "en otrolig maktkänsla". Icke desto mindre irriteras han märkbart av Mendelssohns sorgmarsch som gång på gång ljuder i bakgrunden. På liknande vis hade Strindberg blivit skrämd av Schumanns Aufschwung därför att den påminde honom om Przybyzsewski och dennes förmodade mordplaner. (I manuskriptet till Till Damaskus figurerar ursprungligen Schumanns stycke). Man kan också i Inferno möta den egendomliga kontrast mellan självmordsidéer och krampaktig dödsskräck som får en så slående demonstration i första scenen av Till Damaskus. Ännu mer påtagligt blir här det ambivalenta själsläget, då Den okände slår sig i slang med begravningstjänarna och dessa talar med honom om en "timmerman". Skalbaggen med detta namn kallas "dödsuret" och anses i folktron båda död. Som Lamm påpekar hade Strindberg själv tyckt sig höra ett misstänkt tickande som av ett "dödsur" innanför sin väst. Den okände bevarar emellertid sin sturskhet. "I så fall ber jag få upplysa att jag varken är rädd eller tror på mirakler". Men han känner en "oro" som inte stillas av det följande resonemanget om den dödes dryckesvanor. Verklighetsbakgrunden till denna bisarra scen finner man i Legender. Där berättas hur Strindberg en dag hörde ideliga själaringningar i kyrkan och mötte två begravningståg efter middagen. ”Vad allting luktar död i dag!” På kvällen såg han en drucken man vid källarens mur och fick senare veta att mannen avlidit. Detta uppfattade han som ett ”giv akt för drinkare” och beställde mjölk till kvällsvard. I Till Damaskus gestaltas denna ”hemliga fruktan” på ett dramatiskt uttrycksfullt sätt genom timmermanssymbolen och ”liktalet”.

Då Strindberg under Infernotiden mottog dylika intryck som väckte hans ångest till liv, greps han av en känsla att de inte var helt verkliga; han kallade dem ”halvvisioner”. Tiggaren på Brasserie des Lilas framstod som en sådan halvverklig figur, likaså de människor som dök upp på Boulevard Saint-Germain då Strindberg satt med en absint framför sig. Fruktan för deliriesyner kan här ha spelat in, men egentligen är ju hans karakteristik av den svävande verklighetsgraden alldeles exakt. Då han tolkade in t. ex. en ”varning” i vad han såg, var ju elementet av ”varning”, den speciella adressen till honom själv, någonting icke verkligt. För att inför åskådaren framställa denna svävande verklighetshalt lät Strindberg i dramat gästerna vara brunklädda i stället för svartklädda, försåg dem med en bila omvirad med granris, och gav samtalet färg av folksagans skämt- och förväxlingsdialoger:

Den okände Om förlov, men vem var den döde?
Gäst I Det var en timmerman!
Åstadkommer ett ljud som av ett urverk.
Den okände En riktig timmerman eller en sådan där som sitter i träväggarne och knäpper?
Gäst II Båda delarna, men mest en som sitter i väggarne och knäpper — vad kallas han nu igen?
Den okände (för sig) Skälm! Nu vill han narra mig att säga dödsuret, men jag skall svara något annat för att retas med honom. Gästen menar en guldsmed?

Skräcken för vansinnet och förfallet har först och främst projicerats i Tiggarens och Cæsars gestalter, men den får också andra uttryck. Utanför Rosenkammarens dörr ligger enligt scenanvisningen ett fattighus, "en mörk ruskig byggnad med svarta fönsterhålor utan gardiner". Den okände vill inte se åt det hållet; fattighuset tycks vara byggt enkom för hans skull, säger han: "Och så står där alltid en galen kvinna och vinkar hitåt". Den sinnesrubbade kvinnan hade Strindberg enligt Inferno iakttagit i Österrike, liksom också fattighuset.

Ett hemlighetsfullt samband med galenskapen har också den dramat igenom ofta förekommande julrosen. Den är föremål för Cæsars speciella omsorger. Han anser det "dumt att Helleborus skall stå ute och frysa i snön", och därför tar han in blommorna i källaren över vintern så att de blommar på sommaren i stället för vid jultiden; detta är hans sätt att "ordna om skapelsen". Damen bär en julros vid sin barm och skänker den åt Den okände som en "medicin" vilken "förr botat galenskap". Under sin odyssé från plats till plats plågas Den okände och hans följeslagerska av den "alltid vissnande julrosen". Sommaren blir höst och vinter, vintern blir vår, men julrosen står där alltjämt vissnande. Helleborus får i Strindbergs symbolik en affinitet med galenskapen därför att den blommar så oregelbundet och vissnar vid en tidpunkt då andra växter vaknar upp ur vinterdvalan. Man kan förmoda att han inför denna växt erfarit något av den "snedhet" i hela sin varelse, som han kände vid tanken på kvävets osymmetriska fördelning i luft och vatten. (Till Lidforss 1. 4. 91.) Att Cæsar liksom Den okände känner sig oroad av julrosens egendomliga vanor bildar en ny associationsräcka, som förbinder de tvenne dubbelgångarna. Härtill kommer de lärda associationer som knyter sig till julrosen. Enligt sägnen botades Herkules — intendenten Borgs och Strindbergs tidigare idol — för sitt vanvett genom roten av Helleborus niger. I romersk och medeltida folktro ansågs den duga till att fördriva onda andar.

Fruktan för illvilliga demoner eller andra krafter — som i Inferno också får direkta uttryck — förmedlas i Till Damaskus huvudsakligen genom symboler. Hithörande ångestmättade detaljer utgör huvudparten av det symboliska stoffet. Sceneriet från "hålvägen" vid Klam som Strindberg kallade Infernolandskapet, kommer till användning i andra och fjärde akten. Skjulet med häxornas insignier, kvasten, bockhornet och den om Dantes helvete påminnande smedjan är bara ett urval av iakttagelser som Strindberg gjort i Österrike. Den rovfågel som skrämmer Den okände då han stigit upp på natten utgör en materalisering av ångestkänslor från vistelsen i Österrike; man erinrar sig att Strindberg drömt om en örn som straffade honom och talar om en ”osynlig gam” som överfaller honom nattetid. Den okände ser slutligen djävulen i borddukens mönster, alldeles som Strindberg i pannån på stadsläkarens skåp i Ystad.

I samma bordduk ser Strindberg ”Varulvens” porträtt som senare också uppenbarar sig i en av hålvägens klippformationer. Dylika illusioner överflödar ju i Inferno, där Strindberg också berättar hur han avsiktligt utbildar sig till ”skådare”. Klippan vid ”Schluchtweg” uppfattas där som ett ”turkhuvud”. I dramat tjänar dessa detaljer till att konkretisera Den okändes samvetskval efter enleveringen. Det är ”samvetet, som slår upp, när man är hungrig och trött, men går över när man är mätt och utvilad . . .”. En annan och vidare symbol för det dåliga samvetet är den bullrande kvarn som Den okände tycker sig höra. Samma sensation förekommer i Inferno där den anges vara en påminnelse om Guds arbete med människans renande: ”Det är Herrens kvarn, som mal långsamt, men mal fint — och svart!”

De direkt religösa symbolerna är av mera konventionellt slag. Dit hör först och främst hela den katolska stämningsrekvisitan, Sainte Elisabeths kapell, rosenkransen, kalvarievägen osv. Men även här finns inslag av personligt symbolskapandet. De tre masterna på ett skepp som får föreställa Golgata hade, som Gunnel Sylvan visat, sysselsatt Strindbergs fantasi redan på 70-talet och blev sedan motiv för en tavla som målades 1894. Sylvan har vidare pekat på den roll kontrasten svart-vitt spelar för Strindbergs målning och erinrar i detta sammanhang om att han på den stående fonden då Till Damaskus sattes upp ville ha två berg, det ena svart och det andra vitt. Samma symboliska kontrast finns i själva dramat, där den vita kvarnen står mittemot den svarta smedjan. Anblicken kommer Den okände att tänka på en ”gammal dikt” heter det; man har kanske rätt att gissa på Divina Commedia med den mörka helvetestratten och det solbelysta skärseldsberget.

En egentligen inte symbolisk utan snarare teknisk roll för

dramat spelar slutligen de ockultistiska inslagen. Hos du Prel och Stanislas de Guaita hade Strindberg tagit fasta på teorierna om själsförflyttningen. Redan tidigt på 90-talet ansåg han telepati vara möjlig och senare tyckte han sig ha iakttagit att han i exalterat tillstånd kunde förflyttas till en främmande plats. Dessa utomnormala upplevelsemöjligheter intresserade Strindberg även då han ansåg sig som ren vetenskapsman, och de hör till de elementära inslagen i en ”naturalistisk” ockultism. I Till Damaskus förekommer både telepati och klärvoajans. Damens upprepade entréer i första scenen motiveras med att Den okände har ”ropat” på henne. Den okände kan på långa avstånd känna om man talar om honom, och omvänt visar det sig då han och Modren mötas, att hon sett honom förut och ”nästan väntat” på honom. Innan Den okände följt Damen till hennes hem ser han Köket i ett slags vision, liksom Strindberg i Paris tyckt sig se landskapet vid Klam i ett zinkbad. Vid samma tid hade svärmodern i Österrike enligt Legender ”faktiskt” sett en skepnad liknande Strindbergs bakom pianot i sitt hus i Österrike.

2

I företalet till Ett drömspel betecknade Strindberg Till Damaskus som sitt ”förra drömspel”. Strindberg kunde någon gång uttala förkastelsedomar över sina tidigare verk, men mera karakteristisk för honom är en strävan att ge dem nytt värde genom att tolka dem i enlighet med sin aktuella situation. Då han betecknade Till Damaskus som ett drömspel låg däri ungefär lika mycket sanning som då han 1894 kallade Klockaren på Rånö och I havsbandet ”symbolistiska” arbeten. Denna antydning från Strindbergs sida har emellertid vilselett en hel skola av Strindbergstolkare vilka talar om Strindbergs ”drömspelsdramatik” som en enhetlig grupp, omfattande Till Damaskus, Drömspelet och kammarspelen, eventuellt även Stora landsvägen. Skillnaderna i teknik, stämning och tankeinnehåll mellan dessa dramer förbigår man därvid med lätt hand. Särskilt första delen av Till Damaskus blir vantolkad om den på detta sätt betraktas i belysningen av de senare dramerna. Hans Taub utläser sålunda ur dramat en platonsk och buddhistisk filosofi i stil med Drömspelets, och förklarar att de tre delarna Till Damaskus till förutsättning har Strindbergs förmåga att se ”inåt” och erinra sig sina nattliga drömmar.

Till dylika olyckliga generaliseringar har också bidragit att man ofta bortsett från olikheterna mellan de skilda partierna i Till Damaskus. Om man vill betrakta diktverket som en fristående entitet, i enlighet med den nykritiska metodläran, måste man se till att det behandlade verket av diktaren verkligen skapats och avsetts som en enhetlig konception. Till Damaskus skrevs i tre repriser, den första delen våren 1898, den andra på sommaren samma år, den tredje slutligen tre år senare. Ingenting tyder på att Strindberg då han slutade första delen hade klart för sig att han ville skriva en fortsättning. Andra delen kan sålunda betraktas med hänsyn till den första, liksom den tredje med hänsyn till de båda föregående. Men första delen måste principiellt behandlas som ett fristående drama, eftersom det planerades och skrevs som ett sådant.

Då det gäller första delen av Till Damaskus passar inte formuleringar som de anförda. Strindberg noterar inte där sina drömmar utan utgår — med ett undantag som senare skall behandlas — ifrån verkliga, vakna upplevelser. Han ser inte inåt, tvärtom, han vänder i hög grad blicken utåt mot verkligheten. Denna verklighet är emellertid inte densamma som flertalet människor känner till. Dubbelgångarna, de återkommande symboliska detaljerna, hela det stoff som granskats i föregående avsnitt gör ett främmande intryck, som man gärna griper till ordet ”dröm” för att karakterisera. Strindbergs upplevelse av verkligheten förefaller drömlik; han gjorde själv samma reflexion då han talade om att livet tedde sig ”som en dröm” för honom. Grunden till detta förhållande är uppenbar: medan människor i gemen projicerar sina undermedvetna konflikter främst i drömmarna, lät Strindberg dem dessutom projiceras ut i omvärlden. Han såg på ett drömmande sätt som betingades av hans neuros; häri ligger det karakteristiska i den autistiskt präglade upplevelseform som hos honom bröt igenom under Infernokrisen.

Vad som skildras i Till Damaskus är därför inte en dröm eller drömmar; det är verkligheten sedd i en belysning som erinrar om drömmens. Om man går till Strindbergs egna uttalanden finner man också att han då dramat skrevs ingalunda själv uppfattade det som en drömskildring. I ett brev till sina barn inskärper han att dramat är "fantastiskt och lysande" men samtidigt "spelande i nutid och med full verklighet bakom" (24. 5. 98). Till Geijerstam heter det med en mera exakt formulering: "Ja, det är nog en dikt med förfärande halv-realitet bakom sig" (17. 3. 98).

Detta hindrar inte att Strindberg kanske gärna ville att åskådarna uppfattade det som en dröm. Som centrum i dramat betecknas i det anförda brevet till Geijerstam den drömlika Asylscenen i mitten. Men någon jämn utveckling från det mer reella till det mer fantastiska och tvärtom kan man inte finna i dramats förra resp. senare hälft. Intrycket av overklighet ökas i samma mån som det symboliska och bisarra stoffet träder i förgrunden. Den inledande scenen med begravningstjänarna och Tiggaren gör sålunda ett betydligt mera overkligt intryck än de efterföljande scenerna vid havet och på landsvägen. Detta i första hälften. I den andra hälften följes Asylscenen direkt av det helt realistiska samtalet mellan Den okände och Modren i Rosenkammaren.

Asylscenen betecknas i dramat som en "feberdröm". Dess särställning markeras redan av teatertekniska detaljer. Runt ett bord sitter Den okändes bägge hustrur, hans barn och hans föräldrar, Tiggaren, Cæsar, Läkaren, alla de personer med vilka han har något otalt eller som han begått brott emot. Men det betonas i scenanvisningen att de "verkliga" personerna inte får uppträda, endast deras "liknelser", och detta förhållande skall återspeglas i sminkning och kostymering: "Alla klädda i vitt men däröver kostymerna av flor i olika färger. Ansiktena vaxgula, likvita; och något spöklikt i hela väsendet och i gesterna". Efter ett samtal mellan Den okände och Confessorn, kulminerande i en uppräkning av den förres alla brottsliga handlingar, läser Confessorn förbannelsen i Femte Mosebok och församlingen upprepar i kör: "Förbannad". Den okände sitter stum och tycks oberörd.

Det är omvändelsens kärnupplevelse som Strindberg här ännu en gång gestaltar: de malande, förkrossande samvetskvalen som till sist bringar den felande till förtvivlan och bättring. Detta förlopp var av inre, rent själslig art och erbjöd därför ett särskilt problem för gestaltningen. Strindberg arbetade med samma uppgift i Jakob brottas och resultatet blev den flygande matsedeln. Man måste finna uppfinningen i Till Damaskus mera adekvat. Asylscenen gör verkligen ett starkt gripande intryck på åskådaren och förser dramat med en starkt markerad, mäktig peripeti.

Denna effekt har uppnåtts genom ett tillvägagångssätt som helt skiljer sig från det förut analyserade. Till denna scen finns inte någon verklighetsbakgrund. Anknytningen till Strindbergs upplevelser på Saint-Louissjukhuset som Lamm pekat på har bara med den yttre ramen att göra. Han kanske där sett refektoriet och matbordet eller mött ”Abbedissan”, men de sörjande och förbannande skuggorna av levande och döda hade han inte sett annat än för sin inre syn. Asylscenen är om man så vill mera ”litterär” än dramat i övrigt, och den påminner inte så litet om den dramatiska symbolismen i Maeterlincks stil. Slöjridåer var mycket omtyckta av symbolistiska iscensättare; Strindberg rekommenderar ingen sådan, men han låter sina gestalter behängas med flor och syftet är detsamma: att skapa ett intryck av overklighet. Scenen har också en prägel av stillastående dekorativ tablå, som för tanken till Maeterlincks enaktare, t. ex. ”Intérieur”, och kanske bör man till samma källa återföra det på sitt vis märkliga förhållandet att Strindberg här använder sig av ett slags kör. Hos Maeterlinck är ju ofta, som i Les aveugles, gruppen av människor mer framträdande än individerna, medan kollektivscener är sällsynta hos Strindberg.

Det hör till den strindbergska symbolismens karaktär, att de symboliska motiven gång på gång upprepas, återvänder i dramstrukturen som musikaliska teman. Förflutna episoder aktualiseras ideligen på nytt genom dessa suggestiva inslag, och dramat knytes genom ledmotiven samman till en organisk enhet. I nära samband med själva den symbolistiska tekniken står alltså den återvändandets filosofi som Strindberg senare ville uttrycka i slagordet ”allt går igen”. En liknande formulering förekommer redan i första delen av Till Damaskus: ”Varför går allting igen . . . och lik, och tiggare och dårar och människoöden och barndomsminnen . . .”.

Omtagningarna spelar en viktig roll i dramat även bortsett från de direkt symboliska inslagen. Ideligen får Den okände obehagliga påminnelser om det förflutna. Då han möter Läkaren finner han oförmodat en gammal skolkamrat, när han tar in på ett hotellrum visar det sig att han bott där förut. Damen har svårt att samtala med honom, bekänner hon för sin mor, ty hon kan aldrig säga ”något som han inte hört förut”. Detta upprepningsmotiv får sin mest slående gestaltning i Asylscenen, där Den okändes hela tidigare liv demonstreras för honom. Formeln ”allt går igen” täcker sålunda i Till Damaskus två slags upplevelser. Dels blir Den okände på ett obehagligt sätt påmind om händelser i sitt förflutna liv, dels upprepas faktiskt situationer ur hans tidigare erfarenhet.

Det finns hos neurotikern starkare än hos den normala människan en disposition för stereotypi i upplevelsemönstret; han känner sig om och om igen råka in i samma situationer, därför att han inte reagerar sakligt utan identifierar människor som möter honom med gestalter i hans barndom, placerar in nya händelser i det neurotiska beteendeschemat. Sannolikt är väl också att han därigenom faktiskt genom egna åtgöranden ideligen råkar in i samma konflikter med omgivningen. Tendensen till en sådan upprepning är hos Strindberg tydlig, särskilt i hans erotiska förhållanden. Frida Uhl berättar, som förut omtalats, att han ibland i samtal använde repliker som redan stod i hans böcker och förväxlade situationer i det andra äktenskapet med dem som skildrats i En dåres försvarstal. När Strindberg i Till Damaskus syntetiskt väver samman minnen från det första och det andra äktenskapet och tränger samman flera händelseförlopp till ett, är det alltså inte något konstlat pusselspel han bedriver; tendensen att uppleva dubbelt, att bakom nya situationer känna igen gamla, satte sin prägel också på hans dagliga liv.

Lika tydliga är de psykologiska förutsättningarna för upprepningstekniken i dess andra form. Den okändes intryck av att ständigt påminnas om obehagliga ting, om döden, om dåliga handlingar, om förödmjukande upplevelser, har många motsvarigheter i Inferno. Strindberg hörde ideligen Aufschwung spelas därför att han var rädd för sin polske vän, vilkens älsklingsstycke den var: annan musik som nådde hans öron fäste han sig inte vid. I och med att vissa detaljer i yttervärlden blev mättade av symbolisk innebörd tyckte han sig möta dem orimligt ofta och kände sig förföljd av just det som han ville undvika. Varje ord i en oförarglig konversation sticker Den okände i Till Damaskus ”som en syl”, tycks honom fullt av allusioner därför att han — som det mycket riktigt heter — är ”överdrivet sårbar”. Så uppstår intrycket att ”verkligen återkommande små händelser synas förfölja” honom. Att Strindberg dessutom kan ha velat skildra déjà-vu-fenomenet, som Lamm föreslår, är ju inte uteslutet men föga sannolikt.

Återvändomotivet får emellertid ännu en variant i första delen av Till Damaskus och präglar i denna form dramats hela komposition. I dess senare hälft upprepas den förra hälftens scenerier i motsatt ordning. Strindberg lade mycket stor vikt vid detta arrangemang, och av allt att döma har det varit själva utgångspunkten för honom då han koncipierade dramat. Redan på ett par blyertsskrivna utkast är dramats senare hälft spegelvänd i förhållande till den förra, ehuru scenernas antal här är mindre. I ett brev till Geijerstam heter det målande: ”Konsten ligger i kompositionen, som symboliserar ’Gjentagelsen’, Kierkegaard talar om; handlingen rullar upp sig framåt mot Asylen; där törnar den mot ’udden’ och så spjärnas det tillbaka, pilgrimsfärden, bakläxan, oppätningarne; och så börjas nytt på samma plats där leken slutar och där den började” (17. 3. 98).

Motivet uttrycker i denna form en i första hand moralisk tanke. I ett av samtalen med Modren får Den okände besked om vad som väntar honom: han måste göra som barnen då de felat, först ”be om förlåtelse”, sedan ”söka ställa till rätta” Därför skall han gå samma väg tillbaka som han kommit och reparera gamla oförrätter mot andra människor. En sådan botgöring ingick i Strindbergs eget program vid denna tid. I ett brev till Geijerstam talar han om ”att göra en pilgerfahrt och ställa till rätta där jag gjort ont” (odat. nov. 97). Den resan blev aldrig av, men han lät Den okände i sitt ställe anträda en pilgrimsfärd, som ledde honom till försoning med Tiggaren, Damen och Läkaren. Eftersom Strindberg inte erkände Kristi ställföreträdande lidande, ansåg han sig själv böra gå kalvarievägen förbi lidandets sju stationer. Dramats plan ger ”hela symbolen av ’resan’ ”, förklarade Strindberg. (Till Geijerstam 13. 3.

98.) "Resan" är på en gång en resa till Damaskus och en resa till Golgata, och vid dess slut ger "makterna" tecknet till försoning genom att låta Den okände hämta ut sin länge väntade penningförsändelse.

Strindbergs återvändotanke har inte något att göra med Kierkegaards "Gjentagelse", för övrigt ett av den danske tänkarens dunklaste begrepp. "Gjentagelsen" var för Kierkegaard det svåraste och mest eftersträvansvärda av allt, möjlig att uppnå blott på det religiösa planet, inte på det estetiska eller etiska. För Strindberg var repetitionerna dels en plåga, dels en moralisk plikt. Denna konception är med sin dubbla aspekt helt personlig och låter sig förstås först om man räknar med Strindbergs behov av att känna sig prövad och tuktad. I själva den plågsamma neurotiska stereotypien ser han löfte om en befrielse, en försoning; han klagar, men i hans klagan finns en ton av optimism.

Då Strindberg i Till Damaskus I låter sin hjälte vända tillbaka till sin utgångspunkt är detta i sig självt ett återvändande från Strindbergs egen sida, nämligen till en dramatisk teknik som han förut begagnat. Gunnar Ollén har visat på detta och andra drag, som förenar Till Damaskus med "vandringsdramerna" Lycko-Pers resa och Himmelrikets nycklar. Att sagospelen verkligen varit i Strindbergs tankar då han skrev Till Damaskus, får man bekräftat i det redan anförda brevet till barnen, där Strindberg betecknar dramat som "en ny genre, fantastisk och lysande som Lycko-Pers men spelande i nutid och med full verklighet bakom" (24. 5. 98).

I stället för om "vandringsdramer" skulle man också kunna tala om uppfostringsdramer, ty alla sagospelen skildrar en moralisk utveckling. Grundmönstret återfinns i folksagan och i Peer Gynt. Hjälten vandrar genom världen och återvänder rikare på erfarenheter till utgångspunkten. Det låg nära till hands för Strindberg att gripa till denna form, då han dramatiskt ville uttrycka omvändelsekrisens resultat. Han tyckte sig, alldeles som då han skrev Lycko-Per, ha en moralisk erfarenhet att visa upp för sina åskådare. Detta låter sig naturligt göra om huvudpersonen, själv vorden en ny människa, får komma tillbaka till sin gamla miljö. Även Lycko-Per börjar och slutar liksom Till Damaskus med samma sceneri (Ollén). I Till Damaskus markeras dessutom den förändring Den okände genomgått därigenom att belysningen i första akten riktar sig mot krogen, i den sista mot kyrkan.

Man bör ha i minnet då man vill tolka Till Damaskus, att Strindberg medvetet tog upp sin sagospelsteknik. De oväntade mötena, t. ex. mellan Den okände och Tiggaren, eller Damens lämpliga entréer just i de ögonblick då hon som bäst behövs, blir i detta perspektiv inte så överraskande. Så råkas och skiljas människor också i sagospelen, där t. ex. Lisa alltid är till hands för att uppmuntra Per då han känner sig modstulen. Överhuvud har Damen i första delen av Till Damaskus något av god och vis fé över sig, som pekar tillbaka på Lisas gestalt i det tidigare dramat. Den scen där Tiggaren efter något konstrande visar först Den okände sedan Damen den väg de bör vandra ("Följ spåret!") har också ett starkt tycke av saga. Sådana kloka gubbar, gummor eller tomtar möter ju ständigt folksagans hjälte på sin farliga väg ut i världen.

3

"Sceniskt sett", skriver Lamm, "är dramats styrka och svaghet, att det helt domineras av Den Okändes gestalt." Någon karaktärsskildring att tala om förekommer inte, då det gäller dramats övriga personer. De reagerar oförmedlat och omotiverat, vilket väl på sätt och vis kan skapa ett intryck av nyckfull och komplicerad verklighet men i varje fall inte gör dem till några gripbara gestalter. Läkaren kallas i dramat genomgående "Varulven", men denna sida hos honom får åskådaren aldrig se. Den gamle i jaktstugan visar sig "kunna nära ett bastant hat" enligt Den okändes utsago men framstår för åskådaren som en gammal trött man, som söker sin tröst i religionen. Modren visar Den okände på den Golgataväg han har att vandra och verkar i den scenen sympatisk, men i en annan intrigerar hon mot hans äktenskap. Flera exempel skulle kunna anföras för att visa på denna inkonsekventa belysning av bifigurerna.

Även Damen har en prägel av straffagefigur. Efter avslutandet av första delen skrev Strindberg till Geijerstam och meddelade ett "ändringsförslag": "Damen har ej förbannat; men genom läsningen av hans bok har hon ätit av kunskapens träd; börjar reflektera; förlorar det unbewusste, upptäcker skillnaden på rätt och orätt, får disharmonier och förlorar därigenom charmen för honom" (17. 3. 98). Trots en omarbetning i denna riktning i tredje akten, scenen i Rosenkammaren, har dock Strindberg inte lyckats göra Damen till en verkligt fristående gestalt; när de bägge återfinner varandra efter brytningen spelar hon samma uppmuntrande och ackompanjerande roll som i de tidigare scenerna.

Människorna omkring Den okände skiftar karaktär alltefter hans egen sinnesstämning. Det är han som lockar fram Damens moderlighet och skapar om Läkaren till en varulv; det är han som fruktar Modren samtidigt som han har ett behov av att underordna sig hennes ledning. Det objektiva, händelseförlopp och karaktärsutveckling, är underordnat de lagar som behärskar Den okändes neurotiska spel. Som ett symboliskt uttryck för denna relation till omgivningen kan man fatta Den okändes ritande i sanden i början och slutet av dramat. Denna gest var ju enligt uppsatsen Moi ett uttryck för "jagets expansionsinstinkt". Särskilt väl kommer den subjektivistiska osakligheten fram i första scenen, där Den okände ger Damen namn, ålder och karaktär av egen uppfinning. Modren tolkar senare hans inställning psykologiskt: "Det är så Ni räknar ut att i Er självgjorda Eva fördärva hela hennes avkomma". Den syntetiska livsupplevelsen verkar i riktning mot opersonlighet och abstraktion: en kvinna blir Damen, en moder blir Modren. Den okände vill tänka sig Damen "opersonlig, namnlös"; detsamma gäller alla figurerna i dramats personförteckning. Vi har sett att denna tendens behärskade redan Strindbergs faktiska relationer med människor, och den bör därför inte fattas som i första hand ett uttryck för en subjektivistisk kunskapsteori. Strindberg har inte med Till Damaskus velat skapa ett genomfört "drame intérieur". Frågan, i vems medvetande dramat försiggår, leder vilse. Det kan inte visas att Strindberg vill ha gestalter som Modren eller Den gamle uppfattade som rena hjärnspöken.

Den nonchalanta belysningen av bifigurerna i dramat är emellertid bara andra sidan av ett drag, som tjänar till att stärka den dramatiska slagkraften. Om man medger att dramats personer är inkonsekvent tecknade, måste man samtidigt betona att Strindberg med all sannolikhet aldrig avsett att fördjupa karaktärsteckningen i riktning mot "sammanhang" och "logisk begriplighet". Han hade sedan länge kritiserat det gängse karaktärsbegreppet och sönderdelat teatermarionetterna i en mångfald impulser, drifter och attityder. Redan i hans naturalistiska dramatik visade det sig att han härigenom fick ökade möjligheter att intensifiera de dramatiska situationerna. I Till Damaskus är det alldeles påtagligt situationerna och inte gestalterna som är det väsentliga. Den neurotiska upprepningstendensen medförde att människorna i Strindbergs fantasi lånade varandras drag, varandras masker, alltefter hans egen relation till dem. Damens gestalt t. ex. blir alltmer den abstrakta summan av de kvinnor som Strindberg stått inför, men typsituationerna i förhållande till kvinnan blir därigenom bara så mycket mer laddade av spänning. Detta sätt att uppleva och bearbeta det upplevda måste betecknas som i hög grad dramatiskt.

I dramats centrum står Den okände och den makt, som regerar hans öden. Den senare hade i Jakob brottas inkarnerats i en ljusomstrålad fantasigestalt; här stannar han utanför scenen, och den konstnärliga verkan blir starkare. Vad som framför allt stannar kvar i minnet efter en föreställning av Till Damaskus I är denna bild av en själ i nöd, som brottas mot Något, mot Någon, som är ovanför honom.

Läsaren känner på sätt och vis igen detta motiv från Strindbergs produktion före Inferno. Man kan låta tanken gå till I havsbandet, till Silverträsket eller rentav till Fadren och i alla dessa verk finna motsvarigheter: en huvudperson som hävdar sig med kall ironi, med prometeiskt trots, med gycklande övermod, men som till sist krossas och går under — och innerst är medveten om att han måste gå under. Den tragiska titanismen, Strindbergs personliga variant av övermänniskomotivet, sätter sin prägel också på Till Damaskus. Strindberg hade alltid känt trycket uppifrån, från fadern och samhället, från moralen och Gud; han hade revolterat mot trycket men i mörka stunder förutsett sin kapitulation. I Lokedikten höjde han sig i ungdomligt trots mot makterna och hånade det svenska samhällets härskare som en skrumpen Olymp. När Den okände bryter ut mot ”små borgargudar som parera klingans stöt med nålstygn bakifrån är det en ny variant av den unge Strindbergs hållning: i det första fallet blir borgarna gudar, i det andra gudarna borgare. Denna trotsattityd hade delvis präglats av förebilder som Strindberg i sin ungdom funnit hos de romantiska titandyrkarna; därför finns det hos Den okände drag av Faust och av Manfred, liksom också antydningar om romantisk luciferism.

Särskilt väl kommer dessa stämningar fram i den första scenen vid havet, där Den okände i panteistisk hänryckning leker med tanken att han själv är Gud. Hans extatiska skapelsehymn har inspirerats av ett ställe i Flauberts La tentation de Saint Antoine, men den är poetiskt mera storslagen och pulserar med en emotionell kraft som för tanken till den unge Goethe:

Detta är att leva! Ja, nu lever jag, just nu! och jag känner mitt jag svälla, sträcka ut sig, förtunnas, bli oändligt: jag är över allt, i havet som är mitt blod, i fjällen som äro mitt skelett, i träden, i blommorna; och mitt huvud räcker upp i himlen, jag ser ut över universum som är jag, och jag känner skaparens hela kraft i mig, ty det är jag. Jag skulle vilja ta hela massan i min hand och knåda om den till något fullkomligare, varaktigare, skönare... skulle vilja se allt skapat och alla skapade varelser lyckliga: födas utan smärta, leva utan sorg och dö i stilla glädje!”

Men titanismen i Till Damaskus är inte tragisk på samma sätt som i I havsbandet. Övermänniskan tvingas att sträcka vapen och infoga sig i den moraliska världsordningen. Men det är ingen böjd och slocknad fånge, som släpas efter Den eviges triumfvagn tillbaka den väg han kommit. Han bär huvudet högt, och trotset lever kvar hos honom.

Den okände tvingades på knä genom samvetskvalen, illustrerade i Asylscenen. I dramats centrum står den självrannsakan med det förflutna livet som också var centrum i Infernokrisen. Men liksom Strindbergs titanism bar inom sig medvetandet om ett kommande nederlag, så rymmer hans underkastelse ett eko av trots. Självförebråelserna förkrossar Den okände så att han tror sig ha varit ”i helvetet”, men hans skepticism reser sig på nytt då han får ett ögonblicks andrum. På återfärden till de platser där hans brott blivit begångna prövar han en ny hypotes om tillvaron: låt se, hur det går, om jag tror människorna om gott i stället för om ont. Så länge dramat varar stämmer hypotesen bra, och den rekommenderade försändelse, som Den okände i sista scenen kan hämta ut från posten, bör nog inte fattas som en ”kapitulation” från världsordningens sida. Den är ett tecken som bekräftar att Den okände är på rätt väg. Ändå känner man att den fromma stämningen bara bemäktigat sig en del av Den okändes väsen; misstänksamheten och revolten lever kvar under ytan.

Vägen tillbaka är också vägen framåt. Då man lämnar Strindberg-Den okände utanför kyrkporten, en skeptisk men skakad gentleman från nittonde århundradet efter Kristus, förstår man att hans fortsatta vandring aldrig kommer att leda honom in i kyrkan. ”Nåja! jag kan ju alltid gå igenom; men stanna gör jag inte!” Han blir inte sittande i kyrkor vid torgen eller i expiationskapell vid landsvägen. Han går vidare mot ny ångest, nya strider, nya fruktansvärda erfarenheter av skuldens och försoningens, levandets och samlevandets problem. Helt skall han aldrig lära sig det lättaste och svåraste av allt: ödmjukhet. I denna spänningsfyllda upplevelse av människans villkor ligger grunden till hans storhet.

JOHN LANDQUIST

Strindberg och hans härskargestalter

Särskilt uppenbar och märkvärdig kan anlagets övergång till en färdig ideell gestalt framstå i den episka eller dramatiska diktens tillblivelse. En skalds förhållande till sina diktade personer bildar ett stort forskningsområde. I allmänhet har man, där man funnit likheter mellan en diktares erfarenheter och personlighet å ena sidan och hans figurer å den andra, varit böjd att stanna vid denna likhet. Man glömmer lätt diktningens omgestaltande process. En diktad figur är både rikare och fattigare än urbilden. Den är fattigare, ty merendels ger en diktare däri blott en sida av sitt personliga liv, rikare, ty denna sida är dels förstorad, dels kompletterad med andra samstämmiga egenskaper eller erfarenheter, som inte är betonade eller saknas hos författaren. En stor författare diktar en mångfald oförenliga karaktärer, den ena ej mindre sann än den andra. Skulle man konstruera hans personlighet ur dem samtliga, finge man en vidunderlig bild.

Vad som tränger fram till befrielse i diktens verksamhetsform, skall för den diktande ha ett särskilt intresse; det är ej sagt, att de gjorda erfarenheterna eller den gestaltade personligheten äger det. Den del av sina aspirationer man levat ut, har fått sin lön. Det kan vara att människan ville leva det genomlevda om igen; kärlek till det verkliga är också en inspirationskälla till dikten. Men i synnerhet blir det dock de icke gestaltade möjligheterna som finner utlopp i poetiskt skapande. Dikten är den särskilda sfären för deras befrielse. Den utsäger vad människan kan önska eller frukta. I så måtto utgör den vare sig den skapas eller njutes, en väsentlig del av livet. Blott en del av de möjliga mänskliga karaktärerna förverkligas i det historiska livet, en annan del förverkligas i dikten. I dess värld är människan fri.

Där har hon ännu, hur bunden eljest eller driven av åren allt närmare dödens brant, alltjämt de fria alternativen kvar.

Skalden väljer sålunda allt efter sin personlighets art och lynnets behag ur människans två världar, den genomlevda och den möjliga. Diktkonsten framgår ur en sammansättning av dessa bägge världar av oändligt skiftande slag.

Några exempel må belysa denna uppfattning. Vi väljer Strindbergs förhållande till en av honom föredragen karaktärstyp, individualiserande sig i ett antal diktade gestalter.

Strindberg har i ett flertal av sina dramer framställt härskaren. Man må erinra utom mindre roller hans Gustav Vasa, Carl XII, Gustav III, Birger Jarl, var för sig olika personligheter, men alla med det födda ledaredraget. Mest har han älskat och med största bravur har han framställt Gustav Vasa. Utom i några av hans historiska noveller uppträder Gustav Vasa i inte mindre än fyra av hans dramer, ungdomsdramat Mäster Olof, Gustav Vasa, mästerverket, skrivet samma år han fyllde femtio, samt i Siste riddaren och Riksföreståndaren från hans sista år. Det är sålunda en gestalt, som följt honom genom livet. Strindberg blir alltid lyckad, då Gustav Vasa är i närheten. Han synes utöva ett hälsobringande inflytande på Strindbergs lynne. Sådan Gustav Vasa uppträder i Strindbergs dikt, i sin skällande, ordnande, kujonerande och lugnande kraft, har Strindberg diktat honom i traditionens anda; han har levandegjort folkmedvetandets stelnade figur. Han har framställt honom inte så undersåtligt och försonligt som Geijer och Snoilsky, utan med mera humör, med en frisk respekt, och hans figurs drastiska uttryckssätt och bistra, koleriska temperament överensstämmer med samtida uppteckningar. Men är det inte egendomligt, att Strindberg lyckas så särskilt, med denna kraft och denna stilenlighet, framställa Gustav Vasa? Inga personer kan tyckas vara varann mera olika, den stora en enkla härskarfiguren å ena sidan och denna sammansatta europeiska författare, som i sin själ genomlider det slutande 1800-talets skilda disharmonier. En härskargestalt kunde inte bosätta sig i denne mans jämviktslösa nervsystem, som bestämde honom till växling mellan stolta triumfkänslor och svart depression, inte enas med hans ängsliga, mörka och misstänksamma sinne, hans alltför inbillningsrika och rörliga skaldesjäl.

Emellertid, vid närmare eftersyn, spårar man mitt i denna söndersplittrade karaktär en tydlig skiss till härskarfigur. Under alla känslans växlingar besatt Strindberg en naturlig självkänsla, grundad på vetskapen att vara den främste bland sitt lands samtida författare, närd av vanan att överallt vara medelpunkt för uppmärksamhet, stärkt av medvetandet om höga syften. Det roade honom att raskt avgöra en mängd samtidigt föreliggande ärenden, och ej utan en lätt chefton gav han folk i brev order och kommissioner. Han hade en enastående raskhet att sätta sig till arbetet och utföra sina poetiska konceptioner. Han var främmande för den lyriska personens lust att uppskjuta och avvakta den goda stämningen, han var alltid beredd och visade genom hela sitt liv en ovanlig verksamhetslust. Det första intryck Strindberg vid sammanträffande på äldre dar gav var av en gammal grand seigneur: han hade en ädel yttre hållning och en otvungen värdighet i uppträdandet. Det fanns utan tvivel spridda i Strindbergs själ karaktärsdrag, som är betecknande för en härskarfigur.

Också visar verkligen Gustav Vasas auktoritativa väsen med förmåga att överblicka och snabbt avgöra en mängd ärenden någon släktskap med Strindberg själv. Diktarens egna erfarenheter på livets middagshöjd om Nemesis oväder, som misstag sammandrar, har på sidan därav gett sin kraft åt den religiösa livsvisdom som förlänar Gustav Vasa en tidsenlig ålderdomlig prägel och samtidigt för honom oss närmare, emedan den blottar en kännande människa bakom härskaren.

Men man finner snart att det likväl inte går att långt driva detta sökande efter likheter. De överensstämmande egenskaperna visar sig hos vardera ha en utpräglad särskild nyans. Cheftonen hos Strindberg var ingalunda genomförd genom hans liv: den framträdde vid blygsamma tillfällen i livet eller i ett utbrott någon gång i hans författarskap, såsom när han skriver i artikeln Olust i landet (1910): ”År 1879 slutade jag Röda Rummet med dessa, då som hädelse ansedda ord: ”Vad vet H. M. om rikets tillstånd och behov? M i n n e n s I det?” Då man en gång ville göra honom till chef för det unga litterära Sverige, fann han bara rollen besvärande, den hindrade hans frihet, han ansåg sig vara diktare och sökare och inte chef. Och om Strindberg liksom hans Gustav Vasa hade talang för invektivet och för vredens starka vältalighet, så visar sig dock att Gustav Vasas slagfärdighet inte har den personliga Strindbergstonen; den är hans, Gustav Vasas egen.

Vissa känslor och sensationer Strindberg själv erfarit kunde emellertid ge honom ledning då han började tänka Gustav Vasa: hans egen kroppsliga och andliga kraft, hans verksamhetslust, hans fysiska hållning kunde ge stödjepunkter åt inbillningen. Men utöver detta vetande måste hans sympati förstå och bygga. I varje man slumrar anlaget och längtan att bli en verklig man. Strömmen av denna längtan spred sig genom bilden av Gustav Vasa, sådan historien visar den i hans kroppsliga gestalt, hans handlingar och hans ord samstämda, och gav den nytt liv. Gustav Vasa blev i Strindbergs dikt, en hel människa levande ur egen princip. Skalden har inte tänkt sig själv i honom, utan verkligen tänkt honom själv.

Gustav Vasas förmåga att besluta och kommendera återfinner man hos Strindbergs Carl XII. Det är betecknande att Strindberg, som både förr och senare angripit Carl XII och därvid visade den enväldige en utilistisk demokrats inbitna motvilja, likväl när han på mera allvar nalkas honom, låter avväpna sig; och det är just härskardraget hos honom, framträdande i hans befallande sätt, hans konungsliga värdighet och hans väsens frihet gent emot allehanda inflytelser — ej minst de kvinnliga — samt den hemlighetsfulla vördnad han trots allt inger, som Strindberg uppmärksammar och framställer.

Åter en helt annan härskarfigur är Gustav III. Strindberg har framställt honom med en viss flott lätthet. Denna spinkiga, kyliga, teatraliska, men målmedvetna och aristokratiska personlighet synes likväl en bjärt kontrast till den våldsamma, öppenhjärtiga, demokratiska diktare av småborgerlig härkomst, som skildrat honom. Likafullt har Strindberg också denna gång lyckats; det är i det väsentliga den historiska Gustav III vi återfinna på hans scen. Också hos Gustav III, den historiske och diktade, framträder emellertid drag, som i Strindbergs karaktär var antydda. Med stor brio exponerar diktaren strax härskardraget hos monarken med det raska, verksamma och bjudande väsendet. I detta drag är Strindberg tydligen hemma, här slår han sig som kungadiktare först ner och orienterar sig.

Strindberg har nu en egenskap gemensam med en särskild hos Gustav III: dessa två har varit Sveriges mest passionerade dramaturger. Gustav III uppträdde också som skådespelare, men även Strindberg hade i sin ungdom försökt sig som sådan. Den förre var skådespelare ända ut i livet, men den moderna författaren hur aggressiv och uppriktig han än var, stod ej alldeles främmande för nöjet att vara mystifikatör och posör. Det finns inte anledning tynga på bägges gemenskap som teatermänniskor, men onekligen bör den ha verkat att hos August Strindberg väcka ett mått av den sympati och hemmastaddhet kollegialiteten medför. Det dubbeltydiga replikskiftet i andra aktens slut, då Gustav i blandning av sorglös skepsis och tillförsikt till sin beräkning framslungar: "Sista akten — den kommer av sig själv," visar en för honom kännetecknande glidning från en politikers till en estetikers inställning; denna estetiska syn, som innebär befrielse från tyngden i det verkliga livet, är en inlevelse, som diktarens egen karaktär av estetiker och teaterfackman ingivit.

Köld och människoförakt är framträdande egenskaper hos Strindbergs Gustav III. Hos diktaren själv hade den skeptiska känslan inte samma behärskade och hårda karaktär men en mera känslorik och böjlig. Skepsis i betydelse av vetande om slumpens inflytande, karaktärernas svaghet och trosföreställningarnas eller sanningarnas otillräcklighet var ett för Strindberg väsentligt karaktärsdrag. Det skiftade hos honom utseende i olika åldrar. Hans ungdoms tvivel resulterade i Mäster Olofs sangviniska skepsis i versupplagan: han tar emot livets lärdomar, lär sig fatta graden av berättigande i motståndares åskådningar och den egna trons begränsade värde. Mannaålderns skepsis blir mera aggressiv och naturalistisk; en humoristiskt uppfattad representant för cynisk skepsis, dock förmäld med ett ungdomligt bohemdrag, är hans Göran Persson i Gustav Vasa. På äldre dagar blir Strindbergs skepsis mildare och religiöst färgad; den utvecklas till medkänsla med människorna och ett hopp om förlossning från detta jordiska liv; representativ är Drömspelets replik om människorna: "De leva som de kunna en dag om sänder." Skepticismen förekommer hos Strindberg sålunda i olika blandningar, ingenstädes dock alldeles i Gustav III:s art. Över huvud förekommer ju en känsla ingenstädes i den abstrakta karaktär vi förlänar den i vårt begrepp utan städse förenad med vår personlighets övriga känslor och därför olika hos var människa. Dock finnes gränsytor, där dessa liknande, olika blandade känslor, tillhöriga olika system sympatiskt attraherar varandra och kräver böjelse att förstå varandra. En skepsis, ursprungligen såsom Strindbergs närd av Schopenhauer-Hartmanns metafysiska pessimism, har lätt att förstå mycken annan skepsis; och det världsförakt, som i patetiska ögonblick funnit sig besläktat med Jobs, finner lätt övergång till förestående av det profana, hårda världsförakt en desillusionerad konung som Gustav III kan hysa.

Det fanns slutligen hos Gustav III och bevarad även i Strindbergs dikt en egenskap, som knappt är antydd i Strindbergs egen karaktär: det kalla modet. Det skulle varit otänkbart för den skygga Strindberg att spela en scen, liknande den han låter Gustav III med teatralisk bravur utföra i tredje akten, då han uppsöker de sammansvurna. Sin samtids mest stridbara författare, som vågade leva ett hårt och äventyrligt liv, ägde Strindberg moraliskt mod, men hemsökt av inbillningar och skräckaffekter led han brist på fysiskt mod. Det andliga mod han förfogade över var snarast ett starkt temperaments och en om sin kraft medveten personlighets angreppsanda, men icke det lugna, fasta, varaktiga, mot ett mål inriktade mod, vilket höves framför allt statsmannen och fältherren. Psykiska och psykofysiska egendomligheter hindrade uppträdandet av detta kalla mod i August Strindbergs karaktär. Men varje man förnimmer det som en önskvärd egenskap, och icke minst den ängsliga kan fatta det. I den konstnärliga drömmens förhöjda föreställningsliv, kan själen, höjande sig över sitt belastade hölje, förena sig med det åtråvärda och i dess åskådning förnimma en hälsa, den i livet ej kan bevara.

Strindbergs egen uppfattning av diktade gestalters tillblivelse inom honom samstämmer med en sådan förklaring som här lämnats. I Tjänstekvinnans son berättar han hur gestalterna i Mäster Olof sprang upp ur antydda eller givna drag i hans egen personlighet. ”Vad karaktärerna beträffar, hade han i den handlingsduktige kungen (Gustav Vasa) och dennes halvskugga, den förståndige marsken, diktat sig sådan han önskat vara, i Gert sådan han i lidelsens ögonblick var och i Olaus slutligen sådan han efter åratals självprövning funnit sig vara.”

Men denna frändskap är inte att fatta så att gestalterna i dessa eller andra fall är blott förklädnader av det egna jaget. De har blivit självständiga centra och lever sitt eget liv. Då Strindberg en andra gång, i Ensam, uttalar sig om sitt förhållande till sina diktnings figurer, har han betonat deras objektivitet. Det är inte de som lever hans liv, men han, som lever deras liv. ”Jag lever och jag lever mångfaldigt alla de människors liv jag skildrar, är glad med de glada, ond med de onda, god med de goda, jag kryper ur min egen person och talar ur barns mun, ur kvinnors, ur gubbars, jag är konung och tiggare, jag är den högt uppsatte och den allra föraktadste, den förtryckte tyrannhataren, jag har alla åsikter och bekänner alla religioner, jag lever i alla tidevarv och har själv upphört att vara. Detta är ett tillstånd, som ger en obeskrivlig lycka.”

KARL-ÅKE KÄRNELL

Strindbergs bildkretsar

Ett av Strindbergs viktigaste stilmedel både i beskrivningen av den yttre verkligheten och i den psykologiska analysen är bilden: liknelsen, metaforen, symbolen. Han hör till de diktare — Shakespeare, Victor Hugo, Tegnér är andra exempel — som knappt kan sätta pennan till papperet utan att erinra sig en likhet, utan att forma en metafor. Han var själv medveten om denna disposition, som tidvis kunde besvära honom men som han var oförmögen att tygla; den blev snarast alltmera uttalad med åren till dess han slutligen tyckte sig se hela skapelsen genomspunnen av analogier, av universella korrespondenser.

En stilhistoriskt viktig insats i svensk litteratur gör Strindberg som den outtröttlige nyskaparen av metaforer, i kraft av sin förmåga att upptäcka nya bildkällor och nya förknippningar mellan tingen. Han drar ihop sina liknelser och metaforer från de mest skilda håll och sätter en ära i att briljera med den nya, oväntade kombinationen. Men man kan också från hans första bok till hans sista följa vissa stående bilder och bildkretsar, centrala symbolkomplex som avspeglar både tidens människosyn och hans egna erfarenheter. Beständigheten i hans bildvärld är i själva verket lika påfallande som hans nyhetsbehov. I de enskilda metaforerna är han visserligen ständigt på jakt efter den fräscha, klatschiga formuleringen, men han är samtidigt trogen sina grundföreställningar på ett sätt, som man knappast skulle vänta sig med tanke på hans så ofta omvittnade intellektuella ombytlighet.

Dramatiseringen av själsrörelserna och substantieringen, den ofta demonstrativa materialiseringen, kan sägas vara det mest karakteristiska draget i Strindbergs människoskildring. Den starkt sinnliga konkretion, som överhuvud taget kännetecknar hans stil, blir på själsskildringens område särskilt betydelsefull, eftersom den ofta sammanfaller med naturalistens programmatiska nedvärdering av det psykiska och andliga. Då Strindberg förkroppsligar eller oförskräckt materialiserar själsrörelserna, så är alltså dessa åtgärder flerfaldigt motiverade. För den rättrogne naturalisten finns inga själslivets hemlighetsfulla djup, inga inre lägen och skeenden, som inte snabbt låter sig reduceras till fysiska beteenden.

Helt i linje härmed ligger en bildtyp som först kan exempelfieras från novellen En häxa. Tekla har räddat den unga adelsdamen till livet och firas vid en festlighet som en hjältinna. Hon är stolt och lycklig när hon på detta sätt drar uppmärksamheten till sig, och det heter att

hennes sjuka jag kände sig ligga i silkesvadd, när tal och skålar hela middagen så varmt svepte om hennes lilla person.

Känslorna översättes alltså i en fysisk motsvarighet: emotionerna blir sensationer, här närmast beröringsförnimmelser.

Ett sådant bildspråk, som i stället för känslan ger dess fysiska korrelat, är ett mycket vanligt grepp i Strindbergs människoskildring. Uttrycken får ofta en drastisk påtaglighet, särskilt när det gäller att återge smärtsamma inre upplevelser. Carlsson uppmanar gumman Flod att betänka jordelivets korthet: avsikten är att hon skall skriva det testamente, som tillförsäkrar honom äganderätten till gården. Vi kan dö, i dag eller om tio år, menar Carlsson,

men det är alldeles detsamma, när det ändå ska ske! Kanske det inte är så! Jag vet inte jag! Skriv i alla fall!
Det var som att lägga ett rep om halsen och dra till, när Carlsson kom med sitt: Jag vet inte, jag, och gumman kunde inte reda sig längre, utan gav efter.

Detta är ju också en bild som är organiskt samstämd med fiktionen, med den rustika folklivsmiljön, med Hemsöbornas förgrovade, handfast förenklade psykologi, som inte känner några nyanser. På liknande sätt kan Pall i Ett dockhem få återge sina känslor efter ett oroande brev från hustrun: ”det kändes ackurat som om man stuckit kätting genom båda ögon-klysen”.

Till en särskild intensitet drivs denna metaforik i de talrika liknelser, som tar stöd i medicinska, anatomiska realiteter; här, som i så många andra bildgrupper, arbetar Strindbergs bildskapande fantasi utefter hela skalan från det vardagligt drastiska till det vetenskapligt precisa, exakta. Att själva hjärnan eller inälvorna utsättes för tryck eller retningar, att man drar och sliter i personernas inre är en återkommande bild för smärtsamma inre upplevelser: han "hade känt ett öga vila på sig, *ett finger röra vid sina inälvor"*; flickans historia *"spände sina klor i hans huvud och rev och slet"*; han känner "dessa två brinnande ögon, som bedövade honom, *som stucko i hans hjärna"*.

Sådana termer för kroppslig misshandel, applicerade på känslolivet, återvänder när Strindberg i självbiografien skildrar sina egna upplevelser: "Följande morgon var han som sönderslagen, sårig, riven"; "Is talade som vanligt och rev sönder sitt offer, som värjde sig, slog igen"; "Det var en del av honom själv, som nu intogs av en annan, en del av hans inälvor, som man nu lekte med".

Man återfinner liknande uttryck i samtidslitteraturen, så exempelvis hos Ola Hansson, som framför allt i Sensitiva amorosa gärna framställer själsliga företeelser som fysiologiska. Till skillnad från Strindbergs bilder, som i allmänhet återger momentana, tillfälliga känslor, får Ola Hanssons motsvarande bilder åskådliggöra och intensifiera mera varaktiga, hela personligheten präglande skeenden och stämningar, främst den livsångest, som han gärna ser som ett tidssymptom. Den är ett brännsår i själen, den "tyngde och skälvde som en nervös beklämning nere i det omedvetna, spred sig genom hela hans själsliv som en kräfta", den är en "väsendets fistelsveda, vilken gör ont som då köttfibrerna i ett färskt sår skälva kring det vassa instrumentet", den är en hullingtäckt tagg "i mitt väsens / innersta gömslen, / i det hudlösa köttets nervnät".

Strindbergs bilder kan, liksom Ola Hanssons, härledas från det för naturalisterna gemensamma, programmatiska intresset för samspelet mellan psykiska och fysiologiska realiteter. Men här, som i många andra fall, kan man finna att metaforerna visserligen är signifikativa för en tidsströmning men framför allt för Strindberg själv. Det är ju nämligen tydligt, inte minst av de ovan anförda exemplen från Tjänstekvinnans son, att diktaren själv sällsynt intensivt har upplevt främst de tillstånd, som återges med den drastiska inälvsmetaforiken där personernas inre ligger öppet och bart, utsatt för tryck och ingrepp. Bilder som dessa speglar den psykiska sensibilitet, den skygghet för att blotta sitt inre, som är *ett* karakteristiskt drag i hans konstitution. Det är betecknande för den starka affektbetoningen i sådana uttryck, att Strindberg kan använda dem även utanför människoskildringen. Så i Ensam, där han med medkänsla betraktar aprilflyttningarna och säger: ”Det har alltid förefallit mig hemskt att se möbler och husgeråd på trottoaren. Det är husvilla människor *som nödgas visa sina inälvor,* och de blygas för dem; därför ser man aldrig ägaren i närheten bevakande sina tillhörigheter”.

Själv var han som diktare nödgad att lämna ut sig, att ”visa sina inälvor” — det är just detta bildspråk som inställer sig i den bekanta ingressen till Sömngångarnätterna. I slakteributiken får han syn på ett hjärta ”jag tror av kalv, / som svept i gauffrerat papper / jag tyckte i kölden skalv”, och det är denna naturalistiska iakttagelse som i sista strofen upphöjes till symbol för diktarens självutgivelse:

Där hänger på boklådsfönstret
en tunnklädd liten bok.
Det är ett urtaget hjärta
som dinglar där på sin krok.

Då hade Strindberg redan sju år tidigare, i en recension, föregripit denna bild och sagt sig, att diktaren måste ha ”mod att ge av sitt eget blod, ge en bit ur sitt eget inre liv... Det är en hemsk uppgift att lägga sitt hjärta på en *montre,* det är en offring av grymmaste slag att vara författare — men det är så!” Det är denna hänsynslösa självutgivelse som ytterligare bejakas i den fredspredikan, som avslutar novellen Samvetskval i Utopier. Mot den hångrinande Voltaire ställes där Rousseau. ”Grinet är feghetens vapen”, säger den vackra tyrolskan som får framföra budskapet, till en början i ironiska ordalag och med samma bilder som här ovan har exemplifierats:

Man är rädd om sitt hjärta! Ja, det är elakt att se sina inälvor på boddörren, men att se andras på slagfältet under musik och ett väntat blomsterregn vid hemkomsten och intåget, det går bra! Voltaire grinade, därför att han ändå var rädd om sitt hjärta, men Rousseau skar upp sig levande, röck hjärtat ur bröstkorgen och höll det mot solen som de gamla aztekerna, när de offrade.

Detta medicinska och fysiologiska bildspråk med sina naturalistiskt bjärta färger av inälvor och blod får slutligen också en annan användning, nämligen för att återge erotiska och emotionella bindningar. Så heter det t. ex. om Tekla under förälskelsen, att hon ”kände sig förskönas, växa, fyllas med kraft från hans nerver, tappas på med ny blod av hans blod” och omvänt om Johans förhållande till en kvinna att han ”ville amputera bort henne, men hon satt redan fast som en växt”.

Uttryck som dessa är i sin tur nära förbundna med Strindbergs rikt förgrenade vegetationssymbolik. Det är överhuvud taget betecknande för den naturvetenskapliga grundsyn, som präglar hans människoskildring, att han gärna återger känslolivets företeelser i bilder från den biologiska sfären, antingen som här ovan medicinens och anatomiens eller botanikens och hortikulturens — rottrådar, ympning, ablaktering m. m. Utomordentligt detaljerat uppträder detta bildspråk i En häxa:

Nu när hon tänkte igenom vad hon erfor det ögonblick hon beslutat resa, trängde sig bilden av den unge baron Magnus fram. Och den såg på henne med ögon, ur vilka växte tvenne rot-tågor som kröpo in i hennes ögon, sköto sugrötter uppåt, birötter nedåt, kastade ut revor och skott ända ut i hennes kropps yttersta fibrer, så att hon kände sig sammanvuxen med denna yngling.

De bägge bildkretsarna, den medicinska och den vegetativa, står båda som tecknet för det organiskt sammanväxta, vars upplösning vållar smärta, och de kan också osökt glida över i varandra. Paul i Återfall försöker fly från sina plikter som äkta man och familjeförsörjare. En utförlig parallell med växtligheten i hans egen trädgård avlöses av en medicinsk-fysiologisk liknelse, som vill åskådliggöra samma idé, familjemedlemmarnas biologiska samhörighet och den smärta som brytningen därför vållar:

Han kände en tomhet, som om han vore endast ett skal utan inälvor. Han kände sig bunden vid en elastisk tråd. Nu hade den töjt sig så långt den förmådde, men den började draga tillbaka. Kunde den brista? . . . Han hade rest över sjön och tagit sitt stora huvud med sig, men hjärtat låg kvar på andra stranden. Och nu var huvudet tomt, när hjärtat icke försåg det med blod . . . Vad sökte han hos de enfaldiga borgarne i går kväll? Blod i sin tomma hjärna. Och så fick han gammal, svart, levrad, utbränd blod.

Det är inte sentimentala skäl som åberopas; det är fysiologiska. Paul får komma till insikt om att hans handling är naturvidrig, därför att den skiljer honom från själva livskällan, den övriga familjen.

Denna föreställning om familjen som en biologisk organism, åskådliggjord med både fysiologiska och vegetativa termer, återvänder när Strindberg skildrar egna erfarenheter av liknande slag, nämligen de slitningar i det första äktenskapet som förebådar den slutliga upplösningen. Han berättar i En dåres försvarstal hur han fört skilsmässan på tal men till en början avvisat den utvägen som omöjlig:

Skiljas? Nej, ty familjen har blivit mig en organism liksom växtens, varav jag blott utgör en ofrånskiljbar del. Ensam skulle jag inte kunna existera; ensam med barnen utan deras mor inte heller: mitt blod cirkulerar i stora pulsådror, som gå från mitt hjärta, förgrena sig i makans livmoder och utbreda sig i mina barns små kroppar. Det är ett system av blodkärl, som slingra sig i varandra. Om man skär av en åder, så skall livet försvinna med blodet som rinner ut.

Till Strindbergs grundläggande föreställningar hör också striden och kriget som bild för de mänskliga relationerna. I olika varianter återkommer de hundratals gånger: inom denna metaforiska sfär rymmes både krigföringens och vapnens tekniska terminologi och den handgripliga kraftmätningens allra primitivaste vokabulär. ”Alltid erfar jag det som strid, angrepp, fientligt. Fiender äro vi nog alla, och vänner endast när det gäller att strida tillsammans”, säger Strindberg i en av sina fredligare böcker, Ensam.

Går man till de tidiga breven skall man genast märka, att

kamp och strid är bland de allra vanligaste uttrycken. ”Du är van vid att jag talar i första person Singularis derför är det så godt att börja stenkastningen med ens”, heter det 1870 till kusinen Oskar och 1872 får Rudolf Wall veta, i ett brev som åtföljer en uppsats: ”Om någon vapendragare skulle uppträda med ett försvar så har jag nog satt mig in i saken för att slå igen med vapen af nyaste tyska och Engelska fabrikat”. Tanken att begagna de litterära auktoriteterna som ”vapen” återvänder ofta i Strindbergs författarskap. Själv framställer han sig omväxlande som slagskämpe och militär, upplever åsiktsbrytningarna som ett handgemäng, meningsmotståndare och murkna ideal som kroppsligt närvarande fiender, vilka det gäller att likvidera med några välriktade slag. I juli 1879 aviserar han Röda rummet:

i September eller så har du en ny påminnelse om att jag lefver — då slår jag första slaget sjelf så att hundarna ska skrika — ty jag skrifver inte för att få heta poet — utan jag skrifver för att slåss

och efter Giftasprocessen hotar han ömsom med att ”märka” Sophie Adlersparre och ”krossa näsbenet” på henne.

Sammantagna konstituerar alla dessa uttryck en bildkrets av utomordentlig pregnans och detaljrikedom. Litteraturen är ett slagfält, där diktaren står mitt i kampen. ”Här må du tro det piper om öronen, och jag håller hela dagen på med att ladda och fyra af”, rapporterar Strindberg till Carl Larsson efter bullret om Svenska folket, medan han 1881 ger Kielland förhoppningen att ”vi inom icke lång tid stå i spetsen för hvar sin här”. Böckerna är projektiler: ”Kan ej skrifva mer vers nu!... Tryck derför och låt skottet gå!”, uppmanar han förläggaren; ”Här har du sista kulan!” — det är Herr Bengts hustru; ”nu har skottet gått” — det är 1883 års Dikter. 1884 väntar han sig ”en blodig höstkampanj” — det är Giftas han har i tankarna — och summerar senare kampanjens resultat: ”Brutit med allt, gått fram öfver lik, segrat och slagen! Ser mig om! Der ligga de sårade! Vänner, ideal, kära, allt”. I denna summering innefattas även brytningen med Björnson, som han nu påminner sig i hotfulla ordalag: ”Han har pröfvat mig som vän, som fiende skall han frukta mig. Jag anfaller icke, men jag försvarar mig, och det gör jag bra!”

Det framgår av ovanstående exempel, valda bland hundratals liknande, hur ihärdigt Strindberg grupperar sina avsikter och reaktioner inom kampens och stridens kategorier. Vän eller fiende är beteckningen för de människor, som han träder i förhållande till, någon annan gives inte; det kulturella livet är ett slagfält, där de taktiska rörelserna heter angrepp och försvar; idégivarna är vapendistributörer; diktverken projektiler eller signalraketer. I och för sig är ju kampens och stridens metaforer föga originella. De har långvarig hävd som beteckningar för mänskliga relationer, för aktioner inom det litterära och kulturella livet, för grupp- och skolbildningar. Med stor fyndighet och utförlighet utvecklas detta bildspråk i Tegnérs Epilog 1820: tiden är ”en väldig valplats, lika vid med jorden”, där det gamla och det nya kämpar” i vild förbittring”; ”Härförarn ensam vinner icke slaget, / de djupa leden vinna det åt honom” etc. Viktor Rydbergs heroiska idealism får uttryck i liknande bevingade formuleringar: diktaren känner sig som en ”stridsman under de idéers fana, för vilka jag lever och andas”, Den siste atenaren är ett spjut, ”slungat mot de fientliga lederna, i krigarens lovliga uppsåt att såra och döda”.

Dessa föreställningar om kulturlivet som en valplats och diktaren som stridsmannen, krigaren, är emellertid särskilt karakteristiska för 1800-talets senare hälft och då intimt associerade med riktningar och ideal helt motsatta dem, som Viktor Rydberg bekände sig till. I Zolas häftigt tidsengagerade kritik är ord som ”lutte” och ”lutteur” bland de allra vanligaste formlerna; kampen står då mot den förhatliga romantiken och idealismen och för den nya livsåskådning som — med Georg Brandes’ krigiska metafor — besjälade ”det moderne Gjennembruds” män. Hos Ibsen blir diktaren attentatorn, som lägger ”torpedo under arken”, och när Heidenstam långt senare skall sammanfatta Björnsons livsgärning, väljer han med säker instinkt det militanta bildspråk som hörde tiden till: ”Stor var den sol, som sjönk i kvällen. / Diktare, krigare, striden är all!”. Strindberg drog konsekvenserna av en tidstypisk diktarkonception, när han åsatte sig gradbeteckning: ”Vi löjtnanter kunna icke gå i elden utan manskap, och det är för många vakanser ännu!”.

Strindberg var här hemma inte den ende, som upplevde tidens

idébrytningar i kampens och stridens formler. 'I krig med samhället' heter en novell av Anne Charlotte Edgren, ett angrepp, på konventionerna kring äktenskapet, och titeln är inte enbart retorisk. De krigsstämningar, som Strindberg och hans meningsfränder levde i särskilt under 80-talet, hade sitt sakliga underlag i åttitalisternas programmatiska opposition mot hävdvunna värden och samhälleliga institutioner, som var allt annat än ofarliga att förgripa sig på: Giftas-åtalet gav dramatiskt besked om de krafter, som stod de unga emot. Attackerna mot det bestående förenade åttitalisterna i en ovanligt stark generationskänsla och gav konkret innebörd åt uppfattningen om den militante diktaren. I brev till Edvard Brandes tackar Strindberg för det erkännande han fått, "icke som författare eller Talent (ty det aktar jag ringa) utan som slagkämpe". Den nya tidens diktare är inte bellettristen utan den aktiva, dådkraftiga handlingsmänniskan, vars klassiska sinnebild är krigaren, kämpen.

För kampmetaforikens avfattning kan det inte heller ha varit utan betydelse, att Strindberg var samtida med darwinismen. Den term som Darwin lanserade, "kampen för tillvaron", var visserligen inte hans egen uppfinning, men han gav den ny innebörd och vidgade den till universell giltighet då han införde kampen som det avgörande momentet i livets fortgång och utveckling. "Kampen för tillvaron" slog snabbt igenom, som slagord och livsåskådning, och Strindberg, som i bokstavlig mening fick känna av konkurrensen om utrymmet och existensmedlen, bör inte ha haft svårt att införliva Darwins dramatiska formulering med sin föreställningsvärld.

Men det krigiska bildspråket är inte enbart tillämpad darwinism eller broderier på en tidsenlig vokabulär. Det bottnar av allt att döma i en aggressiv grundstämning, i tidiga upplevelser av omvärldens fientlighet och insikter om kampens nödvändighet. Rädsla, osäkerhet, ensamhet och motsättningar till övriga familjemedlemmar är Strindbergs bestående barndomsminnen. Han känner sig tillbakasatt i syskonkretsen, misslyckas med att vinna föräldrarnas förtroende och kärlek och krossas gång på gång i sin självkänsla av fadern. "Icke modren, icke Lovisa, ännu mindre bröderna och minst fadren vågar han hylla sig till. Fiender överallt", heter det i självbiografien.

Som man numera vet är inte självbiografien det pålitligaste dokumentet om den unge Strindberg. Men även om den är stiliserad i biografens välförstådda intresse att framställa sig som den förkastade och utstötte, finns det ingen anledning att betvivla hans tidigt upplevda främlingskap, hans osäkerhet och de konflikter som han utstod i förhållandet till sina närmaste. Hur han betedde sig i sådana lägen — och hur han alltid skulle komma att bete sig — har övertygande påvisats av Torsten Eklund, som i den stukade självkänslan och kompensationsbehovet funnit klaven till hans psykologi. Den unge Strindberg tillgrep olika medel för att göra sig gällande. I konkurrensen med de bättre lottade syskonen utvecklades det självhävdelsebegär, som senare kunde få monstruösa former. Tidigt fann han också att det oförskyllda lidandet kunde vändas till hans egen fördel och arrangerade med självplågarens speciella begåvning scener, där han framstod som den tillbakasatte. Vid sidan av denna passiva taktik utvecklade han en mera aktiv, yttrande sig i opposition och öppet trots, lynnesdrag som är väl betygade både av Strindberg själv och av hans närmaste och som utbildades främst i kampen mot den farligaste fienden, fadern. Den ”aggressiva hållningen skulle omväxlande med den passiva ... bli utmärkande för hans senare relationer till yttervärlden. Delvis förutsatte dessa bägge tendenser varandra hos honom: ju mer han ansåg och inbillade sig misshandlad, dess mer kände han sig i sin rätt att gå till angrepp och slå igen”, lyder Eklunds sammanfattning.

Som Eklund iakttagit är oppositionen och trotset i Strindbergs liv nära förbundna med perioder av stegrad livskänsla och kraftkänsla. Det råder heller inget tvivel om att själva kampen, slagsmålet, var en livsform som i hög grad stimulerade den unge Strindberg: det gör att t. ex. hans samhällskritik så sällan blir kverulantisk utan i stället uppsluppen och yster mitt i alla de hårda angreppen. Det är inte att ta fel på att han är en ung krigare, som finner sin lust i bataljen; när det piper om öronen känner han sig i själva verket väl tillfreds:

Den här leken påminner om Spänna kyrka! De lappade förra gången; jag gissade rätt och nu lappar jag, tills de få turn igen. Men jag tror att byxorna sprack på Gråkappan när jag klädde till det här rappet heter det efter Röda rummet och åtskilliga andra uttalanden speglar samma besatthet i kampen som sådan: ”Men var äro mina fiender? Jag brinner av stridslust, men jag ser ingen att strida mot”; ”Vi äro alltså fiender! Jag behöver sådana, ty de gamla ha gått”. Uthållighet i kampen, långsiktiga strävanden är inte förenliga med detta behov av ständigt nya bataljer och oförbrukade fiender: det var med stor självkännedom som Strindberg karakteriserade sig som en ”Galler, som är snabb och hänsynslös i angreppet, men som lemnar försvaret åt andra!”.

Men inte bara mänskliga avsikter och handlingar skrivs in i detta bildspråk. Så dominerande är kampen, striden i Strindbergs föreställningsvärld att den färgar av sig också på natur- och miljöskildringen. Boörten ”begagnas som bakhåll av de små, kvicka ödlorna” och kvickroten ”tiraljerar” under jorden. I romanen I havsbandet talas det om ”de livliga alfåglarnes legioner i svart och vitt . . . grisslornas och havspapegojornas små band; de dystra, kolsvarta svärtornas strövkårer” och älgen upprättar sitt ”ståndkvarter” i skogen. Strindberg beskriver en skogsväg och får associationen att den är lagd som en rörlig pontonbrygga och återger till och med ett så föga martialiskt ting som ett husligt stilleben med militära attribut: ”han tände sitt talgljus och ställde det på matbordet, där ett mjölkglas stod vakt bredvid ett rågbröd”. Vad som här kan ha spelat in, liksom överhuvud taget i denna bildkrets, är Strindbergs egna krigserfarenheter. De inskränkte sig visserligen till några års vapenövningar i skarpskytterörelsen, men man får inte bortse från denna episod: här som alltid förstod han att göra sina iakttagelser och erfarenheter metaforiskt produktiva.

Uttryck som de sist anförda är talande, just därför att de synbarligen inte har någon annan uppgift än att illustrera, ge yttre likheter; de visar hur Strindberg associerar till krigets sfär även i de till synes fredligaste sammanhang. Å andra sidan kan man iakttaga, att kampens och stridens motiv *drar till* sig bilder från skilda håll. Det är inte enbart den regelrätta krigsföringens och handgemängets uttryck som Strindberg betjänar sig av. En rad analogier, till och med från det vegetativa livets stilla sfär, förmår han avvinna det motsats- och spänningsförhållande, som svarar mot hans grundläggande upplevelse av de mänskliga relationerna i aggressivitetens tecken. Därom handlar de följande avsnitten.

Det torde vara svårt att finna en diktare, som i lika hög grad som Strindberg har gynnat åsk-, blixt- och andra elektricitetsbilder. Ord som åskväder, åskmoln, oväder, batterier, laddningar är utomordentligt vanliga genom hela hans författarskap när det gäller att suggerera oluststämningar, det outsagda som hänger i luften, de hopade konfliktämnena. I novellen Nybyggnad skildras ett sammanträde i medicinska föreningen Aeskulap. En frigjord ung dam flyttar över till herrsidan, medan hennes medsystrar i harm över tilltaget samlar sig vid kakelugnen. Atmosfären blir, som i många strindbergska församlingar, plötsligt tung av nervös olust och vantrevnad:

Det började kännas åskigt i luften, och det batteri som laddades vid kakelugnen blev oroande, ty varje herres försök att avleda elektricitet med ett samtal blev träffat av en stöt, som kastade honom tillbaka. Den vackra hade infört striden på en annan, just den fruktade och förbjudna marken, och därför hade hon segrat.

För att få en urladdning till stånd tog ordföranden sin sejdel, knackade i bordet och harskade sig till att hålla ett humoristiskt tal.

Situationerna är ”laddade”, ”åskiga” — bildspråket är i och för sig föga originellt, men det är tydligt att det speglar föreställningsvärlden hos en diktare med ett särskilt väl utvecklat sinne för aggressiviteten i alla livsförhållanden, för de latenta spänningarna människor emellan. I sina mera frappanta former uppträder dessa elektricitetsliknelser senare i Strindbergs produktion än t. ex. hans utomordentligt vanliga tekniska, mekaniska analogi, men de vinner terräng i takt med elektroteknikens framsteg under 1800-talets senare hälft och sluter sig efterhand samman till ett centralt symbolkomplex i hans människoskildring.

Vissa mera speciella elektriska termer och anordningar hade satt spår i bildspråket långt före Strindbergs tid. Verbet ”elektrisera” i betydelsen egga, uppliva är belagt i svenska från 1700-talet och tycks på 1800-talet närmast ha blivit en kliché. Ett annat fenomen tog Tegnér upp i dikten Förbrödringen: ”Låt hvar glädje, som du njöt, / Flyga genom brödraringen / liksom en elektrisk stöt”, medan H. C. Andersen tänker sig döden som "et elektriskt Stød, vi faa i Hjertet; paa Elektricitetens Vinger flyver den frigjorte Sjael". Åskledaren, konstruerad på 1750-talet, kommer in i bildspråket några decennier senare. Strindbergs uttryck i Röda rummet: "Struve ... mottog med nöje det åskledande anbudet", var kanske sålunda ingen metaforisk innovation, men detta bildspråk, omväxlande med termen "avledare", blir däremot ett påfallande vanligt inslag i hans människoskildring. De mänskliga relationerna är elektriskt laddade; åskledaren infogar sig organiskt i denna föreställning som utlösaren av de starka spänningarna:

Människorna bli i norden mindre associabla. Självet utvecklar sig till en onaturlig storlek, och när nu två sådana där 'själv' kedja ihop sig på tu man hand, utan några avledare, då blir hemmet en lejonbur. I södern lever man i byalag, ute på gatan, på krogen, i sällskap, med ett ord ute, och inte i bur, därför blir konflikten mindre där; elektriciteten fördelas och slår inte ner i blixtar.

Strömväxlaren eller kommutatorn (en anordning för att likrikta induktionsapparaternas växelström) daterar sig från ett senare skede i elektricitetens historia, men kan få göra samma avledande tjänst som åskledaren i de typiska strindbergska situationer, där luften är tung av enerverande olust och förstämning: "Det var en minut av evighetens längd. Men så kom räddningen: två artister av kretsen rasade in, kastade om strömväxlaren och avledde de konträra strömmarne".

Bakom denna konception av de mänskliga relationerna ligger föreställningen att individerna själva är elektriskt laddade, "starka oväder" som det heter, ett bildspråk som Strindberg kan tillämpa även på sig själv när han kallar sig "en öfverladdad Leydner-flaska" som bara vill slå gnistor. Det fanns också vetenskapliga och kvasivetenskapliga teorier av mycket gammalt datum, som kunnat inspirera till föreställningen om individerna som elektrifierade. Långt före Strindbergs tid hade läkarvetenskapen antagit förekomsten av elektriska laddningar i nerverna och hos tänkare som Hartmann och Schopenhauer kan han ha gjort bekantskap med läran om den animala magnetismen. "Den animala magnetismen har jag alltid hållit för något verkligt, för ingenting annat än den innervationsström, som ger utslag på galvanometern", heter det i Genvägar, och i novellen Över molnen känner Aristide "dessa magnetiska strömmar, som nervösa människor erfara i närheten av någon icke likgiltig person". Till yttermera visso talas det i Nybyggnad om "övernervösa som lida av att känna andras elektricitet"; den unga flickan, till vilken detta yttras, får visserligen till tröst att vår "ackomodationsförmåga är ofantlig".

Det är uppenbart att sådana äldre teorier har givit det helt reala underlaget åt föreställningen om individerna som "laddningar" med förmåga att utstråla kraft och därmed — vilket blev speciellt viktigt för Strindberg — påverka andra individer. Därifrån är inte steget långt till den "hjärnornas kamp" som utkämpas med hjälp av psykiska fjärrkrafter. Ett stycke in på 80-talet gjorde Strindberg bekantskap med den moderna suggestionsläran och den forskning kring hypnotismens fenomen, som bedrevs av Nancyskolan, och han tog begärligt tillfället i akt att grunda sin människoskildring på de allra färskaste rönen på det psykologiska området. Som Hans Lindström har utrett blev särskilt den moderna suggestionspsykologien — av Strindberg påpassligt kombinerad med maktkampsfilosofien — av utomordentligt stor betydelse för hans konception av hjärnornas kamp. Det är just i sådana sammanhang, i den cerebrala maktkampen med hypnotism och suggestion som vapen, som hans elektricitetsmetaforik når sin rikaste utbredning, men den var väl förberedd i hans tidigare produktion. Den var fast införlivad med hans föreställningsvärld, tidigt intimt associerad just med den aggressiva sfären, med motsatser, spänningar, fientligheter människor emellan.

I Tschandala har Strindberg givit ett av sina mest bekanta exempel på maktkamp med suggestion och hypnos som vapen. I denna novell, förlagd till 1600-talet, skulle elektricitetsmetaforer ha tett sig anakronistiska. Det är i stället den animala magnetismen som får gälla som förklaring i den passage, där magister Törner grubblar över sitt förhållande till zigenaren, som oupphörligt upptar hans tankar: "Kunde det vara en följd av den allmänna attraktionslagen, som drager fluida i skilda djurkroppar till varandra, som driver människor att söka varandra, som åvägabringar ledning eller rapport mellan alla individer". I Vivisektioner däremot, som skildrar samtida förhållanden, är Strindberg oförhindrad att anknyta till elektricitetens termer när han skildrar, hur han praktiserar hypnotism med reskamraten Schilf som objektet:

Jag skrattade överlägset, emedan jag vet, att det är min stora hjärna, som sätter alla hans rörelsenerver i verksamhet, och det är jag, som hypnotiserat honom så, att han är rov för den hallucination, att det är han, som sätter mig i rörelse. Han ser icke, att hans nerver och muskler äro kopplade vid mitt stora elektriska batteri.

I sådana sammanhang har de elektriska termerna blivit mer än bilder, omskrivningar. De innebär ett försanthållande; hjärnorna *är* batterier med förmåga att utsända strömmar. Strindberg var heller inte ensam om att tolka de psykiska utstrålningarna som elektriska fenomen. Tidens ledande forskare som Charcot och Bernheim förkastade visserligen — har Lindström påpekat — alla teorier om materiella kommunikationer eller mystiska emanationer som förklaringar till fjärrkrafterna. Men äldre föreställningar levde kvar och särskilt de elektriska teorierna var länge livskraftiga. En speciell lära — om ”molekularrörelser” mellan hjärnorna — lanserades av Nordau och det är närmast till denna, som Strindberg anknyter i en passage i I havsbandet, där intendenten känner öbefolkningens fientlighet komma emot sig. Inte ens övermänniskan kan undandraga sig suggestionen, enligt Nordau. De ”små” hjärnornas samlade utstrålning kan betvinga även den starkaste, och det heter alltså om Borg att ”efter hand, när fientligheten efterträdde kölden, märkte han ett ogynnsamt inflytande på sitt själiska befinnande. Det var, som om ett åskmoln av oliknämnig elektricitet låg över honom och irriterade hans nervfluidum, ville förinta detsamma genom att neutralisera det”. Det är en annan variant av den typiskt strindbergska föreställningen: att människorna nedkämpar varandra med strömmar.

På ett annat ställe i romanen uttryckes däremot den tanken, att det just är omgivningens fientlighet som ger styrka åt den ensamme intendenten, och även detta kan åskådliggöras med elektricitetslärans begrepp:

Deras fiendskap höll honom fri; deras vänskap skulle ha dragit ner honom i deras gyttja. Deras hat kunde endast verka som en strömväckare på hans kraft, men deras tillgivenhet skulle ha neutraliserat den, om ock deras andar aldrig kunde inträda i kontakt med hans.

Det är givetvis icke en tillfällighet, att man återfinner den strindbergska elektricitetsmetaforiken i dess lärdaste, mest avancerade former just i romanen I havsbandet. De svarar mot den höga intellektuella kapacitet som tillskrivs intendenten: för honom, intelligensaristokraten och den moderne naturvetenskapsmannen, har det fallit sig naturligt att använda inte bara elektricitetslärans enklare begrepp som sinnebilder för sitt förhållande till omvärlden. Med termen "strömväckare" anknyts sålunda till induktionselektriciteten, som upptäcktes av Faraday 1831 och blev praktiskt användbar i större skala genom Siemens och Grammes uppfinningar från slutet av 1850-talet, resp. början av 1870-talet. Det är detta fenomen, som Strindberg applicerat på intendentens förhållande till folket: hans styrka väckes, induceras, av deras hat.

Just termerna induktion och influens blev av utomordentligt stor betydelse för Strindberg. Bägge förutsätter en aktiv part och en passiv, en påverkande och en påverkad. Det är lätt att se, hur väl dessa begrepp har låtit sig införlivas med kampmotivet och med en tidigt grundlagd föreställning om individerna som högspända laddningar: den moderna elektricitetslärans differentierade begreppsvärld tillhandahöll själv termerna för en allt subtilare beskrivning av de psykiska fenomenen. Men det är också tydligt, att Strindberg själv på ett särskilt intensivt sätt har upplevt de psykiska och psykofysiska realiteter, som kommer till uttryck i analogierna från elektricitetens sfär. Han var själv — liksom t. ex. intendent Borg — en av tidens övernervösa; det var en egenskap, som väl lät sig förenas med övermänniskans konstitution. Hur han själv har upplevt olusten, irritationen i människors sällskap omvittnar han på ett ställe i Legender. Med sina nyförvärvade termer kan han då ge en vetenskaplig förklaring till samma stämningar, som han skildrar i det ovan åberopade stycket från Nybyggnad:

Stig allena in i en fullsatt järnvägsvagn. Ingen känner den andra, alla sitta tysta. Alla erfara allt efter graden av sin känslighet en ofantlig otrevnad. Där försiggår en mångfaldig korsning av olikstämmiga irradiationer, som alstrar allmän beklämning. Det är icke varmt, men man tycker man vill kvävas: sinnena, som äro till övermått laddade med magnetiska fluida, känna ett behov att explodera; strömmarnas intensitet, ökad av *influens* och *kondensation*, kanske till och med av *induktion*, har nått sitt maximum.

Då tar någon till ordet: urladdningen har ägt rum, och neutraliseringen har inträtt när alla inlåtit sig i ett samspråk utan innehåll för att tillfredsställa ett snart sagt fysiskt behov.

Enstöringen drar sig tillbaka i sitt hörn, slutar sitt inre öga och öra och fördjupar sig i sig själv för att värja sig mot en ny *influens*.

Att värja sig mot influens, att utestänga suggestioner och sålunda bevara den personliga integriteten blir ett problem för den åldrande Strindberg och ett motiv som ofta gestaltas i hans diktning, även sedan den regelrätta kampen mellan hjärnorna är ett passerat stadium. Hans idéer om de psykiska fjärrkrafterna får efterhand ett allt starkare inslag av ockultism och parapsykologi. Även för sådana telepatiska fenomen fann Strindberg de adekvata analogierna i sin sedan länge utbildade elektricitetsmetaforik och främst i termerna induktion och influens. Redan ordet tanke*strömmar* — troligen en strindbergsk innovation — i följande citat ansluter sig till dessa termer: ”vi tro att två starka andar under vissa omständigheter kunna förnimma varandra på avstånd, sända tankeströmmar, starkare än Teslas strömmar, till varandra, utöva inflytande på varandra”.

I Götiska rummen återkommer han till tanken, att en själ icke kan ”existera utan samverkan med andra själar” men har då en nyare analogi tillhands. År 1882 hade Edouard Branly uppfunnit den s. k. kohären, en mottagningsanordning för trådlös telegrafi, efterhand följd av förbättrade konstruktioner, vilka så småningom banade väg för radiotekniken, och det är tydligen till denna apparat som Strindberg anknyter då han säger, att ”alla själar stå i rapport med varandra; och det finns människor med så känsliga mottagningsapparater att de känna med hela mänskligheten och följaktligen lida med den”. Ännu en gång kunde alltså elektricitetsläran, vars framsteg Strindberg sedan decennier bevakat och tillgodogjort sig i sitt bildspråk, tillhandahålla åskådningsmaterial: det är slutligen i de trådlösa kommunikationerna, som han finner den adekvata analogien för de psykiska: ”en dag var hon borta, både bortrest och utanför min mottagare (coherer)”, heter det också i En blå bok.

När Strindberg skrev detta hade han redan vid flera tillfällen applicerat den elektriska terminologien på de erotiska relationerna och främst på de viktiga temata i hans människoskildring som heter driftsliv och könskamp. Den första bilden av detta slag återfinnes i Giftas-novellen Dygdens lön. När Theodor ”kände den mjuka varma kroppen rycka och på samma gång trycka sig mot hans, gick det som ett elektriskt slag genom hela hans nervsystem”:

Han föreställde sig dunkelt han var en elektrofor, vars positiva elektricitet under en urladdning förenat sig med den negativa. Och detta under en svag, till det yttre kysk, beröring med en ung kvinna. Han hade sålunda känt det kvinnligas motsatta polaritet och han erfor nu vad det ville säga att vara man.

Könsdriften är sålunda — helt i överensstämmelse med naturalistisk människouppfattning — en av de ”laddningar” som Strindberg överhuvud taget så gärna föreställer sig. Theodors fortsatta historia vill visa, hur en människa går under fysiskt och psykiskt när hon inte får utlopp för denna drift, när laddningen inte — med Strindbergs terminologi — får sin ”avledare” eller ”åskledare”. ”Hade det nu varit lika många flickor som gossar i skolan och under alla lektioner, skulle troligen små oskyldiga vänskapsförbindelser uppstått, elektriciteterna blivit avledda, madonnadyrkan reducerad och hans oriktiga begrepp om kvinnan icke följt honom och de andra kamraterna genom livet”, heter det också i självbiografien.

Men framför allt kunde elektricitetsläran tilhandahålla termer för den könens ömsesidiga attraktion och repulsion, som är ett ofrånkomligt inslag i Strindbergs uppfattning av förhållandet mellan man och kvinna. Vad han i Giftas-citatet ovan med en tavtologi kallar den motsatta polariteten, blir sålunda ett uttryck för hans grundläggande upplevelse av manligt och kvinnligt som oförenliga motsatser, oförenliga men naturnödvändigt betingande varandra, som elektricitetens positiva och negativa laddningar. Kommentaren till denna föreställning läser man i Tjänstekvinnans son:

Under det ruset pågår ackomodera sig själarne, och sympati uppstår. Sympati är vapenvila, kompromissen. Därför utbryter vanligen antipatien, när det sinnliga bandet lossnat, icke tvärtom... Kan vänskap uppstå och vara mellan de olika könen? Endast skenbart, ty könen äro födda fiender; + och — förbli alltid motsättningar, positiv och negativ elektricitet äro fiender, men söka varandra för att komplettera varandra.

Det är givetvis en äkta strindbergsk tanke, att mannen i denna erotiska elektricitetslära är den positiva parten, kvinnan den negativa. Med den moderna elektroteknikens termer motiveras detta långt senare i följande stycke: ”Det är ingen konstant ström i hennes kärlek, utan en ständig ompolarisering och en ständig strömväxling; däri visar sig det negativa, det passiva i hennes väsen i motsats till mannens positiva, aktiva”.

Ytterligare en distinkt bildgrupp med rika förgreningar i hela Strindbergs författarskap är växt- och vegetationssymboliken. Parallellen mellan människolivet och växtlivet och överhuvud taget betonandet av människans natursida blev ett trumfkort för naturalisterna i kampen mot idealistisk livs- och människouppfattning, men får också sina individuella utgestaltningar av de olika diktartemperamenten.

Den strindbergska växtmetaforiken anslås redan i titeln till den första novellen i Svenska öden: Odlad frukt. Den unge ädlingen Sten Ulvfot tvingas lämna sitt fädernegods och ge sig ut i världen på egen hand men är illa rustad i kampen för tillvaron. Efter nedslående erfarenheter uppsöker han ett kloster i hopp om att där undslippa det hårda, förnedrande arbete, som är det enda som samhället kan erbjuda honom. Just i klostret får han emellertid sin dom. ”Ni tror att odling är utveckling; den är blott en sjuklig utbildning”, säger priorn, som kan hämta åskådningsmaterial för denna tes på allra närmaste håll, i den klosterträdgård där samtalet äger rum:

Se på detta äpple, som lyser så praktfullt i guld och rött! Det är en engelsk parmän! Det har ännu kärnor, men sår jag ut dem, så får jag surkart till frukt! Men blir det sträng barvinter, då fryser parmänen ned, men surapeln fryser icke. Därför skall man låta bli att odla människor, i synnerhet som det alltid göres på andras bekostnad.

Hela berättelsen är en illustration till den darwinska selektionsteorien och ett angrepp på den degenererade överkulturen: Sten Ulvfots öde är att han inte är ändamålsenlig, kultiveringen har berövat honom de robusta egenskaper, som krävs i den hårda kampen för tillvaron. Slutet blir helt följdriktigt, att han frivilligt lämnar livet: han kan inte överleva i samhällets frostiga klimat, som obönhörligt gallrar bort de mindre livsdugliga individerna.

Kultiveringen är ett ingrepp i naturens egen ordning, den ordning som framför allt syftar till att säkerställa artens fortbestånd. Detta är en grundtanke i Strindbergs samhällskritik och novellistik från 80-talet, där han med utförliga, didaktiska analogier från växtlivet vill visa vådorna av driftslivets undertryckande i det moderna samhället. Novellen Nybyggnad öppnas med en scen, där man ser magnolian blomma:

Man ville komma henne närmare för att vidröra, känna henne men sinnena, men den välklippta gräsmattan höll de profane på avstånd. De skrikande tulpanerna på rabatten nertystades av den enkla, vita blomsterskruden, vit som brudens eller likets, och den svarta cedern sträckte sina långa grenar med de uppåtböjda årsskotten såsom fingrer signande den skönaste på vårens stora bröllop.

Liknande bröllopsskildringar från naturen — mer eller mindre detaljerade — är inte ovanliga i samtidens litteratur. Symboliken är enkel och entydig. Naturens kärleksliv får bilda bakgrunden till kropparnas förening, där det inte direkt får stimulera till en sådan, som fallet är t. ex. i Zolas La faute de l'abbé Mouret, där syndafallet föregås och beledsagas av en 40 sidor lång skildring av parkens orgiastiska sexualitet.

Hos Strindberg är poängen en annan: den brudklädda magnolian står som kontrast till det öde, som väntar berättelsens kvinnliga huvudperson. Hon får inte, som blomman, gå sin fullbordan till mötes. Hon är ålagd att avstå från äktenskap för att utbilda sig till läkare: fortsättningen formar sig till en bister vidräkning med emancipationen och det skadliga i en ordning som hindrar kvinnan att uppfylla sin naturliga bestämmelse.

Betydligt påtagligare får denna panerotiska drift spela med i Giftasnovellen med den ironiska titeln Dygdens lön. Det symboliska förtecknet till berättelsen och ackompanjemanget till den unge Theodors vaknande driftsliv är här skildringen av en vårdag, då blommorna befruktas, nattskärran lockar sin make och huskattan stryker omkring, väntande på sin ”älskares” frenetiska omfamningar. I denna exciterande natur är den femtonårige Theodor insatt; han ensam får inte följa sina drifter.

Med denna ohöljt naturalistiska växt- och djursymbolik har Strindberg konfronterat en romantisk blomsymbol av helt annan innebörd. Theodor betraktar narcisserna och erinrar sig Ovidius' berättelse om den sköne ynglingen. I romantikens dikt hade narcissen varit en omtyckt sinnebild för oändlighetslängtan och metafysisk trånad. Det är helt i överensstämmelse med naturalistisk psykologi, som bejakar driften och dess naturliga utlösning, att denna växt bekommer Theodor illa: den leder hans tankar till det sjukliga. Det är en detalj som ytterligare skall understryka det sunda och naturenliga i driften och dess inriktning: för honom, en ”stark, härdad, frisk yngling”, är kopuleringen och icke sublimeringen det naturliga. Helt följdriktigt känner han sig också som ”en planta av bleksallat, som man binder ihop och sätter under en blomkruka, för att den skall bli så vit och mör som möjligt och för den skull hindras att i solljuset få skjuta gröna blad, gå i blom, och minst av allt, gå i frö”.

Det är en förvänd uppfostran, påtvingad av samhällskonventionerna med dess undertryckande av den naturliga livskraften, som har resulterat i denna bleksiktiga vegetation. Med detta våld mot individen följer också faror för det kommande släktet: den rashygieniska synpunkten, omsorgen om avkommans kvalitet, är ett återkommande argument i Strindbergs kritik av de konventioner, som förhindrar tidiga äktenskap. Livsglädjen är störst mellan ”15 och 25 år, innan ännu samhället hunnit klippa, putsa och spaljera den unga växten, som då är i savningen”, heter det i Likt och olikt; ”Det är vid den tiden, då den unge mannen skulle ge liv åt ett kommande släkte”. När han gifter sig sent, ger mannen blott vad ”som är över av livskraft” — fallet illustreras just av Theodor, som får en rachitisk son när han äntligen blir far. Eller barnen kommer att födas lillgamla; man kan få se riktiga underbarn, men vart tar de vägen: ”Köp en i drivhus uppdragen växt och ställ den i ett boningsrum, så får man se om knopparne bli blom ens”.

Det är alltså den vildvuxna naturen som här ständigt åberopas som högsta instans gentemot den artificiella, degenererande kultur, som också är samhällets. I självbiografien vill Strindberg göra gällande, att detta rousseauanska naturförhärligande motsvarar en djup instinkt hos honom själv:

Han hade kulturfientlighet i blodet, kunde aldrig komma ifrån att känna sig som en naturprodukt, som ej ville lösas från det organiska sambandet med jorden. Han var en vild växt, som förgäves med sina rötter letade efter en kappe jord mellan gatstenarna, ett djur, som längtade efter skogen.

Detta bildspråk återkommer också, när han i samma bok skildrar landsflykten och den kroppens hemsjuka, som han trots allt lider av i främmande land: ”De finaste rötterna skadas vid omplanteringen, en annan jord ger en främmande näring, nya föremål ge nya tankar, som kastas in i de gamla, och det blir slitningar”.

Det är emellertid först och främst till tanke- och känslolivet som den strindbergska vegetationsmetaforiken hänför sig. Ett särskilt karakteristiskt inslag är analogien tanken—fröet, ofta återkommande i förbindelsen *tankefrö*. Bilden är givetvis inte originell. Redan Nya testamentets parabel om såningsmannen bygger på denna föreställning om tankarna och budskapet som ett utsäde.

Parallellen mellan tanke- och själslivets processer och vegetationens är inte heller okänd i tidens litteratur:

Evigheds avkom og frø er vi alle.
Tankerne har
rödder i slægternes morgon: de falle
spørgsmål med svar
fulle af sæd
over den evige grun;
derfor dig glæd,
at du en svindende stund
øgede evigheds arv!

sjunger Björnson, och som ofta påvisats är liknande bildspråk särskilt vanligt hos J. P. Jacobsen och Ola Hansson, båda darwinistiskt skolade och programmatiskt uppmärksamma på sambandet mellan människa och natur. Ola Hansson tycker sig återfinna "naturens stora processer, frösättningen, grodden och växten, även i själstillstånden", skriver Böök, och dessa analogier är mer än blott och bart poetiska bilder: "det är som om han *förstode* själens liv, när han jämför det med naturens".

Av Björnsons idealism och gudstro och Ola Hanssons innerliga samförstånd med naturens processer finner man emellertid icke ens reminiscenser i Strindbergs motsvarande bilder: hans frösymbolik har en mera prononcerat naturalistisk prägel. Vad Strindberg har tagit fasta på är inte det stilla groendet och spirandet; det är i stället växtlivets dynamiska faser, de undertryckta krafternas häftiga utlopp i skalsprängningen, som får förbildliga de intellektuella processerna:

hans huvud, som hittills avbördat sig alla tankar i talet ord, började fyllas med ett överskott av oförbrukat tankefrö, som grodde och sprängde och ville ut i vad form som helst och gjorde olust i kroppen,

heter det om Carlsson i Hemsöborna då han kommit i den nya omgivningen. Liknande ord kommer till användning om Blanche i Nybyggnad. Hon lyssnar till laboratorn, som uppmanar henne att skapa sig ett eget liv:

Blanche såg väggarne vika tillbaka, dörrar öppna sig i en oändlig fil; hans tal verkade som fukt och värme på gamla frön som legat på kallrum. Hon kände sin varelse gro och att det icke var långt förr än skalet skulle sprängas! Men så fattades hon av en underlig lust att brottas med denna själ som ville befrukta hennes. Hon fladdrade som fjärilen, undan, undan, för maken som förföljde henne i känslan av att döden låg i hans kyssar, döden för henne som individ, i samma stund hon gav liv åt släktet.

"Tankefröna" som sprängstoff, jäsnings- och explosionsämnen: det är ett ordval som osökt påminner om alla de andra metaforer, i vilka Strindberg föreställer sig tanke- och känslolivet just i den häftiga expansionens termer, som en ångmaskin eller en elektrisk laddning.

"Tankesådden" är ett centralt begrepp hos Strindberg och nära förbundet med hjärnornas kamp i olika former. Det motstånd som Blanche reser är den starka personlighetens behov att hävda sin egenart och sin integritet. "Att uppgiva sin mening för en annans är ju liksom att besegras, bli en annans träl och det vill man icke", heter det på ett annat ställe, som i fortsättningen anknyter till samma bildkrets som här har exempelifierats: "Därav intoleransen, som icke är annat än personlighetens självförsvar och individens strävan att växa och svälla ut genom att få införa egna tankefrön i andras kretslopp, att få vara med och råda i andarnas herravälden".

En som vill vara med och råda är intendent Borg, och bland de bilder som åskådliggör hans maktsträvan är just frösymboliken ett påfallande inslag. Allting gäller, säger han sig, "en kamp om makten, om njutningen att med sin hjärna få sätta de andras hjärnor i samklang, att få så sina tankefrön i andras hjärnbarkar, där de skulle växa parasitiskt som mistlar, under det att moderstammen stolt skulle axla sig i tanken att snyltarne däruppe i kronan ändå bara vore snyltare". Det är tydligen återigen Nordaus suggestionspsykologi med dess lära om "molekularrörelserna" som ligger bakom denna intendentens önskan. Det är helt följdriktigt att intendenten, som känner suggestionernas makt, också fruktar dem. I samma termer kan han då förutse vad som skulle kunna hända, om han låter utsätta sig för risken av umgänge. Han tycker sig höra "mänskoröster, som framförde ord, vilka ville äta sig väg genom hans öron in i hans hjärna, fröa av sig och som ogräs kväva hans egen sådd och förvandla hans med så mycken möda odlade åker till en naturlig äng lik de andras".

Liknande formuleringar återkommer när Strindberg skildrar sitt eget förhållande till omgivningen. Sedan han blivit fången i sin maktkampsfilosofi och gjort sig förtrogen med suggestionsläran intalade han sig själv samma fruktan för påverkningar som intendenten hyser. Hans naturliga behov att låta befrukta sig av tidens tankar hade en stark motvikt i rädslan att överrumplas av idéer utifrån, att bli ett motståndslöst byte för andras meningar och suggestioner — det är ju ett problem som återspeglas även i elektricitetsmetaforerna. Hur intensivt han ännu på sin ålderdom har upplevt även det obetydligaste tankeutbyte som ett attentat mot den personliga integriteten får man en antydan om i Ensam. Efter kafémötena med forna vänner, heter det där, känner han sin hjärna ”som sönderriven eller som uppbökad och besådd med ogräsfrön som behövde krattas bort innan de grodde”.

De allra starkaste uttrycken för tankesådden har man i de bilder, där Strindberg från sin frösymbolik glider över till befruktnings- och sexualsymbolik i termer, som efterhand blir alltmer ohöljt naturalistiska. Associationen till det sexuella är givetvis inte alltför långsökt: den är ju långt tidigare stadfäst i språket i den tvåfaldiga betydelsen av ord som säd och befruktning. Strindberg drar de yttersta metaforiska konsekvenserna av dessa uttryck, när han från sina frö- och utsädesbilder associerar till sexuella funktioner, avling och sädesuttömning, som bild för tanke- och idélivet.

Det första exemplet på sambandet mellan dessa båda sfärer har man i det anförda citatet från Nybyggnad. Blanche känner ett starkt behov att ”brottas med denna själ som ville *befrukta* hennes”. Från frö- och skalsprängningssymboliken har Strindberg glidit över till det sexuella, då hennes fortsatta reaktioner skildras i bilden av en kärlekslek från djurlivet. Kamp mellan själarna och en hotande befruktning — bilden för självuppgivelsen — är alltså redan här på ett karakteristiskt sätt förbundna med varandra i Strindbergs föreställningsvärld. Så är fallet också i självbiografien, som tillkommer strax efter Utopier. Han skildrar där, hur han efter motgången med Svenska folket känner sig stå ensam, och han får tillfälle att besinna sig på opinionens makt: ”Den går fram som en stormvind, och de starkaste böja sig undan först, men följa sedan, viljelöst.” Därför, säger han sig, ”är andarnas kamp om att få göra pinionen eller suggestionen kanske mera hemsk än kropparnas om motsvarande fördelar. Det finnes mycken likhet mellan denna strid och kampen om honan: det gäller vem som skall få nedlägga fröet till ett kommande.”

Han återvänder till terminologien i samma bok. Det gäller då Björnson, och det heter att Johan hade ”varit rädd för honom, och undvikit honom”, instinktivt, som Blanche undviker mannen och de nya tankarna:

Han hörde folk komma krossade från föreläsningarna såsom om de åsett en avlelseakt eller en dödskamp. Johan kände att här var ett starkt jag, starkare än hans och som kanske skulle komma och lägga livsfrö i hans själ. Han slog ifrån sig detta såsom om han anade en besegrare i kampen och han gömde sig.

Från dessa passager i självbiografien går en rak linje till en passus i ett brev till Edvard Brandes 1877. Strindberg ber om en hälsning till dennes broder och frågar sig: ”Hvarför skrifver jag ej sjelf? till honom? Derför att jag är rädd. Rädd för honom såsom för alla fruktsamhetsbringande andar, rädd som jag var för Zola, Björnson, Ibsen att bli dräktig af andras säd och gå och föda andras afvel”, och i ett följande brev har han utbildat denna metafor i detalj: hans ”aandslif har i sin uterus mottagit en förfärlig sädesuttömning af Friedrich Nietzsche, så att jag känner mig full som en hynda i buken”.

Denna djuriska kopulationsmetaforik blir alltså en av Strindbergs många formuleringar för hjärnornas kamp och den ”tankesådd” som denna betjänar sig av; de naturalistiskt oförblommerade uttrycken står i direkt proportion till hans fruktan för suggestionerna, hans insikt om idégivarnas makt i det andliga livet. Å andra sidan vill han gärna framställa sig själv som impulsgivaren i den stora kampen om herraväldet över opinionerna. Han tycker sig finna att Ibsen imiterat Fadren och Fordringsägare och utbrister triumferande: ”Nu när han på mina semina och är min uterus! Det är Wille zur Macht”.

För den som läst Strindbergs brev kommer uttryck som dessa inte direkt överraskande, sexuallivets funktioner beskrivs där i en jargong av folkligt drastiska termer. Men för detta bildspråk kan det inte heller ha varit utan betydelse att Strindberg var starkt fixerad vid den sexuella sfären, inte minst på grund av sin erotiska mindervärdeskänsla. Den blev akut i det första äktenskapets slutfas, vid samma tid som den sexuella metaforiken börjar uppträda i sina mest avancerade former. Skilsmässodramat har aktualiserat den sexuella sfären för honom och inte minst hans impotensskräck: av brev framgår också att han känt sig svårt kränkt av de rykten om hans bristande manlighet, som hustrun skall ha satt i svang.

Det är tydligen Strindbergs ytterliga sårbarhet på denna vitala punkt som reflekteras i de uttryck, där han framställer sig själv och sina diktade figurer som ”befruktare” i tidens tanke- och idéliv: på detta plan, det andliga och litterära, tilldelar han sig den önskeroll av den potente mannen, den kraftfulle alstraren, som han åtminstone tidvis fruktade att inte kunna kreera i det äktenskapliga umgänget. De triumfatoriska ordalagen ger en antydan om den betydelse han tillmätte potensen, som varit hotad i hans eget liv och just därför framstod som dubbelt eftersträvansvärd, inbegreppet av makt, lycka och framgång. Borg vill påtvinga massorna sina välgärningar för att sedan kunna sitta som en Gud och le åt deras dårskap, ”när de trodde sig ha skapat sin egen lycka själva och endast gingo dräktiga med hans tankar”. Något av samma universella befruktning menar sig Strindberg kunna åstadkomma med sitt författarskap, med de suggestioner som därigenom utgår från honom:

Det är lycka, denna maktkänsla, att sitta i en stuga vid Donau ... och veta att just nu, i Paris, i andarnes huvudkvarter, 500 människor sitta moltysta i en sal och äro nog dumma utsätta sina hjärnor för mina suggestioner. Några revoltera, men många gå därifrån med mina mögelfrön i gråa barken; de gå hem dräktiga av min andes säd, och så yngla de mitt yngel.

Andligt och sexuellt skapande är alltså intimt förbunda med varandra i Strindbergs föreställningsvärld. Tankesåddsmetaforiken i de ohöljt naturalistiska former, som här har exemplifierats, är givetvis förbehållen breven; i de tryckta skrifterna skulle de ha stött på patrull. Bilden av tankeutbytet och umgänget som ett samlag påträffas emellertid — i något förmildrad form — i novellen Min sommarpräst, där utan inslag av den maktkampsfilosofi och suggestionspsykologi, som eljest är förbundna med motivet. Prästen och hans gäst träffas varje dag, ”lekande samma tankelekar, aldrig sårande varann, aldrig törnande. Vi välja de sirligaste ord, de längsta omskrivningar, de lenaste uttryck. Det är som ett slags själarnes coitus”.

MAURICE GRAVIER

Karaktären och själen

Menschlich ist der Charakter und irdisch
Doch über sie die Seele jubelt sich empor.
Unsterblich die Seele.
Paul Kornfeld: *Himmel und Hölle.*

Det tyska expressionistiska dramat fann inte genast sin slutgiltiga form. Det kan betraktas som det paradoxala och ofta nog överdrivna resultatet av en lång litterär utveckling, som är besläktad med den vetenskapliga psykologins och de bildande konsternas utveckling vid samma tid. Wedekind skriver så tidigt som 1901 sin Kung Nicolo, som redan den förebådar den nya konsten. Kokoschka låter uppföra sina första dramatiska skisser i Wien 1907. Under åren närmast före kriget är det med Sorges, Hasenclevers och Kornfelds pjäser den första vågen av expressionistisk Sturm-und-Drang som bryter in över Tyskland. Expressionismens mest karakteristiska verk spelas efter sammanbrottet 1918 och det är först fram emot 1920 som man bryr sig om att försöka få fram expressionistdramats teori, själva expressionismens idé.

Men om man söker efter upphovet till denna idé, så finner man, att den inte dök upp plötsligt på 1900-talet, inte heller föddes den i Tyskland. Det var otvivelaktigt hos den svenske författaren Strindberg som den så småningom mognade. De första fröna bör man söka i förordet till Fröken Julie, vilket anses som ett av teaternaturalismens viktigaste manifest.

Fröken Julie, pjäsens hjältinna, har under midsommarnatten givit efter för närmanden från sin fåfänge betjänt. Och oförmögen att göra motstånd mot sin älskares suggestion begår hon självmord kort efter sitt felsteg. Hur skall man förklara, hur skall man, för att använda en traditionell psykologisk term, som Strindberg själv begagnar i sitt förord, ”motivera” detta oväntade fall, som följs av en så fullständig förtvivlan? Strindberg smickrar sig med att ha sökt flera förklaringar i stället för att nöja sig med en enkel och klar otillräcklig motivering; han tar med i beräkningen psykologiska och fysiologiska betraktelsesätt, han åberopar arvslagarna men också suggestionens makt, ty fröken Julie är en svag karaktär.

Strindberg är stolt över att ha gjort sina scenfigurer ”tämligen karaktärslösa”:

Ordet karaktär har under tidernas lopp fått flerfaldig betydelse. Det betydde väl ursprungligen det dominerande grunddraget i själskomplexet och förväxlades med temperament. Sedan blev det medelklassens uttryck för automaten; så att en individ, som en gång för alla stannat vid sin naturell eller anpassat sig till en viss roll i livet, upphört att växa med ett ord, blev kallad karaktär, och den i utveckling stadde, den skicklige navigatören på livets flod, som icke seglar med fasta skot, utan faller för vindkasten för att lova upp igen, blev kallad karaktärslös. I förringande bemärkelse, naturligtvis, emedan han var så svår att infånga, inregistrera och hålla vård över. Detta borgerliga begrepp om själens orörlighet överflyttades på scenen, där det borgerliga alltid härskat. En karaktär blev där en herre som var fix och färdig, som oföränderligt uppträdde drucken, skämtsamt, bedrövligt, och för att karaktärisera behövdes bara att sätta ett lyte på kroppen, en klumpfot, ett träben, en röd näsa, eller att man lät vederbörande upprepa ett uttryck såsom: ”det var galant”, ”Barkis vill gärna”, eller så. Detta sätt att se människorna enkelt kvarsitter ännu hos den store Molière. Harpagon är bara girig, ehuru Harpagon kunnat vara både girig och en utmärkt financier, en präktig far, god kommunalman, och, vad värre är, hans ”lyte” är ytterst förmånligt för just hans måg och dotter, som ärva honom och därför icke borde klandra honom, om ock de få vänta lite på att komma i säng. Jag tror därför icke på enkla teaterkaraktärer.

Om man får anta, att entydiga karaktärer någonsin existerat, så har dessa blivit omöjliga att acceptera under en övergångstid som den aktuella, en period med hysteriska omvälvningar, där nyheterna vänder upp och ned på traditionen och de nya idéerna, spridda genom tidningarna, t. o. m. hos de enfaldiga kämpar mot det förgångnas lärdom.

Mina själar (karaktärer) äro konglomerat av förgångna kulturgrader och pågående, bitar ur böcker och tidningar, stycken av människor, avrivna lappar av helgdagskläder, som blivit lumpor, alldeles som själen är hopflikad.

Den klassiska teatern (nog är det hyckleri att kalla den borgerlig) har just tillfogats ett avgörande slag. Om man inte längre kan räkna med stabila karaktärer, vad är då den traditionella psykologins förklaringar värda? För ögonblicket gäller det förvisso bara att helst syssla med de undflyende, förfinade eller helt enkelt dekadenta psykenas problem (fröken Julie är en fin-de-siècle-figur) och att analysera dem utifrån med en hittills okänd självständighet och djärvhet. Strindberg vill inte nöja sig med dittills gångbara enkla eller t. o. m. ensidiga skildringar. Han gör anspråk på större sanningsenlighet, då han närmare följer naturen och tar fasta på dess nycker, paradoxer och motsägelser. Skenbart överskrider han inte naturalismens gränser, och ändå föredrar han ordet ”själ” framför termen ”karaktär”. Nya perspektiv tycks alltså öppna sig.

Den klassiska teaterns grundläggande misstag är enligt Strindberg, att den vill skildra helt konsekventa personer. Människan är konsekvent bara då hon ställer sitt medvetande under tvång, stelnar, tömmer sig på sin vitala substans och avstå från sin spontaneitet. Under hela sin karriär hyllar Strindberg denna sanning, som han upptäckte, då han funderade över fröken Julie och Jean. Människan utvecklas och motsäger sig ständigt, och endast den kan beskriva henne, som avslöjar den mänskliga själens många inkonsekvenser och motsägelser. Mot slutet av sitt liv lyckönskar han i Öppna brev till Intima teatern och En blå bok Shakespeare till att han så väl förstått att återge medvetandets tillfälligheter och mångfald.

Med karaktär förväxlar man ofta typen eller originalet och fordrar så kallad konsekvens i teckningen. Men det finns inkonsekventa karaktärer, svaga, karaktärslösa karaktärer, osammanhängande, sönderslitna, nyckfulla karaktärer.

För att belysa detta vill jag hänvisa till min sista Blå Bok, där jag påpekat, hur Shakespeare bär sig åt, när han tecknar människor i alla deras faser, och i motsats till Molière, som verkligen ger typer utan liv och lemmar (Den Girige, Hycklaren, Mänskohataren o. s. v.).

För övrigt räcker Shakespeare med hela sitt geni inte till för uppgiften, ens när han tecknar människor, som är inkonsekventa, söndriga, sig söndrande, obegripliga. När man tänker på hur många bilder man tar med filmkameran för att få fram en enda rörelse med armen, då måste man erkänna, att diktaren får nöja sig med förkortningar och missvisande approximationer.

När man bläddrar i Kammarspelen, upptäcker man många repliker, som illustrerar och kompletterar dessa reflexioner. Så t. ex. frågar Gerda i Oväder sin far, den ”herre”, som inte återsett henne på länge, om hon inte har åldras. Och han svarar:

Jag vet inte. — Man säger att på tre år finns inte en atom kvar av människans kropp — på fem år är allt förnyat, och därför är ni som står där en annan än den, som satt och led här — jag kan knappt säga du, så vilt främmande känner jag er. Och jag antar att det skulle vara samma förhållande med min dotter!

I Brända tomten frågar Främlingen Stenhuggarn om karaktären hos en kvinna, som han känt. Denne blir förvånad: vad menas med karaktär, är det fråga om yrket? (*karaktär* kunde förr på mantalskrivningsblanketter betyda titel, stånd). Främlingen vill tala om sinnelaget. Och Stenhuggarn svarar:

Jaså, ja sinnet växlar det; hos mig är det beroende på vem jag talar med. Med en hygglig människa är jag hygglig, och med en elak så blir jag ett vilddjur.

Och litet senare tillägger han melankoliskt:

Nej, man blir inte slug på människor, herre!

Någon tid efteråt träffar Främlingen Damen, som aldrig sett honom och det visar sig, att han är hennes svåger. Hon har dock hört talas om honom. Liknar han de beskrivningar hon har fått? Hon måste erkänna, att han inte gör det och tillägger:

Ja, människorna gör varann så orätt, och de målar om varann, var efter sin avbild . . .

Men Främlingen står fast vid sin åsikt:

Och de gör som teaterdirektörer och utdelar roller åt varann; somliga ta emot rollen, andra lämna tillbaks den och föredra att improvisera.

Här lägger man märke till en nyans, som man förgäves skulle få leta efter i förordet till Fröken Julie. Om dessa människor tycks vara paradoxala och motsägelsefulla spelar ingen större roll, de modifieras ständigt. Man kan inte i längden finna nöje i eller dra nytta av skildringen av dessa föränderliga och fåfänga reflexer. Allt detta är utanverk och falskt sken. Den mänskliga individen, en instabil förening, förtjänar knappast att man för alltid fixerar dess efemära drag. Bör man då parafrasera Pascal och utropa: Vilken fåfänglighet är inte teatern? Nej, det bör man nog inte, för finns det inte en djupare verklighet bakom den ytliga psykologins bedrägliga förhänge? Finns inte Människan bakom människorna? Visserligen återstår det ändå att ta reda på hur det skall bli möjligt att överskrida gränsen för det individuella. Också i detta ger Kammarspelen värdefulla upplysningar. I Pelikanen talar sonen med sin syster Gerda. Han anser, att så länge människorna uppför sig som sömngångare, handlar de riktigt enligt den gängse moralen. Gerda delar sin broders åsikt och nämner sig själv som exempel:

Du är så elak, sa man alltid åt mig, när jag förklarade att något dåligt var dåligt... så lärde jag mig tiga... då blev jag omtyckt för mitt goda sätt; så lärde jag mig säga det jag inte menade, och då var jag färdig att utträda i livet.

Då hennes bror vill *tala,* säga allvarliga saker, hejdar hon honom, han lovar sedan att tiga, hon bönfaller honom att tala och fullföljer hans tanke:

Nej, tala hellre, men inte om det! Jag hör dina tankar i tystnaden! ... När mänskor komma tillsammans, så tala de, tala i oändlighet bara för att dölja sina tankar... för att glömma, för att döva sig... De vill nog höra nytt, om andra, men sitt eget dölja de!

Strindberg tillintetgör här den stöttepelare, som bär upp hela den klassiska teaterns och den traditionella psykologins byggnad. Dittills hade de långa psykologiska diskussionerna i Corneilles och Racines, Goethes och Schillers tragedier tyckts bidra till att ge upplysningar om människosjälen, dess heroism och dess lidelser. Nej, tillsammans med sina likar talar människan bara för att dupera eller duperas, eller också för att bryta en skrämmande tystnad. Hon döljer för andra de verkliga bevekelsegrunderna för sina handlingar, och om hon låter sig dras med av det dagliga livet, vet hon inte själv av dem: hon handlar som en sömngångare.

Man måste alltså dra människan ur detta hypnotiska tillstånd. Teatern bör låta oss komma i kontakt med en djupare sanning än den som kommer till uttryck i det klara medvetandet. Dramatikern själv kommer att vakna upp till ett liv närmare varat och åstadkomma ett välgörande uppvaknande hos sina åhörare. I stället för att beskriva och imitera ”karaktären”, ett ytligt och betydelselöst arbete, bör han ge uttryck åt djupa själsrörelser. Detta är själva teaterexpressionismens princip; eftersom författaren för övrigt inte verkligen känner till något annat medvetande än sitt eget är denna teater med nödvändighet självbiografisk och biktande. Diktaren misstror logiken och dess påfund; dramat kommer för lekmannen att framstå som osammanhängande och t. o. m. godtyckligt. Eftersom det s. k. medvetna livet döljer en väsentligare sanning och bara är ett sömntillstånd, måste man nå det undermedvetna på drömmens ”kungsväg”.

I vissa expressionistiska dramer, t. ex. Werfels, förenar sig inspirationen från Freud harmoniskt med inflytandet från Strindberg. Sent förstådda och uppskattade vinner Strindberg och Freud samtidigt gillande i de litterära kretsarna i Tyskland. Det är kanske ägnat att förvåna, Strindberg lär inte ha känt till Freud och Freud å sin sida har inte Strindberg att tacka för något. Men de har båda hämtat näring från samma läsning och hade samma franska läromästare, Charcot, Bernheim de Nancy, Ribot, Toulouse, Janet. Strindberg följde noga med i den samtida vetenskapliga psykologin. Denna ville få en ställning som fristående vetenskap och bröt med filosofin och introspektionens och den litterära analysens alltför summariska metoder och fördjupade sig i mätningar och jämförelser. Fechner och Wundt ägnade utan större framgång sina ansträngningar åt psykofysiologin. Något senare var det experiment med hallucination och suggestion, som ansågs avslöja medvetandets hemligheter. Psykopatologin skulle hjälpa till att klargöra de problem, som var olösliga, så länge man envisades med att bara undersöka friska personer. Personlighetssjukdomar skulle göra det möjligt att undersöka hjärnmaskineriets funktion. Och tack vare psykoanalysen och studiet av drömmar förfogade djuppsykologin över säkra metoder; den ställer många problem, tränger in på områden, som tidigare varit reserverade för metafysiken och ger upphov till en sorts metapsykologi.

Som Hermann Hesse anmärker:

Den dunkla kännedomen om psykiska fenomen och situationer återspeglas i konstruktionen av en översinnlig verklighet, som vetenskapen i sin tur omformar till det omedvetnas psykologi. Man skulle kunna våga sig på att på detta sätt analysera myterna om paradiset och arvssynden, om ont och gott, och att omvandla metafysiken till metapsykologi.

Freud analyserar gärna världshistoriens stora myter. Men eftersom han framför allt är vetenskapsman och läkare visar han stor försiktighet, när han lämnar det individuella medvetandets område och går in på de problem, som det överindividuella omedvetna ställer. Hans självständige lärjunge C. G. Jung, psykiater i Zürich, visar större mod. Han studerar gärna det kollektiva omedvetna och påstår, att vår kulturutveckling för oss mot en ny religiös tro, mot en ”andra religiositet” för att använda Oswald Spenglers uttryck.

Så övergår den rationella kulturinställningen med nödvändighet i sin motsats, nämligen i det irrationella kulturförstörandet... Det irrationella bör och kan icke utrotas. Gudarna kunna och få icke dö... Därmed ville jag uttrycka det sakförhållandet, att enligt mitt förmenande alltid någon drift eller något föreställningskomplex i sig förenar den största summan av psykisk energi och därigenom tvingar jaget in i sin tjänst.

Metapsykologins genombrott tar sig alltså uttryck i en återgång till ett förflutet och till attityder, som den närmast föregående tiden hade ansett orimliga, och i en förnyad entusiasm för de gamla avgudarna. Också i Strindbergs utveckling visar sig en sorts återgång, som till alla delar är analog med denna. Strindberg övergav först den traditionella psykologins slentrian och ville visa, att han var insatt i vetenskapens senaste framsteg. Han försökte driva den naturalistiska metodens stränga krav längre än andra, och han ville utifrån fånga figurer så sammansatta, komplicerade och undflyende som den degenererade aristokraten fröken Julie och betjänten Jean. Ju mer analysen förfinades, ju fler faktorer han kunde räkna upp och urskilja, som utifrån påverkade medvetandet, desto avlägsnare kände sig diktaren från den centrala kärnan, från det *jag* som han skulle önskat nå och vidröra, när han med möda hade rett ut dessa pinade medvetandens förflutna och deras framtid. Han gav upp, och redan nu fanns det förebud till omvändelsen. Så kom Infernokrisen, som förde in diktaren på nya vägar. Men förordet till Fröken Julie låter ana att Strindberg redan 1888 hade lämnat bakom sig den ortodoxa eller, som man på den tiden skulle ha sagt i Berlin, den konsekventa naturalismens stadium.

Den ensamme Strindberg är därefter övertygad om att det är inom sig själv som han skall upptäcka sanningen och lösa själens gåta. De centrala personerna i hans dramer är nu oftast bara återspeglingar av honom själv och hans kluvna personlighet, medan det kring dessa spegelbilder bara kretsar mekaniska varelser, sömngångare med automatiska gester. De står för vår nästa, vars hemlighet vi aldrig skall lära känna och som ofta, då han inte har vaknat upp till själens djupa liv, är ovetande om sig själv. Strindberg fördjupar sig i sina drömmar och liksom Freud och Jung anser han att drömmen, trots att den verkar barnslig och trots dess många skenbart överflödiga detaljer, låter oss tränga in i jagets kärna och avslöjar medvetandets innersta, hemliga djup. Som Freud och Jung sätter han drömmens motiv i samband med den vida och märkliga tolkningen av de antika, buddhistiska och judisk-kristna myterna. Religionen tilltalar honom med sina löften om förlåtelse och hans sargade, oroliga medvetande vänder sig stundtals till den i hopp om att äntligen finna formeln för resignation och frid.

Den överdrivna rationalismen förde alltså den moderna civilisationen till gränsen för det irrationella. Naturalismen, driven till sina yttersta konsekvenser, kastade Strindberg till avgrundens rand. Desillusionerad och tvungen att revidera alla artiklar i sitt filosofiska credo och alla normer i sin estetik slog han själv in på en ny och äventyrlig väg och förde därvid med sig teatern. Men själva expressionismen, uttryckets konst *(Ausdruckskunst)*, har inte Strindberg uppfunnit, vare sig idén eller termen, han kände antagligen inte ens till dem, ty det var målarna som först skapade och använde detta ord för att beteckna en ny riktning inom den bildande konsten. Den överdrivna impressionismen förde en dag till expressionismen, målarna hade tröttnat på att förhålla sig passiva gentemot sitt motiv. De ville inte längre nöja sig med att avbilda. De ville inte längre få *intrycket* utifrån. De ville att deras själs *uttryck* skulle välla fram ur deras innersta. De eftersträvade inte längre likhet och man gjorde orätt i att anklaga dem för att skapa en godtycklig konst, eftersom de inte längre avbildade föremål utan försökte återge sin egen inre harmoni i färgernas och linjernas harmoni eller försökte åskådliggöra sitt medvetandes splittring i ett formernas motsatsspel. Likheten mellan måleriets och litteraturens expressionism är ganska grov. Men de båda riktningarna närmar sig varandra i sitt gemensamma ursprung: utleda på att för länge ha underordnat sig de yttre intryckens tyranni vänder konsten och litteraturen nu blicken inåt, konstnären själv vill inte längre bara ta emot utan också ge, författaren och målaren vill inte längre inregistrera intryck utan uttrycka sitt medvetandes hemlighet. Och eftersom psykologi, måleri, litteratur och dramatik utvecklas i samma riktning mellan 1900 och 1920, bör man dra den slutsatsen att alla dessa andliga yttringar bärs upp av en av dessa djupvågor som rör upp det europeiska medvetandet vart femtionde år. Strindberg hade mycket tidigt, för tidigt kan man nästan säga, upptäckt den nya vägen. Han spelade först under några år i den germanska världen den missförstådde banbrytarens roll men förblev å andra sidan lång tid efter sin död en förgrundsgestalt.

Liksom Strindberg bygger expressionismens teoretiker sitt system på motsatsen mellan ”karaktär” och ”själ”, mellan klassisk psykologi och djuppsykologi. Så heter t. ex. Paul Kornfelds manifest: Über den beseelten und psychologischen Menschen (om den psykologiska och själsliga människan.)

Goll kastar i sitt förord till farsen Die Unsterblichen (De odödliga) en längtansfull blick mot antikens Grekland och dess tragedi med sina outgrundliga pytiska djup, besjälade av mäktiga lidelser. Han fortsätter med att beklaga att dramat har återförts till blygsammare och mänskligare proportioner:

Senare kom dramat om människan betraktad som ett mål i sig. Oenighet med sig själv, psykologi, problemdiskussion, förnuft. Hädanefter räknar man med *en* verklighet och *ett* kungarike, och alla dimensioner blir då reducerade, Om *en* människa, inte om Människa*n*.

Kornfeld för sin del ger sig i strid med psykologin, med karaktären och med dem som inte förstår att karaktären inte är någonting och att endast själen är att räkna med:

Om människan är världens centrum, är det inte på grund av hennes talanger utan därför att hon är den Eviges spegel och skugga, därför att hon, trots att hon är född på denna jord, är det Gudomligas förvaltare. Hennes själ är ett käril för vishet och kärlek, för medvetande, för godhet och kunskap; den är ett käril för fromhet och för kunskapen om gott och ont, en källa till gränslös hänryckning och gränslös frid. Men människans karaktär tjänar som skydd för tusen och åter tusen ting: för svek och list, för välvilja och mänsklighet, för arrogans och avsky, den skyddar mot tusen och åter tusen ting: mot förtjänster och fel och de sinnesrörelser som dessa framkallar... För att verkligen vara människokännare måste man kunna urskilja det gudomliga, eller egentligen det icke-mänskliga, hos sin nästa, i skrymslena och irrgångarna i hans karaktär. Detsamma gäller självkännedomen: i stället för att undersöka och analysera det alltför världsliga och dess komplikationer gäller det att bli medveten om det i oss som är ovärldsligt, d. v. s. att förnimma det i ordets mest upphöjda bemärkelse; det gäller inte att simpelt spionera på varandra. Ty vi vill inte sjunka ned i karaktärens dy, vi vill inte gå vilse i det kaos och de kramper våra fel skapar, vi vill endast känna att vår jordiska lekamen i våra mest helgade ögonblick ofta öppnar sig och att en heligare stråle då utgår från oss.

Låt oss överlämna omsorgen om karaktären till vardagslivet, och låt oss i våra bästa ögonblick helt vara själ. Ty själen tillhör himlen, karaktären är blott alltför bunden till jorden.

Psykologin undervisar bara i anatomi, inte om människans väsen.

Enligt Kornfeld är människan ett offer för sin dubbla natur, fängslad i sin kropp och sina jordiska böjelser, i sin karaktärs föränderlighet, i sitt intellekt, helt inriktad på det praktiska livet, medan hennes själ, som härstammar från Gud, trängtar efter Gud. Det är människans öde, som tvingar henne att oupphörligt lida av brist på jämvikt, får henne att längta till en harmoni som hon inte skulle kunna återvinna i det dagliga livet.

Konstens uppgift är just att få människan att frigöra sig från sin tillfälliga bestämmelse, från sina brister och sina böjelser för att åter bli ”Guds rena skapelse, urmänniska, själsmänniska” (”reine Schöpfung Gottes, Urmenschen, Nurbeseelte”). Den åskådare som skulle finna en konst med den inriktningen underlig kan anses som en fördärvad varelse, kvävd av värdsliga begär, han har förlorat sinnet för det kosmiska och har glömt människans verkliga bestämmelse. Den nya konsten skall vända sig ifrån psykologin, ”denna disciplin som om man får tro dess namn är vetenskapen om själen och som inte desto mindre har förfallit till att bli vetenskapen om karaktären och om de kausalsamband som förbinder människans funktioner och instinkt”. Den nya konster sätter som sitt mål

att påminna mänskligheten att den består av människor och att påminna människan att hon har en själ, att den är verklighetens enda centrum och väsen, och att allt annat bara är dödvikt som drar den nedåt och en snara i vilken den ska bli insnärjd för att stanna kvar på jorden.

Goll å sin sida menar att dramatikern skall överskrida gränserna för det trånga välde i vilket han hittills stängt sig inne. Dramat bör visa människan i strid med det som överstiger henne, det kosmiska, det överkosmiska, det översinnliga.

Till att börja med bör alla yttre former sprängas. Den rationella attityden, konventionerna, moralen, allt som i livet bara är form. Människan och tingen bör så mycket som möjligt visas i sin nakenhet, och för att åstadkomma större effekt alltid i förstoring.

Den nya dramatiken bryter med realismen. Skådespelaren som skall dö på scenen skall inte gå och se sina bröder dö på sjukhuset för att lära sig hur man dör och sedan mer eller mindre skickligt kopiera de döendes konvulsioner. Hädanefter gäller det enligt Kornfeld att få åskådarna att förstå att någon dör och inte hur han dör. Dramatiken skall inte längre försöka närma sig fotografikonsten. Den skall inte längre leva på illusion. Skådespelaren skall bestämt vända ryggen åt verkligheten för att nu bara vara ”en representant för tanke, känsla och öde”.

Goll önskar att skådespelaren på nytt använder mask. Så

undanröjs varje frestelse och realismen blir definitivt bannlyst. Scenen skall inte nöja sig med att arbeta med det "verkliga" livet så blir den "öververklig" när den lär känna vad som finns bakom tingen. Den rena realismen har varit en stötesten för all slags litteratur.

Expressionismens teoretiker vill alltså framför allt att dramatikern skall upphöra att skildra individen, hans fysiologiska och psykologiska egenheter och hur samhället märkt honom. Man måste nå utöver individen till Människan. Låt oss bortom verklighetens tillfälligheter söka efter sanningen och dess eviga kännetecken. Man slutar upp att ge personerna egennamn och kallar dem i stället "Herrn", "Fadern", "Främlingen", "Sonen", "Stenhuggarn". Redan Goethe gick till väga så, också han hade förklarat realismen krig, också han strävade efter att lära känna Människan. Han ville övervinna det individuella för att nå det allmängiltiga. Expressionisterna, som är inriktade på metafysik eller metapsykologi, har givit sig ut på jakt efter det substrat som är gemensamt för all mänsklighet, de vill gå tillräckligt långt ner till botten för att nå själva varats rötter, de törstar efter det absoluta. Deras språk lånar sitt allvar, sin säkerhet och sin oböjliga auktoritet från religionen. Om man lyssnar på dem, verkar det som om de skulle ha tagit emot den nya lagens tavlor på Sinai.

Och dock märker man, när man undersöker det, att det är i synnerhet och kanske t. o. m. bara Strindberg som de har att tacka för de stora idéerna i sitt system, och då särskilt för den grundläggande distinktionen mellan själ och karaktär; det är antagligen i hans efterföljd som de manar sina lärjungar att inte bry sig om den klassiska psykologin, att misstro ordnade resonemang hos scenfigurer som är alltför förtjusta i logik. Hans exempel sporrar dem att rekommendera det mystiska, skildringen av "tingen bakom tingen", att inte frukta skenbart godtyckliga konstruktioner som visserligen avlägsnar oss från verkligheten men som för oss närmare sanningen. Det är delvis i Strindbergs dramatiska teori som de har hämtat de lärdomar och de instruktioner de ger skådespelarna. Dessa skall uppträda som inspirerade och visionärer hellre än att exakt och petigt återge den dagliga verkligheten.

De expressionistiska teoretikernas manifest ger inte samma återklang som Strindbergs reflexioner om dramats estetik. Kornfelds och Golls språk är ofta barnsligt överdrivet och deklamatoriskt. De tvingar sig till det. De talar som fanatiker som nyligen blivit omvända. De ger intryck av att utbrodera och överdriva. De formler som de talar för har de inte skapat, de har fått dem av en annan. Förr, under naturalismens tidevarv, lånade de tyska dramatikerna av Strindberg enstaka element, personer, teman, eller situationer. Nu griper de i dess centrum *idén* om hans ”mystiska” teater, motsatsen mellan *själ* och *karaktär*. Men det är inte hos dem denna idé har mognat, de har inte känt till de svårigheter som Strindberg genomgick när han skrev Fröken Julie, och framför allt inte heller Infernokrisen. De tillämpar skickligt (och för det mesta fullt uppriktigt) den formel de har ärvt. Men deras gester och ord ser alltför ofta ut att vara inlärda. Den tyska expressionismen är alldeles tydligt bara en expressionism i andra generationen. Ty den djärve och genialiske upphovsmannen till expressionismen är Strindberg.

Översättning av Karin Norström

EVERT SPRINCHORN

Logiken i Ett drömspel

Strindbergs Ett drömspel brukar prisas för sin originalitet, för dialogens kraftfullhet och versens skönhet, för den inblickar det ger oss i författarens sällsamma själsliv, och för den välkomna kontrast dess stämning av medlidande erbjuder till hysterien i Strindbergs andra dramer. Men de som börjar med att räkna upp dess förtjänster slutar nästan utan undantag med att framhålla, att tekniska nydaningar och scentrick inte kan ersätta tanke och mening; att subjektivitet resulterar i artistiskt kaos; att strofer av sådan skönhet kräver en mer imponerande inramning; och att när allt kommer omkring krysantemer som slår ut inte kan ersätta det språkliga fyrverkeriet i Strindbergs könsstrider. Med ett ord: Ett drömspel är tekniskt originellt, historisk betydelsefullt, men ytterligt osammanhängande.

Bernhard Diebold, den framstående tidige tyske Strindbergskritikern, skilde på "teaterpoesi" och "poesi på teatern" och bedömde den förra som ädel konst, då den var en organisk del av dramat. Men slutet av Ett drömspel tillfredsställde honom inte. Krysantemer i stället för upplysning: poeten ger upp och taskspelaren tar vid. Skådespelets visuella rikedom gör det utomordentligt svårt att framställa sceniskt på ett fullgott sätt och nästan lika svårt att läsa. Jag vet inte något annat drama i världslitteraturen, som innehåller så många bilder och liknelser, scener och gestalter, som snabbt och varaktigt präntas in i minnet. Men litteraturkritikern förbiser lätt bilderna eller vägrar att undersöka dem tillräckligt noggrant och föredrar att leta efter meningen, där han alltid tidigare funnit den, i orden, i handlingen, i personerna.

Det finns naturligtvis något liknande en handling i Ett drömspel, men som Strindberg antyder i sin inledande anmärkning, svänger den rätt våldsamt hit och dit och hotar ibland att helt hamna på avvägar. I prologen stiger Indras dotter ned från himlen för att lyssna till människosläktets klagomål och bekymmer. Inkarnerad i Agnes uppträder hon på jorden och talar till en glasmästare framför ett växande slott. De stiger in i slottet för att befria en officer, som är fängslad där. Man får närmast se Officern i hans föräldrahem och därefter vid sceningången till Operan, där han fåfängt väntar år ut och år in på sin älskade Victoria. En mystisk dörr med ett lufthål i form av en fyrväppling oroar honom och då polisen förbjuder honom att öppna den, går han till Advokaten för att få ett domsutslag i saken. Nu träffar Advokaten Agnes och berättar för henne att han just skall promoveras till juris doktor. I en mimisk dansscen i kyrkan där ceremonin äger rum, vägrar man att ge Advokaten hans doktorsgrad, därför att han försvarat den lidande mänsklighetens sak. Kyrkorgeln, som ger ifrån sig ljudet av mänskliga röster, förvandlas till Fingalsgrottan, samtidigt som Advokaten och Agnes beslutar sig för att förena sina öden. En hemscen följer, som visar Advokaten och Agnes gifta och bittert grälande om småsaker. Officern kommer för att befria henne från detta helvete och ta henne med till kusten. Scener från Skamsund och Fagervik ger en överblick över samhället i stort, där tonen svänger från satirisk och humoristisk till melankolisk. I nästa scen är Agnes åter i Fingalsgrottan, där hon talar med en diktare, som först uppträtt i Skamsund. Till vindarnas och vågornas musik läser Agnes Diktarens böneskrift till gudarna, och hon bekänner för honom att hon fått nog av jordelivet och önskar återvända till sin himmel. Scenen förändras till teaterkorridoren, där dörren med fyrväpplingen skall öppnas vid en ceremoni. Man tror att den döljer universums gåta. De lärda fakulteterna är församlade där för att få veta hemligheten. Dörren öppnas av glasmästaren men avslöjar ingenting. I den sista scenen, återigen utanför slottet, bjuder Dottern sina följeslagare i livet farväl. Slottet börjar brinna. Alla personerna går förbi i en rad och kastar sina illusioner på elden. Dottern går in i slottet, och då hon stiger upp till himlen, slår den gyllene kronan överst på slottet ut i en väldig krysantemum.

Det finns åtminstone tre betydelsefulla teman inflätade i denna handling. För det första: ”Det är synd om människorna.” Livet på jorden är i allmänhet eländigt, och någon borde låta gudarna få veta detta. För det andra: ”Kärleken besegrar allt!” Kanske kan kärleken finna en väg ut ur denna tåredal. För det tredje: ”Världsgåtans lösning.” Dold bakom den mystiska dörren måste den avslöja ursprunget till människans lidande eller dess mening eller ett sätt att få slut på det.

Om man följer dessa tre motiv genom dramat, får man fram en ordning i pjäsens skenbara kaos. Ett annat mönster framkommer om man tar dramats struktur i närmare skärskådande. Fastän Strindberg inte anger vare sig akter eller scener — han söker ju fånga det flytande i en dröm — kan man tydligt urskilja tre akter, åtskilda genom tydliga avbrott i flödet av sammansmälta scener. Inom varje sådan ”akt” har Strindberg svetsat samman scenerna genom förvandlingar, belysningsarrangemang och andra sceneffekter för att ge känslan av att scenbilderna upplöses inför åskådarens ögon och av att handlingen är oavbruten. Ljuset tonas ned, en vägg lyfts bort, en säng blir ett tält, ett kontor en kyrka, en orgel en grotta o. s. v., men hela tiden fortgår handlingen oavbrutet. (Prologen och kolbärarscenen vid stranden av Medelhavet hör inte till den ursprungliga planen. Den senare sattes in efter det att slutscenerna hade skrivits; den förra skrevs 1906, då dramat skulle uppföras för första gången.) Första akten börjar vid slottet och slutar i Fingalsgrottan, där Dottern och Advokaten förenats. Andra akten börjar i de nygiftas hem och slutar med Dotterns beslut att återvända till himlen — eller med kontrasten mellan de rika och de fattiga på Rivieran, om nämligen kolbärarscenen räknas med. Tredje akten börjar i grottan, där Dottern och Diktaren ser visioner av den drunknande mänskligheten, och slutar vid slottet, då Dottern stiger upp till himlen. Ett diagram torde kunna vara till någon hjälp:

Akter	*Scener*			
	(Förspel)			
	1. Slottet			
	2. Inne i slottet			
	3. Officerns barndomshem			
I		4. Teaterkorridoren		
		5. Advokatbyrån		
		6. Kyrkan		
			7. Grottan	
				8. Kammaren
				9. Skamsund
II				10. Fagervik
				(11. Riveran)
			12. Grottan	
III		13. Teaterkorridoren		
	14. Slottet			

I akt III har Strindberg upprepat vissa scener från akt I. Hans ursprungliga mening var att dubblera formen i Till Damaskus, I, där de åtta sista scenerna upprepar de åtta första i omvänd ordning. Enligt Martin Lamm övergav Strindberg denna plan. Om emellertid scenerna grupperas så, som jag visat ovan — mina skäl för detta kommer att framgå senare — ser man att Strindberg helt enkelt har använt sig av en cyklisk struktur på ett mindre iögonfallande sätt.

Det sätt scenerna ordnats på både i Till Damaskus och Ett drömspel skapar intrycket av att man försjunker i en dröm och sedan åter vaknar. Eftersom Strindberg ansåg jordelivet som en illusion, sjunker Dottern allt djupare ned i den mänskliga tillvarons träsk, ju djupare drömmaren sover; fullständig inkarnation som mänsklig varelse når hon i kammarscenen, som inleder andra akten. Denna akt innehåller hennes iakttagelser på livets botten; i tredje akten börjar åter uppstigandet, som innebär en flykt undan lidandet. Och då hon slutligen skuddar den mänskliga tillvarons stoft av sina fötter och stiger in i det brinnande slottet, är inte meningen då att drömmen om livet är över och att döden är ett uppvaknande till det högre liv som utlovas genom den knoppande krysantemen? I varje fall överensstämmer en sådan uppfattning ganska väl med den halvbuddistiska filosofi som Dottern i sista akten gör sig till tolk för. Hemligheten är att kiv och strid här på jorden är oundvikligt och också meningslöst. Genom att inlägga en mening i striden eller i våra strävanden bedrar vi endast oss själva.

2

Men kan inte Dotterns förklaring vara ett exempel på vad Freud kallade sekundär bearbetning? När drömmaren håller på att vakna, söker han i drömmens oorganiserade material, inlägga en mening, som kan tillfredsställa hans medvetande. Dylika försök innebär utan undantag drömcensurernas sista ansträngningar att dölja drömmens verkliga mening. Först då Strindberg hade format nästan hela dramat, kunde han klargöra för sig själv och för Diktaren vad det kanske innebar. Den 18 november 1901 läste han åter i sina böcker om indiska religioner och tog i slutdialogen mellan Dottern och Diktaren upp några av deras läror. Men Buddha har föga att göra med skådespelet i övrigt. Betydligt mer hjälp får man, om man erinrar sig Schopenhauer och ännu mer Freud, som fått den moderna människan att se sig själv med nya ögon.

Fastän Strindberg aldrig läste ett enda ord av Freud, var båda produkter av samma århundrade och elever till samma lärare. Båda följde i Schopenhauers och Hartmanns kölvatten, båda fick ledning i de pionjärarbeten, som skrevs av Ribot, Charcot, Bernheim och en rad andra filosofer och läkare, som grundligt undersökte 1800-talsmänniskans inre liv, medan Marx och Darwins efterföljare utforskade hennes yttre liv. 1887 var Strindberg Oidipuskomplexet på spåren. Båda studerade hypnotism under åttiotalet. Freud utarbetade mellan 1892 och 1895 sin metod för ”fri association”, medan Strindberg skisserade sin teori om *l'art fortuite* och automatisk konst 1894. Strindberg började uppteckna sina drömmar 1893, Freud 1895. Och även om det faktum att Strindbergs drömspel, Till Damaskus (1898—1901) och Ett drömspel (1901) och Freuds centrala arbete, Drömtydning (1899), skrevs praktiskt taget samtidigt, inte är bevis för existensen av någon Zeitgeist, ger det i varje fall vid handen att stora män tänker lika.

Freud beskriver åtminstone fem olika sätt på vilka det undermedvetnas olämpliga tankar under förklädnad kan glida över i det vakna medvetandet: sekundär bearbetning, symbolik, förtätning, bortträngning, och dramatisering genom regression till synbilder. Det senare är mindre en metod att förkläda tankar än den naturliga metod som i uttryckssyfte används av det primitiva, omedvetna psyket. Bilder och föreställningar ersätter abstraktioner och ord. Sålunda anges t. ex. kausalsamband av det medvetna psyket med ord som "därför" och "därför att", men av det omedvetna genom två på varanda följande scener, synbarligen utan samband.

Det visuella elementet är nästan lika framträdande i Strindbergs Ett drömspel som i våra egna drömmar, och om vi lyssnar till dialogen med slutna ögon, kan vi aldrig förstå dramat i dess helhet. Låt oss betrakta de första scenerna. Dottern och Glasmästaren nämner en fånge i slottet. Scenen ändras till ett rum i slottet, där Officern sitter och gungar på en stol, medan han slår i bordet med sin sabel. Dottern säger till honom att inte göra så och tar ifrån honom sabeln. Sextio år efter Freud är symboliken i denna scen genomskinlig. Gudarnas dotter är i Officerns ögon en modersbild; han beskriver henne som det sköna som är harmonien i universum, och som en god artonhundratalsmor säger hon till honom, där han gungar i sin barnsäng, att han inte får masturbera. Denna barndomsvision samt därmed förbundna tankar om orättvisan och omöjligheten i att fly från fängelset motiverar nästa scenväxling, som avslöjar vari Officerns fängelse i grund och botten består. I en mening är fängelset hans barndomshem vars grundläggande inflytande han aldrig kan fly ifrån. Inom sig förblir han ett barn dramat igenom. Orättvisemotivet utvecklas närmare, då hans mor, som han kommer att tänka på då han ser Dottern, påminner honom om en stöld i barndomen, för vilken fel person blev straffad. Det drar ihop sig till gräl mellan Officerns föräldrar — ett gräl som för tanken till jordelivets disharmoni. — Men Dottern förklarar att det visserligen är svårt att leva, men kärleken kan jämna vägen. Denna optimistiska förklaring ger nyckeln till följande scen i teaterkorridoren, där Officern utan att förlora hoppet väntar på sin älskade Victoria.

Låt oss nu föreställa oss denna följd av tre scener som stumfilm. Dottern Agnes och en faderlig gammal man utanför ett fantastiskt slott — närbild av galler för fönstren — Agnes på väg in i rummet — Officern gungande — närbild av Agnes då hon tar sabeln ur handen på honom och hytter med fingret åt honom — Officern visar trumpet missnöje, som förändras till beundran och hängivelse — Agnes uppmanar Officern att fly — Officern rycker hopplöst på axlarna — Officerns far och mor tonas upp, medan Agnes och Officern stannar kvar på duken — osv. Filmade på detta sätt skulle scenerna haka i varandra tydligare än då man läser dem, ty dialogen avleder ofta uppmärksamheten från dramats grundplan. Dialogen är en produkt av drömbilderna, inte vice versa. Det är som det bör vara, för dramat handlar inte mer om idéer än verkligt god musik. Därför kunde Strindberg 1908 föreslå Ett drömspel för Tor Aulin som var på jakt efter bra musikstoff. Men det skulle förkortas, skrev Strindberg. ”Ett musikaliskt kammarspel, där alla filosofemer utgå, och endast 'scenerna' stå kvar . . . Dramatisk-lyrisk musik men icke teatralisk-recitativ-resonerande”. Orden tjänar liksom musiken till att smycka bilderna och dölja deras mening, men utan den inre spänning och skönhet, som bilderna förlänar, skulle dramat vara mindre tillfredsställande, endast djup och ingen yta.

De visuella föreningslänkarna blir ännu tydligare i de följande tre scenerna: teaterkorridoren, advokatbyrån, kyrkan. Här har Strindberg skickligt utnyttjat samma scenrekvisita hela tiden; den har endast fått tjäna skilda ändamål. Linden blir en hatthängare och sedan en kandelaber; portvakterskans rum blir till Advokatens skrivbås och sedan till promotors kateder, medan den mystiska dörren blir ett dokumentskåp och sedan dörren till sakristian. Dessa tre scener är alltså fast hopfogade för ögat, och för att förstå deras innebörd bör man tänka sig dem lagda över varandra, så att de bildar en enda scen. Vi har här ett utomordentligt exempel på en förtätning av scener.

En förtätning av personerna — eller motsatsen, karaktärsupplösning — är en annan drömteknik, som Strindberg medvetet och avsiktligt begagnar sig av. I företalet säger han: ”Personerna klyvas, fördubblas, dubbleras, dunsta av, förtätas, flyta ut, samlas.” De tre manliga huvudpersonerna — den obekymrade, evigt hoppfulle Officern, som vinner lagerkransen; den förpinade Advokaten, som endast känner till livets plågor och ansvar och som får törnekronan; och Diktaren vars sinnesstämning svänger mellan entusiasm och skepsis — är uppenbart olika sidor av en enda person. På liknande sätt inbegriper Dottern både Officerns mor och Portvakterskan — hon övertar t. o. m. den senares plats och bär hennes schal, som gömmer trettio års kval. Ett steg till, och man inser, att Strindberg avsåg att låta alla männen sammansmälta till en manlig gestalt och alla kvinnorna till en kvinnlig. Han tycks i grund och botten ha tänkt sig dramat med bara två personer, och i en tidig version satte han upp personförteckningen under två rubriker: Mannen och Kvinnan. Om vi slutligen håller människans bisexuella natur i minnet, liksom dramats subjektivitet och drömmens egocentricitet, måste vi till syvende och sist låta de två gestalterna smälta ihop till en enda; och det är absurt att som vissa småaktiga kritiker fråga vilken av de trettio personerna i dramat som är drömmaren.

3

Den röda tråden i dramat leder oss på en resa genom livet, där Mannen växer till ansvar medan Kvinnan sjunker ned i den jordiska tillvarons träsk. I dramats sista del, då Kvinnan från dyn stiger upp till himlen, blir Mannen en diktare som söker en mening i kampen för tillvaron. Resan börjar vid slottet, fortsätter genom teaterkorridoren, där fyrväpplingsdörren står i centrum för uppmärksamheten, och grottan blir en första anhalt. Slottet, teatern, dörren och grottan är de dominerande symbolerna i dramat, i kraft av sin ställning i dess struktur.

Scenen på teatern introducerar föreställningen, att världen är en illusion och en dröm, något som är grundläggande för tankegången i hela dramat. Tanken uttrycks symboliskt genom att vi genom teatern införs i tre olika världar: lagens, religionens och lärdomens. Det faktum att den mystiska dörren bakom vilken ingenting finns, först påträffas på teatern, förstärker denna uppfattning.

På kontoret och i kyrkan framställs Advokaten som en lidande, kristusliknande människa, som tar på sig världens bekymmer och brott och som i gengäld bara får de rättänkandes förakt.[1] Dottern erbjuder honom en törnekrona och tröst i kärlek och äktenskap. Kärleken skall övervinna allt. På detta stadium försiggår ytterligare en symbolisk förvandling. I kyrkan förändras orgeln, på vilken Dottern spelat och från vilken mänsklighetens röster vällt upp i ett djupt rörande kyrie, till en havsgrotta, då Dottern och Advokaten beslutar gifta sig. Grottan, vattnet och kyrkan är välbekanta symboler för Kvinnan, och föreningen av orgeln med grottan är en tydlig symbol för sexuellt umgänge. Förbindelsen orgel — grotta finns tidigare hos Strindberg i den långa novellen Den romantiske klockaren på Rånö, som skrevs 1888, och där den drömmande klockaren ser musikinstrumentet som en gigantisk organism, som tagit tusentals år att växa fram;

Prototypen för detta fantasins mästerstycke återfinnes emellertid i en ännu tidigare berättelse, Nybyggnad, skriven 1884. Där bedövar sig den underkuvade hjältinnan med parfym, varefter hon i stark hänryckning inbillar sig vara i en kyrka, där orgeln dånar ett *dies irae,* och där änglaröster och titanstämmor lyfter taket, medan blixtar upplyser orden ”korsfäst köttet”. Efter en plötslig åskknall tystnar orgeln, dess pipor blir till syrinxar, dess toner Pan, Sant Franciscus blir till Apollon, ”och ifrån gravarne under golvet höres ett bultande som om instängda vilja ut, och de ropa och svara: Ordet vardt kött!”

Andra akten börjar i kammaren i Advokatens hem, där Strindberg bjuder oss ett äktenskapligt miniatyrdrama. Agnes räddas

[1] Uppslaget till att använda en advokat som en personifikation av mänsklighetens elände kan Strindberg ha fått från Balzac, som var en av hans favoritförfattare. I Överste Chabert finns ett avsnitt där följande står att läsa: ”Det finns tre personer i vårt samhälle, som inte kan ha någon respekt för mänskligheten: prästen, läkaren och juristen. De bär troligen svarta kappor därför att de har sorg efter alla dygder, alla illusioner. Den olyckligaste av de tre är advokaten... (Oeuvres complètes /Paris 1895/, IV, 307).

från detta helvete av Officern, så som hon en gång räddat honom från hans fångenskap i hemmet. Samtidigt som Officern tar med henne ut för att njuta av livet, förändras kammaren till Skamsund och Fagervik. Den lilla världen viker för den stora i en mängd briljanta scener.

Då Agnes vandrat genom jordelivet och funnit att all lycka är flyktig, allt vårt hopp illusoriskt, konflikten mellan njutning och plikt utan ände, är hon redo att vända åter till sitt himmelska ursprung. Men hon måste börja längst nerifrån och arbeta sig upp, genomgå det slutliga provet i människans tillvaro: återupprepandet av alla olyckor. Här möter vi ännu en orsak till dramats cykliska komposition.

Hon återvänder till Fingalsgrottan. De svallande vågorna, den brustna silvertråden, de drunknande människorna och vindens sus — som liknas vid skriken från nyfödda barn — allt tyder på att denna scen betecknar födelse, troligen i två betydelser: dels har Dottern nu kommit helt till världen, dvs. hon har fullständigt skilts från himlen, dels är detta början till hennes pånyttfödelse som gudinna.

Nu för Strindberg oss snabbt tillbaka till utgångspunkten, tillbaka genom illusionernas värld, genom teaterkorridoren och förbi den tomma ståten i samband med dörröppnandet, tillbaka till slottets verklighet. Jag säger med avsikt slottets verklighet, ty om min tankegång är riktig, måste teatern skilja den illusoriska världen från den verkliga.

Det behövs ingen läkare från Wien för att tala om för oss vad slottet är en sinnebild för, med dess förmåga att växa och resa sig, med dess krona, som liknar en blomknopp, med den omgivande skogen av stockrosor och gödselhögarna nedanför det. Det behövs en diktares hela fantasi att fatta detta som ett slott, men bara en vuxens kunskap om anatomi för att igenkänna det som en fallos.[1] För den manlige drömmaren är den fundamentala verkligheten den som representeras av slottet. I vidsträckt be-

[1] Vissa kritiker påpekar, att Strindberg hade en bestämd byggnad i Stockholm i tankarna, som han kunde se från sin våning och som han nämner flera gånger i sina skrifter. Det förhållandet att en kavalleritrupp var inkvarterad där kan ha gett uppslaget till en

tydelse är denna verklighet likvärdig med ”detet”, som Freud ansåg som en reservoar för libidon och det grundläggande i personligheten. När Strindberg i sitt företal beskriver drömmarens medvetande såsom utan hemligheter, konsekvens, skrupler eller lag, något som varken dömer eller friar, utan bara relaterar, så ger han en utomordentligt exakt definition av ”detet”. Eftersom ”detet” representerar medvetandet i dess primitiva tillstånd innan civilisationen har satt några spår, ligger slottet utanför samhällets gränser, och på återvägen måste Dottern för att nå det ut i ödemarken. Liksom ”detet” är källådern till allt själsligt liv, så är slottet i dramat källan till all handling, som flyter ut från det och återvänder till det. Ännu ett skäl för den cykliska kompositionen.

Det förhållandet att Officern är fånge i slottet pekar i två riktningar. Om slottet är en fallos, står Officern för själen eller anden, som är fången i kroppen utan att kunna undfly dess pockande krav.[1] Men som tidigare nämnts är Officern också fången i sitt hem och hos sina föräldrar, krafter som hämmar ”detet”, och som slutligen bidrar till uppkomsten av samvetet eller överjaget. Att slottet förvandlas till hem och att orättvisetemat samtidigt införes innebär första steget i en process, som kulminerar i och med att den av sin plikt besatte Advokaten uppträder på scenen.

Om vi låter slottet stå för uppfattningen att det sensuella, omedvetna livet är den enda verkligheten och att allt annat är illusion, blir det lättare att förstå sökandet efter universums gåta, ett av de tre huvudmotiven i dramat. Denna gåta är nära sin lösning tre gånger: när dörren öppnas, när Dottern läser Diktarens klagan i grottan, och när Dottern skall uppstiga till himlen. Öppnandet av dörren avslöjar gagnlösheten och ytligheten i systematiserad kunskap. I grottscenen ligger hemligheten Dikta-

kedja av associationer i maskulin riktning hos Strindberg. Beträffande andra bruk av byggnaden hos honom kan nämnas ”Mitt trollslott” (skriven ungefär samtidigt som Ett drömspel), där det magiska slottet byggs av ett älskande par en vårdag av luft och dagg och solen i deras sinnen.

1 ”Själen kastades i kroppens fängelse” och liknande uttalanden är inte ovanliga hos Strindberg.

ren snubblande nära, då han i sin till Brahma riktade klagan frågar:

> Varför födas vi likt djuren,
> vi av gudastam och mänskoätt?
> Anden krävde dock en annan klädnad
> än den här av blod och smuts!
> Skall Guds avbild ömsa tänder...

"Tyst!" avbryter Dottern. "Livets gåta löste ingen än!" Av allt att döma är Dottern bekant med Swedenborgs läror och vet, som Strindberg, att tänder i korrespondensläran är en symbol för sensualitet.

I sista scenen försöker Dottern själv förklara universums gåta för Diktaren. Brahma, urkraften, förfördes av världsmodern, Maja, och ur denna syndfulla förening föddes världen, som blott är en drömbild. För drömmaren är blott den manliga principen verklig; förbindelsen mellan manligt och kvinnligt blir blott en illusion. Själva strukturen i dramat stöder denna åsikt. Slottet innesluter hela skådespelet, medan det tillsammans med grottan flankerar både första och sista akten och innesluter den kaleidoskopiska andra aktens illusionsvärld, representerad av teatern och den sociala världen.

Detta leder vidare till en annan tankegång, en utveckling av vad jag sagt hittills. Kan inte grottan, scenen för den symboliska födelsen, vara livmodern? Och kan inte teaterkorridoren, som skiljer slottet från grottan, vara vagina? Vi får inte, då vi sysslar med det undermedvetna, hysa några betänkligheter; det undermedvetna arbetar alltid mera konkret påtagligt än det analyserande förståndet. Vid ett tillfälle tycks Strindberg ha tänkt sig korridoren under jorden, ty i en tidig version av dramat föreställde han sig, att svampar växte ut genom väggarna på korridoren.[1]

[1] Svampar är helt relevanta i samband med vaginasymbolen. "Svamp" betecknade i tidens slang ett vanligt slag av kvinnligt preventivmedel.

Om vad som sagts är riktigt, kan man vänta sig att i korridoren finna någon slags manlig symbol eller en antydan till en förening av manliga och kvinnliga symboler. Man behöver inte leta länge. Scenen domineras av en ensam kolossal stormhatt. Blommorna bildar hos denna växt en lång styv kolv, och är sålunda troligen en manssymbol, som påminner om de jättehöga stockrosorna i öppningscenen och förebådar den mängd av stormhattar, som omger slottet i slutscenen. Dess omedelbara funktion i teaterkorridoren är emellertid att ge grundtanken i scenen — kombinationen av vackra blommor och giftig rot symboliserar de bedrägliga hopp och illusioner genom vilka livet narrar oss vidare. Linden och källargluggen bredvid den tror jag är avsedda som ett visuellt eko av slottet och grottan. Den tidiga versionen av dramat slutar med att Officern, efter att ha väntat hela livet på sin älskade, faller död ned vid källargluggen.

Den uppvisning av mänskligt lidande, som Ett drömspel gav, fordrar någon slags förklaring, och denna söker Strindberg ge mot slutet av dramat. Alla de oförenliga strävanden, som plågar mänskligheten, har uppkommit genom den olyckliga föreningen mellan manlig sexuell energi och modersmaterien. ”För att befrias ur jordämnet”, säger Dottern, ”söker Brahmas avkomlingar försakelsen och lidandet... Men denna trängtan till lidandet råkar i strid med begäret att njuta, eller kärleken... Resultatet blir striden mellan njutningens smärta och lidandets njutning... botgörarens kval och vällustingens fröjder.”

Den slutsats Dottern här når är inte avlägsen den syn på livet, som framförs av Empedokles och som grundar sig på den ständiga motsättningen mellan strid och kärlek. Ännu närmare står den kanske Freuds dualism mellan Eros och dödsdriften. Denna uppfattning, som framförs av Advokaten, att livet är fullt av upprepningar, omtagningar, förbinds visserligen i dramat med moralisk masochism, skuldkänslor, tron på döden som den ende befriaren, men den utgör också en slående analogi till Freuds upprepningstvång, ur vilken han härledde dödsdriften.

I denna kamp spelar kvinnan den dubbelroll, som av hävd tilldelats henne både av kristendomen och de orientaliska religionerna. Hon förkroppsligar fortplantningsdriften och blir härigenom fresterskan. Men så snart hennes drifter tillfredsställts och hennes sköte fyllts, blir hon återlöserskan med kraft att lyfta mannen upp till himlen på hoppets vingar: också han kan bli född på nytt. Då Dottern sjunker allt längre ned i jordelivet, är hon främst fresterskan; då hon åter stiger uppåt, blir hon återlöserskan.

Slutet på konflikten mellan den manliga och kvinnliga principen kan nås först i och med döden. Men också döden har i skådespelet en dubbel mening. Liksom Advokaten och Dottern förenades genom orgelns och grottans förmedling, förenas i slutögonblicket Diktaren och Dottern genom eld. Elden för tanken till sexuell upphetsning, att dö betecknar orgasm,[1] och krysantemen, som slår ut på taket av slottet, är en poetisk omskrivning för ejakulation.

I slutscenen passerar alla personerna revy och kastar sina illusioner på den renande elden. Endast den gamle sensualisten Don Juan har ingenting att kasta i flammorna. Och då Kristin, som tillbringar sin tid med att klistra igen fönster — en perfekt framställning av de hämmande krafterna, på samma sätt som då Officerns mor hela tiden putsar talgljuset (man kan förresten lägga märke till att de båda kvinnorna har samma namn) — då Kristin kommer för att fortsätta sitt arbete på slottet, får hon veta att där inget finns att klistra igen.

”Men skall jag aldrig lära döda mitt kött?” frågar Strindberg i ett brev 1895. ”Än är det för ungt och brinnande, men så skall det få brinna upp! Och gör det nog! Men anden! stryker kanske med!”

Så slutar dramat och drömmaren vaknar. Ett ögonblick har de oförenliga motsatserna försonats. Om dramat fortsatt skulle vi endast ha fått se de brända kullar och förkolnade trästubbar, som hälsar Dottern efter hennes äktenskap med Advokaten.

5

...”Varje äkta poetisk skapelse måste ha framsprungit ur mer än ett motiv, mer än en impuls hos skalden, och måste lämna

1 ”Och kärlekens högsta ögonblick liknar döden; de slutna ögonen dödens blekhet, medvetandets upphörande.”

rum för mer än en tolkning. Jag har här försökt att tolka endast det djupaste lagret av impulser i den skapande diktarens själ". Så säger Freud i Drömtydning, och jag instämmer. För att kunna betona vad jag tror behöver betonas har jag varit tvungen att förbigå många av mina favoritscener och se bort ifrån andra symboliska mönster i verket. Jag har helt enkelt strävat efter att förklara verket på den nivå, som får det viktigaste mönstret att framträda. Jag har sökt bemöta anklagelsen att Ett drömspel skulle vara osammanhängande och visa, hur viktigt det visuella är för en rätt förståelse av dramat. Långt ifrån att vara kaotiskt och oredigt, ett rubbat sinnes virriga tankar, är Ett drömspel utomordentligt väl konstruerat; och långt ifrån att vara ett bländverk av meningslösa sceneffekter är dramat det mest perfekta exempel på "teaterpoesi" till skillnad från "poesi på teatern" som det moderna dramat kan uppvisa.

Det skulle naturligtvis vara groteskt felaktigt att i ett uppförande lägga tonvikten på vad jag här framfört, lika groteskt felaktigt som att ersätta slottet i slutscenen med ett kors, så som Olof Molander gjort. De flesta människor kan tydligen inte acceptera dörröppningsscenen utan måste göra liv och drömmar uthärdliga genom att inlägga en högre, sublim mening i dem.

6

Ändå gör sig en dunkel, halvt formulerad tanke påmind: det finns en motsägelse, en stötesten antingen i min tankegång eller i dramats byggnad. Om på en nivå döden är en befrielse från lidandet, och om på en annan nivå sexuellt umgänge skänker lindring av livskonflikterna, varför skulle då slutscenen, med slottet omgivet av vackra blommor, förorsaka drömmaren sådana kval? Enligt Strindbergs företal är i det ögonblicket verkligheten, hur kvalfull den än kan vara, en njutning, jämförd med den plågsamma drömmen. Drömmen slutar vackert, men drömmaren lider svåra kval!

Förespråkarna för teorin om uppvaknandet till ett högre liv kan inte förklara drömmarens vånda utan att motsäga sig själva. Likt drömmaren som ser sig själv dyka ned mot en säker död på de vassa klipporna, sliter sig drömmaren i dramat loss ur sin dröm då han plötsligt erfar att det inte finns något liv efter detta, ingen Erlösung, inte ens hopp därom. Men den saken stod klar redan i dörröppningsepisoden, som ändå inte tycktes uppröra drömmaren särskilt mycket.

Kanske har vi inte förstått scenen rätt. Sedan dörren öppnats rasar de bedragna åskådarna och professorerna mot Dottern och är t. o. m. nära att angripa henne.

Lordkanslern Vill Dottern vara god och säga oss vad hon menat med denna dörröppning?
Dottern Ne, go vänner! Om ag sade't skullen I icke tro't.
Dekanus för medicinska fakulteten Där är ju intet.

Vem var det i själva verket som öppnade dörren? Glasmästaren. Varför skulle en glasmästare öppna dörren? En smed tillkallades i scen 4, men glasmästaren kom. Vem är denne glasmästare? Och hur kom drömmaren tillbaka till dörröppningsscenen? Jag har hävdat att kausalsammanhangen i en dröm avslöjas genom att man ställer scenerna bredvid varandra. Vad är här det dolda sambandet? Och varför ser ingen något bakom dörren? I kyrkan ledde den dörren till sakristian; på advokatkontoret var det dörren till dokumentskåpet; och i teaterscenen, där man först ser den, slås Officern av dess likhet med en skafferidörr från hans barndom. Det är inte sant att det inte finns något bakom dörren. Allt finns bakom den!

Nu ligger den dolda tanke, som besvärat mig, alldeles under ytan. Att säga att inget finns bakom dörren är ett utmärkt exempel på förskjutning, den drömteknik varmed jaget avleder vår uppmärksamhet och flyttar tonvikten från det som är verkligt betydelsefullt. Dörren är en kvinnlig symbol, liksom fönstren som glasmästaren arbetar med. När Dottern i öppningsscenen ger honom order om att sätta in fönster i slottet, har vi ett utmärkt exempel på den omkastning som är vanlig i drömmar: glasmästaren sätter i själva verket slott i fönstren. När han sätter in fönstren, växer slottet (se Officerns tal i Skamsundsscenen). Kristin, som klistrar igen fönstren, skulle åstadkomma motsatt effekt.

När vi först hör talas om dörren, förbinder drömmaren — i

Officerns förklädnad — den med skafferidörrar och mat. För drömmaren är dörren inte bara en kvinnlig symbol utan en moderssymbol, den som ger näring, både andlig och lekamlig.[1] I Diktarens förklädnad söker Drömmaren en förening med Dottern i grottscenen, där födelsesymbolerna är så framträdande. Men hur skall Kristusvisionen i samband med den skeppsbrutna och drunknande mänskligheten tolkas? Även detta hör ihop med födelsesymboliken men på ett speciellt sätt. Tanken att rädda eller frälsa liv innebär ett försök att göra för modern vad hon gjort för drömmaren och så gengälda henne för födelseakten. På detta sätt förknippas Kristusbilden med incestuösa böjelser.

Diktaren hyser dylika böjelser men håller dem tillbaka. Omedelbart efter Kristusvisionen håller Diktaren ett förvirrat tal som ingen kritiker kunnat få ut någon mening ur. Soldaterna som han föreställer sig marschera över skuggan av ett kyrktorn har en sexuell innebörd — den förste som trampar på väderhanen måste dö — men innan han förstår meningen kommer ett moln farande. ”Molnets vatten släckte solens eld:” säger Diktaren. Faran är förbi för ögonblicket, men den sexuella föreställningen ligger och lurar under ytan.

Det är under detta tal som scenen förändras till teaterkorridoren, där Dottern redan håller på att ordna för dörröppnandet. Dörren är varken mer eller mindre besvärande för drömmaren än kyrkspiran och korset, eftersom den har att göra med glasmästaren, som genom hela dramat är en fadersgestalt. Öppnandet av dörren antyder på ett bottenplan en helt korrekt förening av moder och fader; på ett lättare tillgängligt plan förebådas det omöjliga i att drömmaren någonsin skall kunna förverkliga sina djupaste önskningar.

Som en kontrast blir döden genom eld i slutet plågsam därigenom att den antyder att Diktaren-drömmaren intar sin fars plats. Först är tanken lika vacker som stormhattarna som blommar utanför slottet. Men liksom stormhatten har tanken en giftig rot. Dottern träder in i slottet — ytterligare ett exempel på omkastning i drömmen — och den undanträngda Oidipustanken

[1] Strindberg sammanställde alltid föda och näring med modersbegreppet.

kommer upp till ytan i det ögonblick, då orgasm och död inträffar. Slöjan rämnar, och för ett ögonblick vinner själen befrielse, för ett ögonblick bländas ögat av en vision av ett liv utan motsägelser; så vaknar drömmaren i djup beklämning. Han känner men förstår inte sin stora skuld.

Alla de frågande, sorgsna ansikten, som vi ser i det brinnande slottet, kan föras ihop till ett: den plågade drömmarens. Och bakom alla de olösliga konflikter, som dramat framför, ligger den första vi lär känna, den som driver oss ut ur paradiset.

”Ja, min vän, universum *har* gåtor”, säger Ester till sin älskare Max i Götiska rummen som Strindberg skrev 1904;

”. . . men människorna gå, icke som blinda, ty de se, men förstå icke. — Vem du är, vem jag är, det veta vi icke! men när vi förenades, tyckte jag mig omfamna ett lik, som icke var ditt, utan en annans . . . jag vill icke säga vilkens.

”Och du, du föreföll mig vara min far, så att jag fick skam och avsky! Vad är detta fruktansvärda, hemlighetsfulla, som vi kommit in i?”

”Nu först kanske mänskligheten får veta de olösliga gåtorna. Ana dem åtminstone!”

Översättning av Lennart Peterson

KOMMENTARER

Strindbergs samlade skrifter utgavs 1912—20 i 55 delar av John Landquist. Det är fortfarande huvudeditionen. En upplaga i 14 band kommenterad och vald av Gunnar Brandell är den fylligaste som för närvarande finns i handeln. Aldus har utgivit Strindbergs viktigaste verk i 15 volymer.

Strindbergs brev utges sedan 1948 under redaktion av Torsten Eklund. Ett urval med titeln Från Fjärdingen till Blå tornet presenterades 1946. En ny upplaga av dramerna, som följer den text som Strindberg själv godkände, är under utgivning, redigerad av Carl Reinhold Smedmark.

1963 offentliggjordes för första gången ett avsnitt ur den ockulta dagboken. Nya översättningar av några av Strindbergs arbeten på franska, Vivisektioner och En dåres försvarstal, har gjorts av Tage Aurell.

NATHAN SÖDERBLOM intresserade sig starkt för Strindbergs religiositet efter Infernokrisen. *Skuld och försoning* är det tal han höll vid diktarens begravning i maj 1912. Det trycktes 1933 i första samlingen av *Svenskars fromhet,* som också innehåller några andra studier om Strindbergs religiositet.

VICTOR SVANBERG (professor i litterturhistoria i Uppsala 1946—62) publicerade sitt angrepp i essaysamlingen *Poesi och politik,* 1931.

TORSTEN EKLUND (docent i litteraturhistoria vid Stockholms universitet) disputerade 1948 med den psykologiska studien *Tjänstekvinnans son,* ur vilken här återges ett avsnitt av andra kapitlet.

MARTIN LAMM (professor i litteraturhistoria i Stockholm 1919—45) höll under läsåret 1921—22 en föreläsningsserie, som inledde hans omfattande strindbergsstudium, vilket blev banbrytande för den moderna forskningen i ämnet. 1924—26 utgavs hans *Strindbergs dramer,* ur vilken avsnittet i denna volym hämtats. Lamms biografi över diktaren finns utgiven i Aldusserien. En översikt över Strindbergs roll i dramatikens utveckling ger han i *Det moderna dramat* (Aldusserien 94).

ALGOT WERIN (professor i litteraturhistoria i Lund 1948—58) var fakultetsopponent vid *Göran Lindblads* disputation 1924, då *August Strindberg som berättare,* den första doktorsavhandlingen om diktaren, ventilerades. På grundval av sin opposition skrev Werin den här återgivna essayen, som först trycktes i *Svenskt 1800-tal,* 1948.

GÖRAN LINDBLAD disputerade 1924 med avhandlingen *August Strindberg som berättare.* Kapitlet Det nya riket är hämtat ur avhandlingen.

HENRY OLSSON (professor i litteraturhistoria i Stockholm 1945 – 1962) publicerade sin studie över Sömngångarnätter i *Från Wallin till Fröding* 1939. Den har avsevärt omarbetats till detta urval.

HANS LINDSTRÖM disputerade 1952 med avhandlingen *Hjärnornas kamp,* en studie i Strindbergs förhållande till suggestionspsykologien under åttiotalet, varom ovanstående hämtats.

GUNNAR BRANDELL (professor i litteraturhistoria i Uppsala sedan 1963) har skrivit den grundläggande analysen av diktarens själsliga omställningsprocess kring sekelskiftet, *Strindbergs Infernokris,* 1950. Här omtrycks slutavsnittet av denna bok.

JOHN LANDQUIST (professor i pedagogik i Lund 1936—46) redigerade den stora Strindbergsupplagan. Uppsatsen om diktarens förhållande till sina härskargestalter har hämtats från *Människokunskap* (1920), en studie över den historiska och den konstnärliga kunskapen.

KARL-ÅKE KÄRNELL (docent i litteraturhistoria i Lund) disputerade 1962 med avhandlingen *Strindbergs bildspråk.* Här återges en sammanfattning av andra kapitlet i denna bok.

MAURICE GRAVIER är professor vid Sorbonne i skandinaviska språk och skandinavisk litteratur. Avsnittet här är hämtat ur *Strindberg et le théâtre moderne,* Lyon 1949.

EVERT SPRINCHORN har disputerat på en avhandling om Modern Scandinavian Drama och undervisar i dramatik vid Vassar College i New York. Hans uppsats är hämtad ur *Modern Drama,* december 1963.

I åtskilliga fall innehåller originalversionerna texthänvisningar och upplysningar i noter, som här ansetts överflödiga. Den läsare som önskar tillgång även till detta material hänvisas till ovan angivna utgåvor.

PERSONREGISTER

ALDUSBÖCKERNA

fackböcker, populärvetenskap

LITTERATUR, SPRÅK, RELIGION

John M. Allegro *Dödahavsrullarna* 6: 75
Gunnar Brandell (red.) *Synpunkter på Strindberg* 10: 50
Francis Bull *Världslitteraturens historia* 11: 50
Fredrik Böök *Analys och porträtt* 9: 50
John Chadwick *Mykenes röst — tolkningen av linear* B 6: 75
Georges Dumézil *De nordiska gudarna* 6: 25
Knut Hagberg *Linneansk linje* 6: 75
S. I. Hayakawa *Vårt språk och vår värld* 8: 50
Olle Holmberg *Skratt och allvar i svensk litteratur* 9: 75
Knut Jaensson *Sanning och särprägel* 8: 50
Olof Lagercrantz *Agnes von Krusenstjerna* 9: 75
Martin Lamm *August Strindberg* 12: 50
Martin Lamm *Det moderna dramat* 12:50
Artur Lundkvist *Utsikter över utländsk prosa* 8: 50
Bertil Malmberg *Språket och människan* 8: 50
Martin P:n Nilsson *Helvetets förhistoria* 5: 50
Sven Ulric Palme *Kristendomens genombrott i Sverige* 7: 50
Gunnar Tideström *Edith Södergran* 8: 75
Geo Widengren *Kungar, profeter och harlekiner* 6: 75
Geo Widengren *Religionens ursprung* 5: 50

STRINDBERG I ALDUS

4: 50 per volym

1 · MÄSTER OLOF *och* GUSTAV VASA

2 · RÖDA RUMMET

3 · GIFTAS I—II

4 · SVENSKA ÖDEN OCH ÄVENTYR I

5 · SVENSKA ÖDEN OCH ÄVENTYR II

6 · FADREN *och* FRÖKEN JULIE

7 · TJÄNSTEKVINNANS SON I

8 · TJÄNSTEKVINNANS SON II

9 · HEMSÖBORNA

10 · SKÄRKARLSLIV

11 · TILL DAMASKUS *och* ETT DRÖMSPEL

12 · DÖDSDANSEN och SPÖKSONATEN

13 · DET NYA RIKET

14 · INFERNO

15 · SVARTA FANOR